原発性免疫不全症候群診療の手引き 改訂第2版

編集
日本免疫不全・自己炎症学会

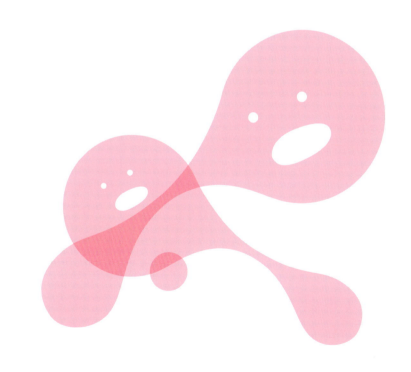

改訂第2版　序文

　平成29（2017）年4月に，日本免疫不全症研究会編集の『原発性免疫不全症候群 診療の手引き』が発刊されてからすでに6年が経過しました．この間の原発性免疫不全症候群領域の研究，診療における進歩は目覚ましいものがありました．

　国際免疫学会連合（International Union of Immunological Societies：IUIS）の免疫不全症専門家委員会でもここ数年は毎年，今までの疾患の見直し，新しい疾患の組み入れの議論を行っており，現在までに500近くの疾患が同定されるに至りました．原発性免疫不全症候群との診療状況も変わってきており，より適切な情報を提供するために，改訂を行うこととなりました．

　現在，厚生労働科学研究費補助金　難治性疾患政策研究事業「原発性免疫不全症候群の診療ガイドライン改訂，診療提供体制・移行期医療体制構築，データベースの確立に関する研究」の支援を受けて，同班（以後，原発性免疫不全症研究班）では，経時的に診療ガイドラインの見直し，改訂にあたっています．今回はそれを嚙み砕いた形で，第一線で診療に当たる一般医の皆さん，研修医の皆さんなどを対象として，『原発性免疫不全症候群 診療の手引き　改訂第2版』を発刊することといたしました．

　すべてを網羅することはできませんので，ここでは日常で遭遇することのある代表的な疾患，見逃してはいけない疾患を中心に，提示しています．エキスパートの先生方がどのような診断・治療をしているか，臨床経験を盛り込みながら紹介することで，日常診療において気をつけるべき点や，専門医に紹介するまでに必要な検査や対応方法などを網羅した，臨床的・実践的な書籍となるようにしております．

　また今回，診療において大切な移行期ガイドラインも掲載させていただいています．皆さんのお役に立てる書籍となることを祈っております．

2023年9月

日本免疫不全・自己炎症学会
理事長　**森尾友宏**

初版　序文

　原発性免疫不全症候群は稀ではあるが見逃してはならない疾患である．適切な診断，適切な治療により，予後が改善されるからである．しかし日本には診断されていない患者が多数いると考えられる．例えば，欧米で行われている原発性免疫不全症の新生児スクリーニングの結果から，重症複合免疫不全症の発症頻度は，これまで20万人に1人から5万人に1人と，より高いことがわかってきた．逆にいうと，これまで見逃し症例が多く存在したことを示している．すなわち重症複合免疫不全症と診断されないまま，死亡した患者がいると思われる．

　こうした見逃し例を減らすためには，原発性免疫不全症候群の徴候を知っておく必要がある．原発性免疫不全症候群では，まず易感染性が疑うべき徴候である．例えば，中耳炎や肺炎を繰り返す，水痘が重症化する，肺炎球菌ワクチンを接種していても重症の肺炎球菌感染を起こす，感染症への抗菌薬，抗ウイルス薬，抗真菌薬への反応性が不良である，EBウイルス持続感染を起こした，ニューモシスチス肺炎を起こした，BCGの播種性感染症を起こしたなどの患者を診療したときは疑わなくてはならない．一方，免疫調節障害などでは，血球貪食症候群や自己免疫疾患を起こす．悪性腫瘍を合併しやすい原発性免疫不全症候群もある．このように易感染性が多くの原発性免疫不全症の主要徴候であるが，自己免疫疾患，悪性腫瘍も起こしうるため，診断にあたり注意が必要である．また，原発性免疫不全症候群には300程度の多岐にわたる疾患があるため，診断には専門医のアドバイスが必要である．本書では，各疾患の症状，身体所見，検査所見など，本症を疑い診断するために必要な知識を専門医が解説している．

　治療としては，免疫グロブリン定期補充療法，G-CSF定期投与，IFN-γ投与，感染症に対する予防的抗微生物薬（抗菌薬，抗ウイルス薬，抗真菌薬など）投与，造血細胞移植，遺伝子治療などがあり，診断後速やかに開始する必要がある疾患もある．また，感染症発症時は通常とは異なる抗微生物薬の投与法も考えなければならない．易感染性以外に免疫調節障害を起こすこともあり，ステロイドやシクロスポリンAなどの免疫抑制薬を投与する場合もある．

　原発性免疫不全症候群を疑った場合は，速やかに専門医に相談し確定診断と治療を進めるべきである．例えば，重症複合免疫不全症は可及的速やかに診断し，治療を開始する必要がある．未治療では2歳までにほぼ100％死亡するが，早期診断すれば造血細胞移植により90％以上の治癒が見込まれるようになってきた．X連鎖無ガンマグロブリン血症は，早期診断と免疫グロブリン定期補充による治療により予後が劇的に改善したが，免疫グロブリン定期補充療法が適切になされないために肺炎などの感染を繰り返し，慢性肺疾患などの臓器障害を起こしている症例がある．X連鎖高IgM症候群は，長期予後が不良で20歳で生存率が25％という報告がある一方，5歳までに造血細胞移植を行うことで100％の無病生存が得られるという報告もある．これらのことから，いかに早期診断，適切な治療が重要であるかがわかる．専門医への相談体制はPIDJ（原発性免疫不全症データベース）で確立しているが，本書にはPIDJの利用法の解説も記載されている．また，治療法の解説がなされていて，例えば専門医への相談後，かかりつけ医が診療し治療する場合も，本書を活用できる．

　本書では，国際免疫学会による分類（IUIS分類）に記載された多数の原発性免疫不全症から，代表的かつ頻度の高い疾患を選び，診療の手引きとして解説した．厚生労働省原発性免疫不全症候群の診断

基準・重症度分類および診療ガイドラインの確立に関する研究班分担研究者の各分野の専門医による解説であり，Expert opinion といえる．専門医の先生方が経験した症例の紹介も含まれ，実用的な内容となっている．ぜひ専門外の先生方も，原発性免疫不全症を疑った場合や診療する際に本書を活用していただきたい．

2017 年 4 月

日本免疫不全症研究会代表幹事

野々山恵章

執筆者一覧

編　集

日本免疫不全・自己炎症学会

執　筆（掲載順）

森尾　友宏	東京医科歯科大学大学院医歯学総合研究科 発生発達病態学分野
關中　悠仁	防衛医科大学校小児科
内山　　徹	国立成育医療研究センター研究所 成育遺伝研究部
矢田裕太郎	九州大学大学院医学研究院 成長発達医学分野
大賀　正一	九州大学大学院医学研究院 成長発達医学分野
笹原　洋二	東北大学大学院医学系研究科 発生・発達医学講座 小児病態学分野
髙木　正稔	東京医科歯科大学大学院医歯学総合研究科 茨城県小児・周産期地域医療学講座
大西　秀典	岐阜大学大学院医学系研究科 小児科学分野
若松　　学	名古屋大学大学院医学系研究科 小児科学
村松　秀城	名古屋大学大学院医学系研究科 小児科学
高田　英俊	筑波大学医学医療系小児科学
峯岸　克行	徳島大学先端酵素学研究所 免疫アレルギー学分野
谷田　けい	東京医科歯科大学大学院医歯学総合研究科 発生発達病態学分野
金兼　弘和	東京医科歯科大学大学院医歯学総合研究科 小児地域成育医療学講座
今井　耕輔	防衛医科大学校小児科
森谷　邦彦	防衛医科大学校小児科
關中佳奈子	防衛医科大学校小児科
山下　　基	理化学研究所 生命医科学研究センター 免疫転写制御研究チーム
井上　健斗	東京医科歯科大学大学院医歯学総合研究科 発生発達病態学分野
宮澤　英恵	金沢大学医薬保健研究域医学系 小児科
和田　泰三	金沢大学医薬保健研究域医学系 小児科
星野　顕宏	東京医科歯科大学大学院医歯学総合研究科 小児地域成育医療学講座
松田　裕介	金沢大学医薬保健研究域医学系 小児科
八角　高裕	京都大学大学院医学研究科 発達小児科学
木下恵志郎	九州大学大学院医学研究院 成長発達医学分野
石村　匡崇	九州大学大学院医学研究院 周産期・小児医療学
仁平　寛士	京都大学大学院医学研究科 発達小児科学
溝口　洋子	広島大学大学院医系科学研究科 小児科学

岡田　　賢	広島大学大学院医系科学研究科 小児科学
小野寺雅史	国立成育医療研究センター 遺伝子細胞治療推進センター
西小森隆太	久留米大学医学部小児科
満尾　美穂	久留米大学医学部小児科
野間　康輔	広島大学大学院医系科学研究科 小児科学
浅野　孝基	広島大学大学院医系科学研究科 小児科学
辻本　　弘	和歌山県立医科大学分子遺伝学講座
井上　徳光	和歌山県立医科大学分子遺伝学講座
日浦　惇貴	九州大学病院別府病院 免疫・血液・代謝内科
堀内　孝彦	九州大学病院別府病院 免疫・血液・代謝内科
河野　正憲	東京大学医学部附属病院 アレルギー・リウマチ内科
藤尾　圭志	東京大学医学部附属病院 アレルギー・リウマチ内科
佐々木広和	東京医科歯科大学 膠原病・リウマチ内科
保田　晋助	東京医科歯科大学 膠原病・リウマチ内科

目　次

改訂第 2 版　序文　　　　　　　　　　　　　　　　　　　　　　森尾友宏　　iii
初版　序文　　　　　　　　　　　　　　　　　　　　　　　　　野々山恵章　　iv
執筆者一覧　　　　　　　　　　　　　　　　　　　　　　　　　　　　　　　vi

I　総　論

序章　原発性免疫不全症候群

　　原発性免疫不全症候群：総論　　　　　　　　　　　　　　　　森尾友宏　　2

II　各　論

第 1 章　複合免疫不全症

- A　X 連鎖重症複合免疫不全症（X-SCID）　　　　　　　　　　　　關中悠仁　　12
- B　アデノシン・デアミナーゼ（ADA）欠損症　　　　　　　　　　内山　徹　　17
- C　その他の複合免疫不全症（CID）　　　　　　　　　矢田裕太郎，大賀正一　22

第 2 章　免疫不全を伴う特徴的な症候群

- A　ウィスコット・オルドリッチ（Wiskott-Aldrich）症候群（WAS）　笹原洋二　30
- B　毛細血管拡張性運動失調症　　　　　　　　　　　　　　　　　髙木正稔　　36
- C　DNA 修復障害　　　　　　　　　　　　　　　　　　　　　　大西秀典　　41
- D　胸腺低形成　　　　　　　　　　　　　　　　　　　若松　学，村松秀城　49
- E　免疫不全を伴う無汗性外胚葉形成異常症　　　　　　　　　　　高田英俊　　53
- F　高 IgE 症候群　　　　　　　　　　　　　　　　　　　　　　 峯岸克行　　57

第 3 章　抗体産生不全症

- A　X 連鎖無ガンマグロブリン血症（XLA）　　　　　　　　谷田けい，金兼弘和　64
- B　分類不能型免疫不全症（CVID）　　　　　　　　　　　金兼弘和，今井耕輔　68
- C　高 IgM 症候群（免疫グロブリンクラススイッチ異常症）　森谷邦彦，今井耕輔　73
- D　活性化 PI3Kδ 症候群　　　　　　　　　　　　　　　　　　　關中佳奈子　78
- E　IKAROS 異常症　　　　　　　　　　　　　　　　　　　　　　山下　基　　82
- F　NFKB1 欠損症　　　　　　　　　　　　　　　　　　井上健斗，金兼弘和　86
- G　NFKB2 欠損症　　　　　　　　　　　　　　　　　　　　　　笹原洋二　　90

第4章　免疫調節障害

- A　チェディアック・東（Chédiak-Higashi）症候群（CHS）　宮澤英恵，和田泰三　96
- B　X連鎖リンパ増殖症候群（XLP）　星野顕宏，金兼弘和　101
- C　自己免疫性リンパ増殖症候群（ALPS）　松田裕介，和田泰三　106
- D　家族性血球貪食性リンパ組織球症　八角高裕　112
- E　IPEX症候群　木下恵志郎，石村匡崇　117
- F　CTLA4ハプロ不全症/LRBA欠損症　仁平寛士，八角高裕　121
- G　腸炎を伴う免疫不全症　笹原洋二　125

第5章　原発性食細胞機能不全および欠損症

- A　重症先天性好中球減少症（SCN）　溝口洋子，岡田賢　132
- B　慢性肉芽腫症（CGD）　小野寺雅史　137
- C　GATA2欠損症　西小森隆太，満尾美穂　142

第6章　自然免疫異常

- A　IRAK4/MyD88欠損症　高田英俊　148
- B　メンデル遺伝型マイコバクテリア易感染症（MSMD）　野間康輔，岡田賢　152
- C　慢性皮膚粘膜カンジダ症（CMCD）　浅野孝基，岡田賢　157

第7章　補体欠損症

- A　先天性補体欠損症　辻本弘，井上徳光　164
- B　遺伝性血管性浮腫　日浦惇貴，堀内孝彦　170

III　補遺

補遺　移行期ガイドライン

- 高IgE症候群　河野正憲，藤尾圭志　178
- X連鎖無ガンマグロブリン血症（XLA）　佐々木広和，保田晋助　181
- 分類不能型免疫不全症（CVID）　佐々木広和，保田晋助　184
- 慢性肉芽腫症（CGD）　河野正憲，藤尾圭志　187

索引　190

I 総論

序章 原発性免疫不全症候群

序章　原発性免疫不全症候群

原発性免疫不全症候群：総論

東京医科歯科大学大学院医歯学総合研究科 発生発達病態学分野　**森尾友宏**

1. 原発性免疫不全症候群：その呼称，分類，と疾患同定

　原発性免疫不全症候群は免疫系に関与する遺伝子の変異により発症する疾患群を総称する．長く，primary immunodeficiency syndrome と呼称され，しばしば PID と略されることがあり，多彩な疾患を内包することから，「症候群」としてまとめられている．

　International Union of Immunological Societies（IUIS）の専門家委員会では，現在 PID に代わって，同疾患群を inborn errors of immunity（IEI）と呼称しており，担当する委員会名称も IEI committee となっている．本稿では，以下，原発性免疫不全症の略称を IEI とする．IEI の多くは単一遺伝子異常だが，近年 digenic 疾患もいくつか知られるようになってきた．1980 年代から責任遺伝子が明らかになり，体系的・網羅的遺伝子解析からその数は飛躍的に増え，現時点では 485 の遺伝子異常が明らかになっている[1,2]．

　当初は IEI においては易感染性が表現型の主体であったが，現在では，自己免疫疾患，自己炎症，悪性腫瘍，アレルギーなどを主症状とする疾患も多いことがよく知られるようになった．成人発症の疾患，おもに成人診療科を初診で訪れる疾患も多い．IUIS では 2 年ごとに疾患の見直し（おもに追加）と分類の検討を行ってきたが，ここ 2，3 年は疾患同定の速度に歩調を合わせるために，毎年の見直し・追加が検討されている．2022 年には新たに 55 の責任遺伝子異常が加わった[1,2]．そのなかの 16 疾患は，一家系しか判明していないものである．一方，2010 年代以降に同定された疾患のなかには，その数が比較的多い疾患（IKAROS 異常症，NFKB1 欠損症），成人において見つかることの多い疾患（GATA2 異常症）などが含まれ，IEI については卒業後も再学習が必要な代表的疾患であるといえる[3]．

2. IEI の疫学および集約的情報提供体制

　IEI はいわゆる稀少疾患とされており，公的には 10 万人あたり 2，3 名程度とされている．しかし，重症複合免疫不全症（severe combined immunodeficiency：SCID）の新生児マススクリーニングでも 5 万人に 1 人の発症率が想定されており，現在は実際には最低でも 1 万人に 1 人と考えられている．軽症例を含めると 1,000 人に 1 人という試算もなされている．

　この IEI の実態調査にあたるのが，厚生労働省原発性免疫不全症班（＋自己炎症性疾患班）である．以前より，同研究班とかずさ DNA 研究所・理化学研究所の協働により，Primary Immunodeficiency Database in Japan（PIDJ）を構築し，稀少疾患の疾患レジストリーの先駆けとなっていたが，現在 PIDJ は一般社団法人日本免疫不全・自己炎症学会（Japanese Society for Immunodeficiency and Autoinflammatory Diseases：JSIAD）に引きつがれ，新しく難病プラットフォームに移行して疾患数の把握にあたっている．

　JSIAD（https://jsiad.org/）では IEI に関しての情報を提供しており，また医師からの症例相談を受け付けている．また，現在保険収載されている遺伝子解析については，その解釈についても担当している．国の認定制度としては，小児慢性特定疾患，および指定難病に含まれる疾患であり，疾患を疑った場合には，その管理，治療を含む最新情報を得るためにも，各地域の専門医に相談するこ

表1　IEI を疑う 10 の徴候（小児版）

1. 乳児で呼吸器・消化器感染症を繰り返し，体重増加不良や発育不良がみられる
2. 1 年に 2 回以上肺炎にかかる
3. 気管支拡張症を発症する
4. 2 回以上，髄膜炎，骨髄炎，蜂窩織炎，敗血症や，皮下膿瘍，臓器内膿瘍などの深部感染症にかかる
5. 抗菌薬を服用しても 2 か月以上感染症が治癒しない
6. 重症副鼻腔炎を繰り返す
7. 1 年に 4 回以上，中耳炎にかかる
8. 1 歳以降に，持続性の鵞口瘡，皮膚真菌症，重度・広範な疣贅（いぼ）がみられる
9. BCG による重症副反応（骨髄炎など），単純ヘルペスウイルスによる脳炎，髄膜炎菌による髄膜炎，EB ウイルスによる重症血球貪食症候群に罹患したことがある
10. 家族が乳幼児期に感染症で死亡するなど，原発性免疫不全症候群を疑う家族歴がある

Jeffery Modell Foundation を中心に作成された 10 Warning Signs of Primary Immunodeficiency をもとにして，原発性免疫不全症班（原寿郎班）と理研が許諾を得て作成したものである．https://www.nanbyou.or.jp/entry/254（難病情報センター）でも記載があるほか，元の資料は https://info4pi.org/library/educational-materials/ で確認することができる．

とが必要である．

3. 症状および鑑別診断

a どういうときに IEI を疑うか（感染症）

症状としては，まずは易感染性に注意すべきである．実際に，「原発性免疫不全症を疑う 10 の徴候」（表1）が広く使われており，そこに記載されている症状の大半は感染症の症状である．ここで掲示するものは小児版であるが，成人版においても留意すべき感染症は同様であるが，その頻度が低い状態で疑う必要があることが示されており，下痢に伴う体重減少の記載がある．

ここには，特定の疾患に対する易感染性も示されていることが重要である．易感染性を示す微生物と IEI という点では大枠では，表2 のような整理ができる[4]．

b どういうときに IEI を疑うか（感染症以外）

易感染性以外では，免疫系の異常には特に注意する．特に家族歴は重要である．

家族歴のある膠原病リウマチ疾患，自己免疫疾患，リンパ系悪性腫瘍，重症アレルギー疾患や若年発症の自己免疫疾患，重症アレルギーなどでは，IEI の存在を疑うことが重要である．例えば難治性の免疫性血小板減少性紫斑病や，2 系統以上の自己免疫性血球減少症，若年発症の多内分泌腺異常症，乳児期発症の重症アトピーなどに IEI が隠れていることも多い．加えて，非典型的な経過・症状・所見，治療に対する非典型的な反応があれば IEI を疑うことが必要である[4]．

c 診断のための検査

診断に至るためには，家族歴，既往歴（幼少時期の感染症やアレルギー疾患，ワクチン接種歴と副反応など），現病歴，身体所見が最も重要である．身体所見においては，身長，体重，口腔内所見（う歯，カンジダ症，扁桃腺肥大あるいは欠失など），皮膚所見（アトピー，白皮症，色素沈着など），リンパ節腫大，肝脾腫，骨格系を含む形態異常の有無，発達などシステマティックな診察が必要である[4]．

検査では一般的検査として血算（白血球分画含む），IgG, IgA, IgM（IgE），微生物学的検査，一般生化学的検査を核とする．感染症歴やその他の病歴所見から，抗体産生異常，T 細胞異常，食細胞の異常，あるいは自然免疫系や補体系の異常などを疑い，さらなる検査を行う．

リンパ球亜群解析，特異抗体産生能（特殊検査になるが肺炎球菌特異的 IgG2 など）を実施し，専門施設にコンサルトするのがよい．この際には JSIAD を通しての相談がベストである．概要については表3 に示した[5)6)]．

最終的には遺伝子診断が必要になる．現在は次に紹介する疾患分類に応じて遺伝子解析を行うが，いくつかのパネル（例えば重症複合免疫不全症，分類不能型免疫不全症など　https://www.ka-

表2 病原体からみた免疫異常症

		免疫異常症のカテゴリー	責任遺伝子（例）
A　ウイルス	一般的に	T細胞異常（複合免疫不全症など）	
	サイトメガロウイルス	重症T細胞異常（複合免疫不全症など）	
	EBウイルス	T細胞異常（複合免疫不全症など）	
		EBV関連免疫不全症（血球貪食症候群）	*SH2D1A, XIAP*（X連鎖リンパ増殖症候群）
		EBV関連免疫不全症（慢性感染症）	*CD27, ITK, PRKCD*
	パピローマウイルス	T細胞異常（複合免疫不全症など）	*DOCK8, GATA2*
		自然免疫異常症など	*EVER1, EVER2*
	単純ヘルペス（脳炎）	自然免疫異常症	*TLR3, TRIF, UNC93B*
	細胞融解型ウイルス（コクサッキーウイルスなど）	抗体産生不全を中心とするIEI	
B　細菌	細胞外寄生菌	抗体産生不全を中心とするIEI	
		貪食細胞の数あるいは機能の異常	
	肺炎球菌	（上記に加え）自然免疫系異常	*IRAK4, MYD88*
	ブドウ球菌	（上記に加え）高IgE症候群	*STAT3*
	ナイセリア	補体異常症	*C5, C6, C7…*
	細胞内寄生菌（サルモネラ，結核など）	貪食細胞の数あるいは機能の異常	*CYBB*（慢性肉芽腫症）
		自然免疫系異常症	*IFNGR1/2*
C　真菌	カンジダ	T細胞異常（複合免疫不全症など）	
		自然免疫異常症など	*AIRE, CARD9, IL17F, STAT1*
	アスペルギルス	T細胞異常（複合免疫不全症など）	
		貪食細胞の数あるいは機能の異常	*CYBA, CYBB*（慢性肉芽腫症），*STAT3*
	ニューモシスチス	T細胞異常（複合免疫不全症など）	
		（樹状細胞異常症）	*GATA2*

複合免疫不全症，抗体産生不全を中心とするIEIは数が多く，例示していない．より詳しくはTangye SG, Al-Herz W, Bousfiha A, et al. Human Inborn Eroors of Immunity: 2022 Update on the Classification from the International Union of Immunological Societies Expert Committee. *J Clin Immunol* 2022；7：8-25を参照．

zusa.or.jp/genetest/test_search.html）から選択して提出する形になっており，その選択について，また結果の解釈については，やはりJSIAD等を通じての専門の医師の判断解釈を仰ぐことが必要である．既知の変異以外で解釈や，さらなる機能解析が必要になる[7]．

4. IEIの疾患分類

IEIは様々な切り口で分類可能である．IUIS IEI分類では現在，B細胞，T細胞，食細胞，自然免疫系，免疫調節系，補体，症候群的疾患などの異なる視点を組み合わせた分類法をとっている．現在のIUIS2022ではテーブルの数は以下の10となっている．

Table 1　複合免疫不全症
Table 2　症候性の特徴を有する複合免疫不全症
Table 3　抗体産生不全症
Table 4　免疫調節障害
Table 5　食細胞の数あるいは機能の先天的欠陥
Table 6　自然免疫異常
Table 7　自己炎症性疾患
Table 8　補体欠損症
Table 9　骨髄不全
Table 10　先天性免疫異常症を模倣する疾患

表3 IEI評価のための診断手順

1. ・病歴（家族歴，既往歴，現病歴）および身体所見（含：身長，体重）
   ・血算および白血球分画
   ・IgG, A, M, E

2. ・特異抗体（蛋白：破傷風・ジフテリア（保険外），多糖体抗原：肺炎球菌（保険外），ウイルス抗体：麻疹，風疹など，血液型裏試験など）
   ・IgGサブクラス
   ・リンパ球表面抗原（CD3/CD4/CD8/CD19/CD56）

3. ・C3, C4, CH50（補体欠損症を疑うときは最初から）
   ・リンパ球増殖試験〔PHA, ConA, 抗CD3/CD28（保険外），PMA（保険外）など：特にT細胞異常症を疑うとき〕
   ・活性酸素産生能〔FACS解析（保険外）：好中球異常症を疑うとき〕
   ・NK細胞活性
   ・この時点である程度判断ができれば，パネル遺伝子解析に入ってもよい→確定診断

4. 機能解析（専門施設に相談）
   ・TRECs/KRECs（B細胞，T細胞新生能の異常を疑うとき）
   ・酵素活性測定（ADA, PNPなど），キナーゼの異常の場合にはリン酸化アッセイ
   ・FACSあるいはwestern blotなどでの欠損分子の解析
   ・詳細なリンパ球亜群解析
   ・サイトカイン産生能
   ・放射線感受性（DNA損傷修復異常症）
   ・網羅的遺伝子解析など

(Jeffrey Modell Foundation Medical Advisory Board. 4 Stages of Testing for Primary Immunodeficiency. 2021. https://res.cloudinary.com/info4pi/image/upload/v1663588378/4_Stages_of_Testing_Updated_8_24_2021_ea64c6fdca.pdf?updated_at=2022-09-19T11:52:58.605Z および Tangye SG, Al-Herz W, Bousfiha A, et al. Human Inborn Errors of Immunity：2022 Update on the Classification from the International Union of Immunological Societies Expert Committee. J Clin Immunol 2022；7：117 から改変)

a IEIの分類

詳細は，元文献となるJournal of Clinical Immunologyの文献を確認し，参照していただくことをおすすめするが，ここには各テーブルに含まれる疾患を簡単に紹介したい[1)2)].

Table 1 複合免疫不全症 Immunodeficiencies affecting cellular and humoral immunity

1. T$^-$B$^+$ SCID（severe combined immunodeficiency：重症複合免疫不全症）
2. T$^-$B$^-$ SCID
3. CID（combined immunodeficiency）通常SCIDより軽症

代表的な疾患としては，*IL2RG*欠損によるX連鎖SCID，V(D)J再構成に関与する分子の異常によるT$^-$B$^-$SCIDなどがあげられる．各論では1. X連鎖重症複合免疫不全症（X-SCID）（第1章A, p.12), 2. アデノシン・デアミナーゼ（ADA）欠損症（第1章B, p.17）について記載している．

3のCIDには以前は高IgM症候群として分類されていたCD40L欠損症や，分類不能型免疫不全症とされていたICOS欠損症などが分類されている．NF-κB経路に位置する疾患のいくつか（IKBKB, RelB, c-Rel…など）もここに分類されている．感染症に関してはあらゆる種類の微生物に対して脆弱性を示す．各論ではその他の複合免疫不全症（CID）として概説されている（第1章C, p.22).

Table 2 免疫不全を伴う特徴的な症候群（あるいは症候性の特徴を有する複合免疫不全症）Combined immunodeficiencies with associated or syndromic features

1. 先天性血小板減少を呈する免疫不全症
2. Table 1に掲載されるもの以外でDNA修復異常を呈するもの
3. 胸腺欠損を示し先天異常を伴うもの
4. 骨異形成を伴う免疫異常

5. 高IgE症候群（hyper IgE syndrome：HIES）
6. ビタミンB_{12}および葉酸代謝異常
7. 無汗性外胚葉形成異常を伴う免疫不全症
8. カルシウムチャンネル異常症
9. その他の異常症

　代表的な疾患としては，1におけるWiskott-Aldrich症候群（第2章A，p.30），2における毛細血管拡張性運動失調症（第2章B，p.36），3におけるDiGeorge症候群（などの胸腺低形成）（第2章D，p.49），5の高IgE症候群（第2章F，p.57）などがあり，これらについては第2章において解説する．DNA損傷修復異常症は高頻度の腫瘍発生を伴い，重症な疾患であり，第2章C（p.41）で概説する．その他，7のNEMO異常症などが比較的よく遭遇する疾患である．それぞれ特徴的な所見があることから，疾患名を想起することができれば，遺伝子解析にまで到達しやすいが，数が多くすべてを思い起こすことはほとんど不可能である．概して幼小児期から症状を呈する．基本的には複合免疫不全症であり，様々な微生物感染症に注意が必要となる．

Table 3　抗体産生不全症　Predominantly antibody deficiencies

1. 全免疫グロブリンアイソタイプの著減：B細胞欠損あるいは著減，無ガンマグロブリン血症を伴うもの
2. 少なくとも2種類の免疫グロブリンアイソタイプの著減：B細胞数正常〜減少および分類不能型免疫不全症の表現型
3. IgG，IgAの著減：IgM正常〜増加および正常B細胞数：高IgM症候群
4. アイソタイプ，軽鎖の欠損，あるいは機能不全：正常B細胞数

　ここに分類される疾患は比較的頻度が高く，よく知られているものも含まれている．例えば1の代表例はX連鎖無ガンマグロブリン血症である（第3章A，p.64）．2にはいわゆる分類不能型免疫不全症（common variable immunodeficiency：CVID）（第3章B，p.68）が含まれている．IKAROS異常症やNFKB1欠損症などは頻度が高く，また成人において診断されることもあることには注意が必要である（第3章E，p.82，第3章F，p.86）．

　高IgM症候群ではCD40L欠損症が第一に想起されるが，本疾患は単球等で発現するCD40へのシグナル不全などにより，複合免疫不全症を呈するために現在，Table 1の3（Combined Immunodeficiency）に分類されている．ここではCD40L異常症を含め，その他の高IgM症候群と共に紹介する（第3章C，p.73）．

　分類不能型免疫不全症には自己免疫疾患や腫瘍を伴うことも比較的多く，特に年齢が高くなるとその頻度が高くなる．活性化PI3Kδ症候群（activated PI3 kinase-delta syndrome：APDS）は，その胚細胞変異部位は，リンパ腫などでの体細胞変異部位とも一致しており，リンパ増殖も呈する疾患である（第3章D，p.78）．NFKB2異常症は副腎不全など特徴的な症状を呈する（第3章G，p.90）．

Table 4　免疫調節障害　Diseases of immune dysregulation

1. 家族性血球貪食性リンパ組織球症（familial hemophagocytic lymphohistiocytosis（FHL）syndrome
2. 色素脱失を伴うFHL syndrome
3. 調節性T細胞の欠損
4. 自己免疫疾患を主体とするもの（リンパ増殖を伴うものと伴わないものがある）
5. 腸炎を伴う免疫調節異常
6. 自己免疫性リンパ増殖症候群（ALPS, Canale Smith syndrome）
7. EBVに対する易感染性およびリンパ増殖性疾患

　様々な疾患が含まれているが，免疫調節の欠陥や細胞死の異常等による免疫の過剰による症状が主体となるものが多い．最近では腸炎を伴う免疫不全症として，幼小児期の炎症性腸疾患において，IEIを念頭に置くことが重要になっている（第4章G，p.125）．

　家族性血球貪食性リンパ組織球症（第4章D，p.112）や色素脱失，神経障害を伴うChédiak-Higashi症候群（第4章A，p.96），EBVへの易感染性を呈するX連鎖リンパ増殖症候群（第4章B，p.101），自己免疫性リンパ増殖症候群（第4章C，p.106）などが各論で提示されている．

調節性T細胞の異常はTregopathyともよばれているが，内分泌異常症を呈するものとしては，IPEX症候群（第4章E，p.117）が，また抗体産生不全を伴い多彩な自己免疫疾患を呈するものとしてはCTLA4ハプロ不全症およびLRBA欠損症（第4章F，p.121）がある．LRBA欠損症はより重症な経過をたどる．

Table 5　原発性食細胞機能不全および欠損症（あるいは食細胞の数あるいは機能の先天性欠陥）　Congenital defects of phagocyte number or function

1. 先天性好中球減少症
2. 遊走能異常
3. 活性酸素産生の異常
4. その他の非リンパ球系異常

以前から知られている重症先天性好中球減少症（第5章A，p.132）や，慢性肉芽腫症（第5章B，p.137）がここに分類される．慢性肉芽腫症の頻度も比較的高く，乳幼児期からの難治性肛門周囲膿瘍，皮膚膿瘍，リンパ節炎では疑う必要がある．

結核や非定型抗酸菌感染症を呈する疾患群もよく知られているが，現在この疾患群は，下記に示されるようにIUIS分類ではTable 6の1に再分類されている（第6章B，p.152）．一方，GATA2異常症もマイコバクテリアへの易感染性を呈し，さらに骨髄系悪性腫瘍を高頻度に発症するが，現在Table 5の4に分類されている（第5章C，p.142）．

Table 6　自然免疫異常　Defects in intrinsic and innate immunity

1. 抗酸菌易感染性を示すメンデル型遺伝性疾患 Mendelian susceptibility to mycobacterial disease（MSMD）
2. 疣贅状表皮発育異常症（epidermodysplasia verruciformis）
3. 重症ウイルス感染症への易感染性
4. 単純ヘルペス脳炎
5. 侵襲性真菌感染症
6. 皮膚粘膜カンジダ症 predisposition to mucocutaneous candidiasis
7. TLRシグナル経路の異常による細菌への易感染性
8. その他の非血液系組織の異常による遺伝性免疫疾患
9. その他白血球に関係する免疫異常症

ここでは特定の微生物に脆弱性を示すIEIが網羅されている．重症ウイルス感染症や反復性ウイルス感染症ではIEIを疑う必要がある．ライノウイルスを反復する患者でも遺伝子異常が見つかっており，必ずしも重症化しなくても，反復や遷延などの視点から，本疾患グループを想起するとよい．

IRAK4/MyD88欠損症は，TLRシグナル異常により，乳幼児期早期に侵襲性細菌感染症を発症する（第6章A，p.148）．慢性皮膚粘膜カンジダ症はIL-17/IL17Rシグナル系を中心とした異常であり，代表的なものとしてSTAT1機能獲得型変異があげられる（第6章C，p.157）．

免疫不全症を伴う無汗性外胚葉形成異常症は現在IUIS分類ではTable 2の7に分類されている．特徴的な身体所見や，遺伝歴等から気づかれることも多い（第2章E，p.53）．

Table 7　自己炎症性疾患　Autoinflammatory disorders

本疾患群は本書では扱わない．

1. タイプIインターフェロノパチー type 1 interferonopathy
2. インフラマソーム病　defects affecting the inflammasome
3. インフラマソーム以外による自己炎症性疾患 non-inflammasome related conditions

数多くの疾患が掲載されており，膠原病リウマチ疾患との接点を含めて，注目を集めている領域である．古典的なものでは，周期性発熱や加えて皮疹や関節炎，漿膜炎などを呈する疾患では本疾患群の想起が必要である．例えばSLE様で，SLEにおいては非典型的な経過を呈する疾患，結節性多発動脈炎，Aicardi-Goutiéres症候群などでは，遺伝子異常を疑って検査を進めることも考慮してよい．

Table 8　補体欠損症　Complement deficiencies

補体成分の欠損では，感染症ではおもにナイセ

リア感染症などが問題となる．また SLE 様症状を呈する疾患も含まれる．（第 7 章 A，p.164）．ここには非典型溶血性尿毒症症候群などの補体調節因子異常が含まれている．遺伝性血管性浮腫は C1q inhibitor などの異常により発症する疾患であるが，診断，治療法が確立している（第 7 章 B，p.170）．

Table 9 骨髄不全 Bone marrow failure

Fanconi 貧血や先天性角化異常症など骨髄不全を主たる表現型とする疾患群である．一部では免疫グロブリン低値をとり，その際に汎血球減少が軽微な場合には，骨髄不全症状群を見逃す場合がある．本疾患群は本書では取り扱わない．

Table 10 先天性免疫異常症を模倣する疾患 Phenocopies of inborn errors of immunity

1. 体細胞変異によるもの
2. 自己抗体関連

非遺伝性疾患であり，本来は IEI（遺伝子異常による疾患）とはいえない．造血細胞系の体細胞変異（KRAS など）や，サイトカインに対する抗体によって遺伝性免疫異常症の表現型を呈する疾患群が含まれており，成人では注意すべき疾患である．例えば IFN-γ 抗体による抗酸菌易感染性や IL-17 関連抗体による慢性皮膚粘膜カンジダ症などには注意を要する．VEXAS 症候群など，比較的年齢が高くなって発症する体細胞異常症をも知られるようになり，今後さらに注目を集める可能性がある．

本書では Table10 に属する疾患については解説しないが，鑑別診断として重要な疾患群である．

b 診断基準

それぞれの疾患群については，日本医療研究開発機構（Japan Agency for Medical Research and Development：AMED）難治性疾患政策研究事業にて，診断基準が作成され，また定期的に改訂が行われている．IEI でも，思わぬ合併症や，新規治療法の開発などがあり，診断基準を参照しつつも，JSIAD 等の学会の専門施設とコンタクトをとって診療を進めることが肝要である．

5. IEI の治療

IEI はその病態に応じて，治療の戦略が異なるが，大枠としては下記のような治療があげられる．実際には各疾患の項を参考にして治療に当たることが望ましいが，専門施設との連携，あるいは同施設への紹介等が重要であろう．

a 免疫グロブリン補充療法

皮下注射および静脈注射の両製剤が使用可能であり，IgG はトラフレベルとして最低 700 mg/dL を維持すること，また個人差があるので状況に応じて増量し，基準値レベルまでとすることが必要である．

b 抗菌薬等による予防

ニューモシスチス感染症に対する ST 合剤，真菌感染症に対する抗真菌薬などが必要となる疾患がある．ST 合剤はまた，細菌感染予防としても用いられる．

c 造血細胞移植

造血細胞移植は重症な IEI に対する第一選択であり，重症複合免疫不全症，CD40L 欠損症，Wiskott-Aldrich 症候群，X 連鎖慢性肉芽腫症，家族性血球貪食性リンパ組織球症，X 連鎖リンパ増殖症候群，その他の重症 IEI で実際されている．

d 遺伝子治療

いくつかの疾患ではレンチウイルスベクター等を用いた遺伝子治療が行われているが，国内での実施はなく，その導入にあたっては産業界の参入などの課題がある．将来的な治療としてゲノム編集治療が模索されている．

e 特異的阻害薬など

機能獲得型変異に対する特異的阻害薬の導入（例えば JAK-STAT GOF 異常症に対する JAK 阻害薬），CTLA4 機能喪失に対する CTLA4-Ig の使用などは，IEI の治療の世界を大きく変えている．PI3Kδ 阻害薬などもその例であるが，いずれも保険未収載である．補充が可能なものとしては ADA や C1q inhibitor などがあげられる．

6. おわりに

　IEIについて概説した．診療にあたっては最新の情報を得ることが必要であり，各論において学びつつ，JSIADの全国診療体制を利用して，専門施設との連携をはかっていただきたいと願っている．

文献

1) Tangye SG, Al-Herz W, Bousfiha A, et al. Human Inborn Errors of Immunity：2022 Update on the Classification from the International Union of Immunological Societies Expert Committee. *J Clin Immunol* 2022；7：1473-1507.
2) Bousfiha A, Moundir A, Tangye SG, et al. The 2022 Update of IUIS Phenotypical Classification for Human Inborn Errors of Immunity. *J Clin Immunol* 2022；7：1508-1520.
3) 森尾友宏．遺伝性免疫疾患研究から展開する精密医療．実験医学 2022；40：2401-2407
4) Razaei N, de Vries E, Gambineri E, et al. Common presentations and diagnostic approach. In：Sullivan K, Stiehm ER（eds），Stiehm's Immune Deficiencies. 2nd ed, Academic Press, London, UK, 2020；3-59.
5) Rosenzweig SD, Kobrynski L, Fleisher TA et al. Laboratory evaluation of primary immunodeficiency disorders. In：Sullivan K, Stiehm ER（eds），Stiehm's Immune Deficiencies. 2nd ed, Academic Press, London, UK, 2020；115-131.
6) 岡本圭祐．免疫不全症の検査手順．小児内科（増刊号）2021；53：679-688.
7) 金兼弘和，谷田けい，今井耕輔．保険収載で実施可能な責任遺伝子解析．日本臨牀（増刊号7）2020；78：27-34.

II 各論

第1章 複合免疫不全症

第1章 複合免疫不全症

A X連鎖重症複合免疫不全症（X-SCID）

防衛医科大学校小児科　關中悠仁

1. 疾患概要

複合免疫不全症はT細胞，B細胞両者（複合）の機能低下による液性，細胞性免疫不全症であり，その最重症型が重症複合免疫不全症（severe combined immunodeficiency：SCID）である．新生児期〜乳児期に致死的な重症・反復感染症（細菌，ウイルス，真菌，BCG，ニューモシスチスなど）をきたす．また慢性感染症による気道・消化器症状，低栄養のため発育・発達不全を呈する．扁桃の欠損，リンパ節の欠損もみられる．

X染色体上の *IL2RG* 遺伝子変異による共通γ鎖（common gamma chain：γc, CD132）欠損によるSCIDが，X連鎖SCID（X-linked SCID：X-SCID）である．臨床的には，1966年にRosenら[1]が報告した3家系が最初の報告である．γcの変異により，T細胞，NK細胞は欠損または著減し（<300/μL），B細胞数は正常だが機能不全を生じている．

a 病因・病態

γcは当初IL-2受容体の構成蛋白（IL-2Rγ鎖）として同定されたが，IL-2以外にもIL-4，IL-7，IL-9，IL-15，IL-21の受容体サブユニットとして機能していることがわかった[2]．γc異常により，リンパ球の発達と機能に重要な複数のサイトカイン受容体シグナル（図1）が遮断され，T細胞欠損，NK細胞欠損，B細胞機能不全を引き起こす（T$^-$B$^+$NK$^-$SCID）[3]．γcは成長ホルモン受容体シグナル伝達にも関与しており，X-SCIDの一部で認められる成長障害の原因となる．

2. 疫学

SCIDの頻度は，米国での新生児スクリーニン

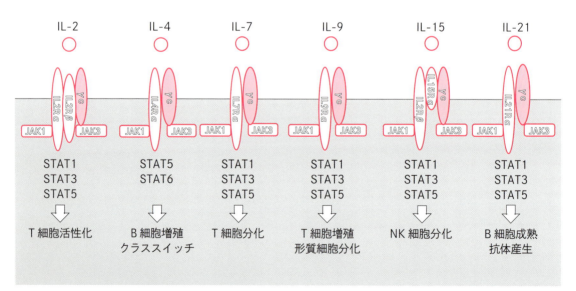

図1　リンパ球の発達と機能におけるγcの役割
γc：gamma chain，IL：interleukin，R：receptor

グの結果，5万8,000人に1人と判明した[4]．全体で300万人を対象としたコホートで全52例のtypical SCIDが見つかり（5.7万出生に1人），そのうち10例（19.2%）がX-SCIDであった．日本においてもX-SCIDの頻度はほぼ同等と想定され，約10万〜30万出生に1人と考えられる．

3. 診断基準，診断の手引き

a 臨床症状
1）易感染性を示す．
　a）難治性下痢症
　b）間質性肺炎（ニューモシスチス，サイトメガロウイルス，RSウイルスなど）
　c）重症あるいは反復性細菌性感染症
　d）BCG感染症
　e）その他の日和見感染症（真菌感染症，重症ウイルス感染症など）
2）体重増加不良を示す．
3）易感染性の家族歴を示す．
4）新生児TREC（T-cell receptor excision circles）スクリーニングで陽性．
5）男児に発症．

b 身体所見
1）低栄養，発育・発達不全を呈する．
2）胸腺や2次リンパ組織の欠損．

c 検査所見
1）本人由来CD3$^+$Tリンパ球数減少（典型的には300/μL未満）
2）PHAによる芽球化反応がコントロールの30%未満（典型的には10%未満）
3）TRECsの低値（< 20 copies/μL Blood ※各スクリーニング施設のカットオフ値による）
4）低ガンマグロブリン血症（生後数か月間は母体からのIgG型移行抗体が存在するため必ずしも低値とならない）
5）末梢血B細胞数が正常〜増加
6）NK細胞が欠損もしくは著減
7）血中に母由来リンパ球が存在することがある
8）*IL2RG*遺伝子解析で変異を認める

d X-SCIDの診断基準（図2）
1）重症複合免疫不全症（T$^-$B$^+$NK$^-$SCID）と診断〔典型的には末梢血T細胞数，NK細胞数は欠損または著減（< 300 μL）〕

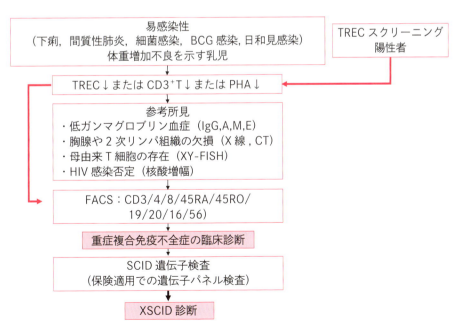

図2　X連鎖重症複合免疫不全症（X-SCID）の診断フローチャート
TREC：T-cell receptor excision circles, PHA：phytohemagglutinin, FACS：fluorescence activated cell sorter

2) *IL2RG* 遺伝子解析で，既知の変異を認める場合
3) *IL2RG* 遺伝子解析で，未知の遺伝子異常の場合は次のいずれかの場合
・γc の発現異常
・IL-2, -4, -21 刺激後の STAT のリン酸化障害
1) + 2) あるいは 1) + 3) の場合，X-SCID と診断する．

e 鑑別診断

JAK3 欠損症を含むその他の複合免疫不全症（第 1 章 C「その他の複合免疫不全症（CID）」参照，p.22）との鑑別が必要である．

ヒト免疫不全ウイルス（HIV）感染症でも本人由来 $CD3^+$ T リンパ球数減少を認めるため，否定する必要がある．

IL2RG やその他 SCID 原因遺伝子の低機能性変異による leaky（あるいは atypical）SCID とよばれる，年長で発症する軽症例や，leaky な T 細胞が自己反応性を示し，移植片対宿主病（graft versus host disease：GVHD）様症状をきたす Omenn 症候群などの非典型例も存在する．

4. 合併症

SCID に対しては，生後早期に骨髄移植を行うことができれば，90％以上の患者は救命可能である一方，感染症合併例や生後 3.5 か月を超えた例への移植では予後は不十分である[5)6)]．可能な限り早期に診断して，適切な感染管理を行いつつ，造血細胞移植を行う必要がある．

5. 重症度分類

X-SCID は全例が最重症であり，感染症に対する速やかな治療と根治治療が必要である．例外的に少数例において，*IL2RG* のミスセンス変異による低機能型変異や，母親由来リンパ球の生着による年長発症例や非典型例も存在する．

6. 管理方法（フォローアップ指針），治療

X-SCID は根治治療を行わなければ，乳児期にほとんどが致死性の感染症のため死亡する非常に予後不良な疾患である．診断後すぐに感染病原体の鑑別およびそれら感染症の予防・治療，クリーンルームへの隔離，可能な限り早期に根治治療として造血細胞移植を行うべきである．

T 細胞分化過程での遺伝子再構成で産生される TREC とよばれる環状 DNA を出生時のガスリー血等を用いて定量することで，SCID の新生児マススクリーニングが可能である[7)]．米国をはじめ実施されている国も多い．わが国では一部の自治体や施設で試行されているが，SCID 患者の早期診断，予後改善のためにはより広く行われることが望ましい．

T 細胞機能が完全に欠損している本疾患では移植前処置が必ずしも必須でなく，歴史的には多くの症例に対して無前処置で HLA 一致〜ハプロ一致血縁ドナーからの造血細胞移植が施行され，救命効果が示されている[6)]．一方，ドナー B 細胞の生着不良のため長期にわたり免疫グロブリン補充療法が必要である点や，無前処置で HLA 一致血縁ドナーからの移植を受け一度良好な生着を得た症例であっても，長期的には T 細胞の枯渇をきたす可能性が示され[8)]，X-SCID においても適切な強度の移植前処置の必要性が議論されてきた．このような背景から，わが国においても SCID に対して比較的強度を弱めた骨髄非破壊的前処置を選択される場合が増えてきている．造血細胞移植ガイドライン（原発性免疫不全症）では，フルダラビン（FLU）180 mg/m^2 + target ブスルファン（BU）あるいは FLU 150 mg/m^2 + メルファラン（L-PAM）140 mg/m^2 等のレジメンを例示している[9)]．

また，X-SCID は遺伝子治療の対象疾患として，特に欧米において臨床研究が進んでいる．当初は患者由来 $CD34^+$ 造血幹細胞にレトロウイルスベクターを用いて正常 *IL2RG* 遺伝子を導入する方法が選択され，長期的な T 細胞・NK 細胞の再構築と免疫グロブリン補充療法からの離脱が達成された[10)]．一方，レトロウイルスベクターが *LMO2*

などの癌遺伝子のプロモーター領域に導入された結果，T細胞性白血病が高頻度に発生し問題となった[11]．第2世代として自己不活化（self-inactivating：SIN）レトロウイルスベクターが用いられ，白血病を発症することなくT細胞性免疫が安定して修正されたが，B, NK細胞の再構築が不十分であった[12]．第3世代としてSINレンチウイルスベクターが用いられ，さらに非骨髄破壊的前処置を組み込むことで，高率にT, B, NK細胞の免疫再構築が得られており，有効性と安全性が向上している[13)14)]．2022年時点で，わが国においてX-SCIDを対象とした遺伝子治療の臨床研究は存在しない．

a フォローアップ指針

根治的治療は造血細胞移植であり，フォローアップは一般的な造血細胞移植後に準じる．
①造血細胞移植後も免疫グロブリン補充を継続し，血清IgG値が補充なしで500 mg/dL以上を維持できるようであれば免疫グロブリン補充は中止可能であるが，より高い血清IgG値を維持する必要がある症例もある．
②リンパ球サブセット解析，リンパ球幼若化反応，免疫グロブリン産生能を含む免疫能の総合的評価，および細胞lineageごとのキメリズム解析を定期的に行い長期的な評価を行う．
③造血細胞移植後の長期的合併症の評価，特にパピローマウイルス（HPV）による疣贅，他の感染症，発癌，自己免疫疾患の発症の有無をチェックしていく．本疾患ではHPVによる疣贅を発症しやすいといわれている．移植後の免疫状態によっては，様々な感染症や発癌，自己免疫疾患などを発症する可能性があり，その評価が必要である．

7. 予後，成人期の課題

わが国における1974年から2010年の移植データベースを用いたレビューでは，X-SCID患者のうち移植治療を施行された症例の移植後10年生存率は70%程度であった．しかし，支持療法やドナーソースなどの改善により移植成績自体が年々改善傾向であり，現在の予後はさらに改善していることが期待される．わが国における前方視的検討とレジストリを用いたエビデンスの確立が必要である．

造血細胞移植で血液細胞を完全に入れ替えた後は血液細胞においては原病自体での問題は発生しない．一般的な移植後の合併症としてのGVHDや，生着・免疫系再構築不全などの評価・対処が必要となる．

γcは成長ホルモンシグナリングにも関与しており，反復感染や前処置の後期障害と相まって，一部のX-SCID患者で移植後にも認める発育不全，低身長等の原因となっていると考えられる．また，移植後にもHPVによる疣贅の発症率が高く，皮膚の角化細胞のシグナリングに異常があるためと考えられている．

8. 診療上注意すべき点

X-SCIDを疑った時点で，日本免疫不全・自己炎症学会（JSIAD, https://jsiad.org/）の患者相談フォーム等から専門医へ相談し，連携する必要がある．

T細胞欠如の結果，外来抗原への拒絶機能が喪失し，一部のSCIDで母親の末梢血由来のT細胞が経胎盤的に胎児に移行・生着する現象（maternal T cell engraftment）もみられる．生着したT細胞はCD45RO$^+$のメモリーT細胞であり，胸腺での教育を経ないため児にGVHD様症状を呈する場合がある（Omenn-like症候群）[15)]．

生ワクチン接種は重篤な感染症を引き起こす可能性があり，SCID患者に投与してはならない．SCID患者においてBCG接種，ロタウイルスワクチン接種による重篤な感染症が報告されている．不活化ワクチンは抗体を誘導できず，投与は不適である．

遺伝カウンセリング：X-SCIDはX連鎖性に遺伝する．家族性*IL2RG*病的バリアントのヘテロ接合体をもつ女性（つまり保因者）が，各妊娠でそのバリアントを伝播する可能性は50%となる．病的バリアントを受け継いだ男性は発症し，病的バリアントを受け継いだ女性は保因者となり臨床的に無症候となる．罹患した男性は，*IL2RG*病的バリアントをすべての娘に伝達し，息子には伝達

しない．上記を踏まえた遺伝カウンセリングが必要である．家系内でリスクのある新生児男児については，安全な環境に置き早期の診断を行う必要がある．

文献
1) Rosen FS, Gotoff SP, Craig JM, et al. Further observations on the Swiss type of agammaglobulinemia（alymphocytosis）. The effect of syngeneic bone-marrow cells. *N Engl J Med* 1966；274：18-21.
2) Takeshita T, Asao H, Ohtani K, et al. Cloning of the gamma chain of the human IL-2 receptor. *Science* 1992；257：379-382.
3) Noguchi M, Yi H, Rosenblatt HM, et al. Interleukin-2 receptor gamma chain mutation results in X-linked severe combined immunodeficiency in humans. *Cell* 1993；73：147-157.
4) Kwan A, Abraham RS, Currier R, et al. Newborn screening for severe combined immunodeficiency in 11 screening programs in the United States. *JAMA* 2014；312：729-738.
5) Haddad E, Hoenig M. Hematopoietic Stem Cell Transplantation for Severe Combined Immunodeficiency（SCID）. *Front Pediatr* 2019；7：481.
6) Pai S-Y, Logan BR, Griffith LM, et al. Transplantation outcomes for severe combined immunodeficiency, 2000-2009. *N Engl J Med* 2014；371：434-446.
7) Morinishi Y, Imai K, Nakagawa N, et al. Identification of severe combined immunodeficiency by T-cell receptor excision circles quantification using neonatal guthrie cards. *J Pediatr* 2009；155：829-833.
8) Fischer A, Le Deist F, Hacein-Bey-Abina S, et al. Severe combined immunodeficiency. A model disease for molecular immunology and therapy. *Immunol Rev* 2005；203：98-109.
9) 高田英俊．他編．造血細胞移植ガイドライン－原発性免疫不全症．日本造血細胞移植学会，2018.
10) Hacein-Bey-Abina S, Hauer J, Lim A, et al. Efficacy of gene therapy for X-linked severe combined immunodeficiency. *N Engl J Med* 2010；363：355-364.
11) Hacein-Bey-Abina S, Von Kalle C, Schmidt M, et al. LMO2-associated clonal T cell proliferation in two patients after gene therapy for SCID-X1. *Science* 2003；302：415-419.
12) Hacein-Bey-Abina S, Pai S-Y, Gaspar HB, et al. A modified γ-retrovirus vector for X-linked severe combined immunodeficiency. *N Engl J Med* 2014；371：1407-1417.
13) Greene MR, Lockey T, Mehta PK, et al. Transduction of human CD34+ repopulating cells with a self-inactivating lentiviral vector for SCID-X1 produced at clinical scale by a stable cell line. *Hum Gene Ther Methods* 2012；23：297-308.
14) Mamcarz E, Zhou S, Lockey T, et al. Lentiviral Gene Therapy Combined with Low-Dose Busulfan in Infants with SCID-X1. *N Engl J Med* 2019；380：1525-1534.
15) Müller SM, Ege M, Pottharst A, et al. Transplacentally acquired maternal T lymphocytes in severe combined immunodeficiency：a study of 121 patients. *Blood* 2001；98：1847-1851.

第1章 複合免疫不全症

B アデノシン・デアミナーゼ（ADA）欠損症

国立成育医療研究センター研究所 成育遺伝研究部　内山　徹

1. 疾患概要

アデノシン・デアミナーゼ（adenosine deaminase：ADA）は，プリンヌクレオシドホスホリラーゼとともにプリン・サルベージ経路における重要な構成要素であり，細胞分裂の際に生じる核酸代謝物であるアデノシン・デオキシアデノシンの脱アミノ化によるイノシン，デオキシイノシンへの不可逆的な変換を触媒している．ADA欠損症患者ではADAの減少・欠損によって細胞内，細胞外にアデノシンやデオキシアデノシンが蓄積し，さらに蓄積したデオキシアデノシンはdAXP（deoxyadenosine nucleotide）へと変換される．これらの蓄積は胸腺において強い毒性を示し，その結果T細胞を中心にリンパ球系が障害されることで，重症複合免疫不全症（severe combined immunodeficiency：SCID）となる．また，ADAは全身の臓器で発現していることから，免疫系以外の症状を伴うことも多い[1)2)]．常染色体潜性（劣性）遺伝形式をとり（ADA遺伝子は20番染色体上のq13.11に存在する），患者はADA遺伝子にホモ接合性変異もしくは複合ヘテロ接合性変異をもつ．

2. 疫学

SCIDはおよそ4～7万人に1人の割合で出生するとされ，そのなかでもADA欠損症は，全SCIDの10～15%を占めると2009年に報告されている[1)]．2010年頃より，欧米を中心に新生児スクリーニングが実施されるようになり，感染症発症前のSCID患者を発見できるようになった．現在までの報告ではSCIDがおよそ5～6万人に1人の割合であり，そのなかでもADA欠損症は10～20%と，従来の予想と大きな違いはないとされる[3)]．

3. 診断基準，診断の手引き

a 臨床症状

1）免疫

アデノシンとデオキシアデノシンの蓄積によるリンパ球毒性から，T細胞，B細胞，NK細胞が欠損し[2)]，T⁻B⁻NK⁻SCIDの病型をとる．細胞性免疫と液性免疫の重度の欠損から，典型的なADA欠損症患者では，他のSCIDと同様に出生後早期からあらゆる病原体（ウイルス，真菌，細菌）に対して易感染性を呈する．特にサイトメガロウイルス（CMV）を含めたヘルペス感染症，ニューモシスチス肺炎などの日和見感染のほか，RSウイルスや非定型抗酸菌などの感染では重症化を認める．また，BCGやロタウイルス，MMRなどの生ワクチンは，ウイルスの再活性化や播種性感染を引き起こすことから禁忌とされる．そのほか，他のSCIDと共通の所見として，遷延する下痢，皮膚炎(真菌)，成長障害なども認められる．

2）免疫以外の症状

ADAは全身の組織においてユビキタスな発現パターンを示すことから，ADA欠損症患者では様々な臓器症状が認められる．特に，脳神経（認知能力や行動）[4)]，聴力[4)]，肺（活性化マクロファージや好酸球の蓄積による非感染性病変）[5)]，骨格異常[2)]などの異常が起こることがわかっている．ADA欠損症患者の治療において，免疫以外の症状を的確に把握・治療することは，長期的な生活の質の向上に重要である．

b 検査所見

 T⁻B⁻NK⁻SCID の病態から，リンパ球数の減少や免疫グロブリン値の低下を認める．また，好中球減少を認めることもある．骨髄での異形成も報告されており，骨髄球系の過分葉や空胞変性も報告されている[6]．X線検査やCT検査では，胸腺欠損による縦隔陰影の狭小化や，CMV肺炎やニューモシスチス肺炎を発症している場合にはスリガラス状陰影を認める．また，骨の異常として肋軟骨接合部の肋骨念珠（rachitic rosary：肋骨の端がまるく膨らんで数珠状に見える）が認められる．そのほか，神経専門医による発達障害についての評価や，年齢に応じた聴覚検査による難聴の評価も必要である．

c 診断

 生後早期のウイルスを中心とする感染症や，上記の検査所見を認めた場合には，SCID を疑い検査を進める．フローサイトメトリー（flow cytometry：FCM）解析では，T細胞，B細胞，NK細胞の欠損を認める．時に maternal T 細胞の生着や，自己応答クローンの増殖を認める場合があるが，ナイーブT細胞（特に thymic naïve T）はほとんどの症例で欠損する．また，胸腺におけるT細胞新生の際には，T細胞受容体遺伝子の再構成とともに血中に環状DNAである TREC（T cell receptor excision circle）が出現するが，典型的な患者では他の SCID と同様に TREC が欠損する．ただし，delayed-onset（幼児期：1～10歳）またはlate-onset（10歳以降）の場合には TREC 値が低下しない場合もある．FCM 解析で T⁻B⁻NK⁻SCID のフェノタイプを認めた場合には，ADA 欠損症の可能性を考え，ADA 酵素活性または代謝物の測定を実施する．ADA 酵素活性は，赤血球（乾燥ろ紙血）を酵素源として，基質であるアデノシン・デオキシアデノシンを反応させ，イノシン・デオキシイノシンへの変換を測定する．ADA 欠損症では，欠損もしくは著しい低下を認める．そのほか ADA 欠損症では，赤血球内のアデノシン・デオキシアデノシンの上昇を認め，タンデムマス法による測定が可能である．SCID が強く疑われた段階で，遺伝子解析を実施するが，*ADA* 遺伝子におけるホモ接合性変異，複合ヘテロ接合性変異が認められる．近年では次世代シーケンサーにより，複数の SCID 候補遺伝子の解析が可能である．なお，SCID 候補遺伝子の解析は保険診療として実施が可能である．ADA 酵素活性は，国立成育医療研究センター研究所（成育遺

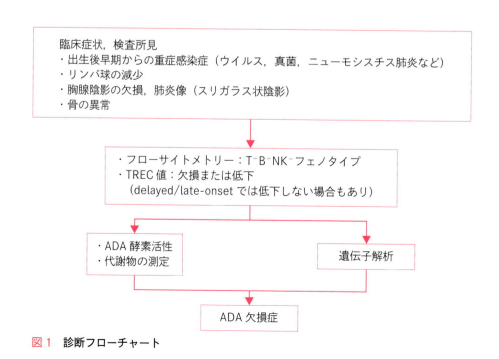

図1 診断フローチャート

伝研究部）にて測定が可能である．
　実際の診断にあたっては，図1に示すフローチャートに沿って行う．

4. 合併症

　上述したようにADAは多くの臓器で発現しているため，患者は全身の臓器障害を合併することがわかっている．

5. 重症度分類

　ADA遺伝子の変異型によって残存するADA活性が異なり，重症度に相関する．ナンセンス変異やフレームシフト変異などADA活性の欠損や重度の低下を示す患者は，典型的（乳児期発症）なSCIDの症状を呈する．一方で，15〜20%の患者はミスセンス変異などによりADA活性が一部残存しており，その場合には1歳以降に症状が出現する[7]．発症年齢からdelayed-onset（幼児期：1〜10歳），late-onset（10歳以降）に分けられる．典型例に比べると感染症は軽度であるものの進行性の病態をとり，一部の患者では成人期に発症することもある．delayed-onset/late-onsetのグループでは，頻回の治療反応性の副鼻腔〜呼吸器の感染症を繰り返し，成人期の発症ではパピローマウイルス（HPV）の感染も認める．免疫グロブリンは，IgG2の重度の低下が中心となり，多糖抗原や肺炎球菌抗原に対する抗体産生不全を呈する．発症時期の遅れから，適切な診断と治療を逸した場合には不可逆的な後遺症が残ってしまうこともあり，年長児の発症を見逃さないことが重要である．

6. 管理方法，治療

a 酵素補充療法

　代謝性疾患でもあるADA欠損症は，他のSCIDと異なり，酵素補充療法（enzyme replacement therapy：ERT）が存在する．国内でも遺伝子組換えADA酵素（rADA）をポリエチレングリコール処理〔PEG（polyethylene glycol）化〕したPEG-rADA製剤（レブコビ®）が承認されている．1週間に1回，0.2 mg/kgの筋肉内注射を行うが，患者の状態に応じて，投与量（最大投与量0.3 mg/kg）や投与回数（1回0.2 mg/kgを2回/週）を調整する．ERTを開始することで，血漿中のADA活性は速やかに上昇し，4〜8週で赤血球におけるdAXPが検出できなくなる．多くの症例でB細胞の回復に続いてT細胞の新生が認められる．各臓器における代謝毒性も低下し，肝機能障害，肺胞蛋白症，骨病変の改善が見込める．ERTは造血細胞移植などの根治的治療に向けた症状の改善に極めて有効であり，ADA欠損症と診断されたすべての患者に対して迅速に開始することが望まれる[8]．ERTを実施した180名ほどの報告では，20年間の生存率が約8割（78%）であり，またERT開始後6か月の時点における生存例に限ると，その後の12年間の生存率は90%であった．一方で，死亡例の多くはERT開始後6か月以内の死亡であり，診断時に重症感染症を発症していることから，感染症の発症予防には極めて有効である反面，重症感染症を発症している患者には，その効果は部分的であると考えられる[9]．

　海外ではウシ由来ADAのPEG化製剤（アダジェン®）の販売より30年が経過するが，造血細胞移植や遺伝子治療法などの根治的治療法の発展から，現在，ERTのみの治療を長期に受ける患者は多くない．また長期に使用する患者ではリンパ球の減少や機能の低下が報告され，ウイルス感染症や抗腫瘍免疫の低下によるEBウイルス関連悪性リンパ腫などのリスクが上昇するとされる[10]．さらに，限られたレパトアをもつT細胞やB細胞の増殖が免疫寛容の破綻へとつながり自己免疫疾患を発症するほか，これらに関連してIgEの上昇とともに湿疹や喘息などのアレルギー疾患の合併を認めることもある．このような理由から，根治的治療ができない患者や，早期の造血細胞移植の適応が定まらないdelayed onset/late-onsetの患者を除いては，5〜8年を超えてのERTは積極的には推奨されていない．

b 造血細胞移植

　他のSCIDと同様に根治には造血細胞移植が必要であり，免疫系の再構築と代謝異常の改善が期待できる[8)11)12]．良好な治療成績を得るには，重症感染症および毒性代謝物による症状が出現する

前に実施することが大切である．診断後速やかに本人および家族のHLAを検索し，HLA一致同胞ドナー（matched sibling donor：MSD）および血縁ドナー（matched familial donor：MFD）が存在する場合には，造血細胞移植の準備を開始する．これまでの報告では，MSD/MFDからの移植では80～90％の生存率であったが[11]，2010以降移植成績の劇的な向上もあり，最近ではほぼ全例で生存との報告もある[12]．また，生存する患者のすべてでドナー細胞の生着を認め，細胞性免疫と液性免疫の再構築から，ワクチンに対する特異抗体の産生と，免疫グロブリン補充療法からの離脱を可能にしている．MSD/MFDが存在しない場合，非血縁ドナーもしくはハプロ一致ドナーからの移植も検討する．これまでは代謝異常としての疾患背景などから，MSD/MFD以外のドナーからの移植ではその成績が低下するとされてきた[11]．しかし，近年の報告では，HLA一致非血縁ドナー（matched unrelated donor：MUD）であっても高い生存率が報告されるようになっている[12]．一般的にはMSD/MFDが存在する患者は25％以下であり，また，前述のように長期のERTはリンパ球数の低下による感染症の悪化や，悪性疾患の発症につながることから，ADA欠損症を診断した場合には，常にMSD/MFD以外のドナーからの移植の可能性を検討しておく必要がある．非血縁ドナーからの移植では，基本的に骨髄非破壊的前処置が適用されるが，患者の免疫状態を合わせた前処置化学療法の設定が必要である．ハプロ一致移植に関しては，過去の報告における生存率は5割以下と極めて低い数値であるが[11]，合併症の観点からこれまで欧米では実施されなかったため，成績に関するデータが古いことが影響している．その一方で，近年の同種造血細胞移植技術の発展もあり，ハプロ一致移植の成績も大きく向上している．特に，ドナー細胞からの免疫磁気ビーズによるCD3$^+$TCR$\alpha\beta$細胞/CD19$^+$B細胞の除去や，post-transplantation cyclophosphamide（post-CY）による in vivo でのアロ抗原反応性T細胞の除去は，ハプロ一致移植における重症移植片対宿主病（graft vs host disease：GVHD）の抑制に対して有効であり，ADA欠損症を含めた先天性免疫異常症でも優れた成績が報告されている[12)～14)]．このような移植技術の向上は，今後ADA欠損症に対する造血細胞移植の指針にも大きな影響を与えると考えられる．

c 支持療法

そのほか，支持療法として，血中トラフ値を800～1,000 mg/dLを目標に，免疫グロブリン補充療法を実施する．ニューモシスチス肺炎や真菌感染の予防としてスルファメトキサゾール・トリメトプリム（ST）合剤，抗真菌薬による予防を実施する．CMV感染は，致死的な重症感染を起こすことから定期的なモニタリングが必須である．CMV IgGが陽性の母親からの母乳栄養はCMVへの曝露になり，必要に応じて，抗ウイルス薬の予防投与も必要となる．治療や予防にはおもに，バルガンシクロビル（VGCV），ガンシクロビル（GCV）が用いられるが，骨髄抑制などの副作用が顕著な場合にはフォスカルネットの使用も検討する．

d 遺伝子治療

欧米ではMSD/MFDが存在しない患者に対して，自己の造血幹細胞を用いる遺伝子治療が高い効果を示している．欧州では2016年にレトロウイルスベクターによる遺伝子治療が，Strimvelisの名称で承認を受けたが，その後2020年に1名の患者でベクターの挿入変異による白血病が報告された．また，挿入変異の危険を抑えたレンチウイルスベクターによる治療も開始されており，60名以上の患者で効果を示し，白血病の発症も報告されていない[15]．ただし，わが国では導入されておらず一般的な治療法ではない．

7. 予後，成人期の課題

他のSCIDと同様に，進行性の重症感染症を発症し，適切な治療を行わない場合には出生後1年以内に死亡する．一方で，ADAは全身の臓器で発現していることから，造血細胞移植を実施した場合においても，注意欠損や過活動などの神経症状や両側の感音難聴を呈することがわかっている．

8. 診療上注意すべき点

他のSCID同様，BCGやロタウイルス，MMRなどの生ワクチンでは，ウイルスの再活性化や播種性感染を引き起こすことから禁忌とされる．ERTは血漿中のADA活性を速やかに上昇させ，症状の改善にも極めて有効であることから，遺伝子検査やADA酵素活性により可及的速やかに診断することが重要である．

文献

1) Hershfield MS. Genotype is an important determinant of phenotype in adenosine deaminase deficiency. *Curr Opin Immunol* 2003；15：571-577.
2) Bradford KL, Moretti FA, Carbonaro-Sarracino DA, et al. Adenosine Deaminase（ADA）-Deficient Severe Combined Immune Deficiency（SCID）：Molecular Pathogenesis and Clinical Manifestations. *J Clin Immunol* 2017；37：626-637.
3) Amatuni GS, Currier RJ, Church JA, et al. Newborn Screening for Severe Combined Immunodeficiency and T-cell Lymphopenia in California, 2010-2017. *Pediatrics* 2019；143：e20182300.
4) Whitmore KV, Gaspar HB. Adenosine Deaminase Deficiency-More Than Just a Immunodeficiency. *Front Immunol* 2016；7：314.
5) Blackburn MR Kellems RE. Adenosine deaminase deficiency：metabolic basis of immune deficiency and pulmonary inflammation. *Adv Imunol* 2005；86：1-41.
6) Sokolic R, Maric I, Kesserwan C, et al. Myeloid dysplasia and bone marrow hypocellularity in adenosine deaminase-deficient severe combined immune deficiency. *Blood* 2011；118：2688-2694.
7) Speckmann C, Neumann C, Borte S, et al. Delayed-onset adenosine deaminase deficiency：strategies for an early diagnosis. *J Allergy Clin Immunol* 2012；130：991-994.
8) Kohn DB, Hershfield MS, Puck JM, et al. Consensus approach for the management of severe combined immune deficiency caused by adenosine deaminase deficiency. *J Allergy Clin Immunol* 2019；143：852-863.
9) Gaspar HB, Aiuti A, Porta H, et al. How I treat ADA deficiency. *Blood* 2009；114：3524-3532.
10) Scott O, Kim VHD, Reid B, et al. Long-term Outcome of Adenosine Deaminase-Deficient Patients -a Single-Center Experience. *J Clin Immunol* 2017；37：582-591.
11) Hassan A, Booth C, Brightwell A, et al. Outcome of hematopoietic stem cell transplantation for adenosine deaminase deficient severe combined immunodeficiency. *Blood* 2012；120：3615-3624.
12) Ghimenton E, Flinn A, Lum SH, et al. Hematopoietic Cell Transplantation for Adenosine Deaminase Severe Combined Immunodeficiency-Improved Outcomes in the Modern Era. *J Clin Immunol* 2022；42：819-826.
13) Shah RM, Elfeky R, Nademi Z, et al. T-cell receptor $\alpha\beta^+$ and $CD19^+$ cell-depleted haploidentical and mismatched hematopoietic stem cell transplantation in primary immune deficiency. *J Allergy Clin Immunol* 2018；141：1417-1726. e1.
14) Dimitrova D, Gea-Banacloche J, Steinberg SM, et al. Prospective Study of a Novel, Radiation-Free, Reduced-Intensity Bone Marrow Transplantation Platform for Primary Immunodeficiency Diseases. *Biol Blood Marrow Transplant* 2020；26：94-106.
15) Kohn DB, Booth C, Shaw KL, et al. Autologous Ex Vivo Lentiviral Gene Therapy for Adenosine Deaminase Deficiency. *N Engl J Med* 2021；384：2002-2013.

第1章 複合免疫不全症

C その他の複合免疫不全症（CID）

九州大学大学院医学研究院 成長発達医学分野　矢田裕太郎　大賀正一

1. 疾患概要

複合免疫不全症（combined immunodeficiency：CID）は細胞性免疫と液性免疫の両者に障害をきたす疾患の総称であり，この最重症型が重症複合免疫不全症（severe combined immunodeficiency：SCID）である．SCIDは新生児～乳児期より重症感染症や発育不良などの症状で発症し，適切な診断と治療が行われない場合には極めて多くが乳児期に死亡する予後不良な疾患群である．2022年の国際免疫学会連合（International Union of Immunological Societies：IUIS）による先天性免疫異常症（inborn errors of immunity：IEI）の分類では，CIDの原因として66遺伝子，全身症状または症候群を呈するCIDの原因として69疾患と，非常に多彩な遺伝子と疾患があげられており[1]，これらを表1，表2にそれぞれまとめた．以後も，LIG4遺伝子ハプロ不全による自己免疫疾患を伴うCID家系が新たに発見されるなど，新たな知見が次々と報告されている．

CIDの基本病態はT細胞主体の細胞性免疫，B細胞主体の液性免疫がともに障害されていることにある．細胞性免疫が高度に障害されればSCIDであり，部分的な障害ではCIDにとどまる．CIDの原因遺伝子にはT細胞分化にかかわるサイトカインシグナル伝達の異常，T/B細胞受容体の遺伝子再構成の異常，T細胞のシグナル伝達の異常，胸腺からのT細胞の流出の異常などがある．液性免疫不全に関しては，B細胞自体に異常がある場合と，B細胞に異常はないものの，その成熟に必要なヘルパーT細胞の機能異常，あるいはT-B相互作用の異常によってB細胞機能不全を呈する場合がある．

また，通常はSCIDを引き起こす原因遺伝子でも，蛋白残存活性がある場合（低機能型変異）には，leaky SCID，Omenn症候群，遅発型CID（late-onset CID：LOCID）を呈する場合がある．SCIDもしくはSCID関連疾患として造血細胞移植などを受けた285名のうち，84%が典型的なSCID，13%がleaky SCIDあるいはOmenn症候群と診断されたという報告があり[2]，表現型は症例により様々であることに注意すべきである．

Omenn症候群は新生児～乳児期に重症アトピー性皮膚炎様の落屑を伴った紅皮症，頭髪の脱毛，全身リンパ節腫大，肝脾腫などの特徴的な症状で発症する[3]．病態としてはT細胞機能不全によるCIDの病態に加え，一部のT細胞のオリゴクローナルな増殖・浸潤による種々の自己免疫疾患，またTh2偏位によるIgE・好酸球の増加がみられる．原因遺伝子としては，リンパ球抗原受容体遺伝子の再構成を担うrecombination activation gene（RAG）1あるいはRAG2など，SCID/CIDをきたすいくつかの疾患遺伝子の低機能変異によって発症することが知られている．RAG異常症を例にとると，RAG活性が完全に欠損すればT細胞・B細胞が欠損したSCIDを呈するが，Omenn症候群を呈するRAG異常症では低機能変異のため部分的に残存したRAG活性により偏りのあるT細胞分化が起こる．この結果，自己反応性，あるいはTh2偏位を示す異常クローンが増加する．Omenn症候群の原因には，RAG1/2のほか，RMRP，IL7R，AK2などの遺伝子異常が報告されている[3]．

2. 疫学

近年，ろ紙血を用いたT-cell receptor excision circles（TREC）の測定がSCIDのスクリーニング

表1 IUIS 分類 2022 による複合免疫不全症

複合免疫不全症			
T⁻B⁺SCID		CID（SCID に比較して軽症）	
疾患名	遺伝子	疾患名	遺伝子
γc 欠損症	*IL2RG*	CD40 リガンド欠損症	*CD40LG*
JAK3 欠損症	*JAK3*	CD40 欠損症	*CD40*
IL7α 欠損症	*IL7R*	ICOS 欠損症	*ICOS*
CD45 欠損症	*PTPRC*	ICOSL 欠損症	*ICOSLG*
CD3δ 欠損症	*CD3D*	CD3γ 欠損症	*CD3G*
CD3ε 欠損症	*CD3E*	CD8 欠損症	*CD8A*
CD3ζ 欠損症	*CD3Z*	ZAP70 欠損症	*ZAP70*
Coronin-1A 欠損症	*CORO1A*	ZAP70 LOF/GOF	*ZAP70*
LAT 欠損症	*LAT*	MHC class I 欠損症	*TAP1/TAP2/TAPBP/B2M*
SLP76 欠損症	*LCP2*	MHC class II 欠損症	*CIITA/RFXANK/RFX5/RFXAP*
T⁻B⁻SCID		IKAROS 欠損症	*IKZF1*
疾患名	遺伝子	DOCK8 欠損症	*DOCK8*
RAG 欠損症	*RAG1/RAG2*	DOCK2 欠損症	*DOCK2*
Artemis/DCLRE1C 欠損症	*DCLRE1C*	ポリメラーゼδ 欠損症	*POLD1/POLD2*
DNA PKcs 欠損症	*PRKDC*	RHOH 欠損症	*RHOH*
Cemunnos/XLF 欠損症	*NHEJ1*	STK4 欠損症	*STK4*
DNA リガーゼ IV 欠損症	*LIG4*	TCRα 欠損症	*TRAC*
ADA 欠損症	*ADA*	LCK 欠損症	*LCK*
細網異形成症（AK2 欠損症）	*AK2*	ITK 欠損症	*ITK*
活性化 RAC2 欠損症	*RAC2*	MALT1 欠損症	*MALT1*
		CARD11 欠損症	*CARD11*
		BCL10 欠損症	*BCL10*
		IL-21 欠損症	*IL21*
		IL-21R 欠損症	*IL21R*
		OX40 欠損症	*TNFRSF4*
		IKBKB 欠損症	*IKBKB*
		NIK 欠損症	*MAP3K14*
		RelB 欠損症	*RELB*
		RelA ハプロ不全	*RELA*
		Moesin 欠損症	*MSN*
		TFRC 欠損症	*TFRC*
		c-Rel 欠損症	*REL*
		FCHO1 欠損症	*FCHO1*
		PAX1 欠損症	*PAX1*
		ITPKB 欠損症	*ITPKB*
		SASH3 欠損症	*SASH3*
		MAN2B2 欠損症	*MAN2B2*
		COPG1 欠損症	*COPG1*
		HELIOS 欠損症	*IKZF2*
		IKKα 欠損症	*CHUK*

（Tangye SG, Al-Herz W, Bousfiha A, et al. Human Inborn Errors of Immunity：2022 Update on the Classification from the International Union of Immunological Societies Expert Committee. *J Clin Immunol* 2022；42：1473-1507. より作成）

表2 IUIS 分類 2022 による全身症状または症候群を呈する複合免疫不全症

全身症状または症候群を呈する複合免疫不全症

1. 先天性血小板減少を伴う免疫不全症

疾患名	遺伝子
Wiskott-Aldrich 症候群	WAS
WIP 欠損症	WIPF1
Arp2/3 介在フィラメント調節障害	ARPC1B

2. DNA 修復障害（複合免疫不全症で分類されていない疾患に限る）

疾患名	遺伝子
毛細血管拡張性運動失調症	ATM
Nijmegen 染色体不安定症候群	NBS1
Bloom 症候群	BLM
ICF 症候群	DNMT3B/ZBTB24/CDCA7/HELLS
PMS2 欠損症	PMS2
RNF168 欠損症（RIDDLE 症候群）	RNF168
MCM 4 欠損症	MCM4
POLA 1 欠損症	POLA1
POLE 1 欠損症	POLE1
POLE 2 欠損症	POLE2
Ligase I 欠損症	LIG1
NSMCE3 欠損症	NSMCE3
ERCC6L2（Hebo 欠損症）	ERCC6L2
GINS1 欠損症	GINS1
MCM10 欠損症	MCM10

3. 胸腺低形成

疾患名	遺伝子
DiGeorge 症候群（22q11.2 欠失症候群）	22 番染色体の大規模欠失/TBX1
TBX1 欠損症	TBX1
CHARGE 症候群	CHD7/SEMA3E/unkown
FOXN1 欠損症	FOXN1
FOXN1 ハプロ不全	FOXN1
10p13-14 欠失症候群	Del10p13-p14
11q 欠失症候群（Jacobsen 症候群）	11q23del

4. 免疫骨異形成症

疾患名	遺伝子
軟骨毛髪低形成症（CHH）	RMRP
Schimke 症候群	SMARCAL1
MYSM1 欠損症	MYSM1
Roifman 症候群	RNU4ATAC
神経発達障害を伴う免疫骨異形成症	EXTL3

5. 高 IgE 症候群（HIES）

疾患名	遺伝子
STAT3 欠損症（Job 症候群）	STAT3
IL6 受容体欠損症	IL6R
IL6ST 欠損症	IL6ST
ZNF341 欠損症	ZNF341
ERBIN 欠損症	ERBB2IP
Loeys-Dietz 症候群（TGFBR 欠損症）	TGFBR1/TGFBR2
Comel-Netherton 症候群	SPINK5
PGM3 欠損症	PGM3
CARD11 欠損症	CARD11

6. ビタミン B_{12}・葉酸代謝異常

疾患名	遺伝子
TCN2 欠損症	TCN2
先天性葉酸吸収不全	SLC46A1
MTHFD1 欠損症	MTHFD1

7. 免疫不全を伴う無汗性外胚葉形成不全症（EDA-ID）

疾患名	遺伝子
NEMO 異常症	IKBKG
IKBA 機能獲得型変異による EDA-ID	NFKBIA
IKBKB 機能獲得型変異による EDA-ID	IKBKB

8. カルシウムチャネル異常症

疾患名	遺伝子
ORAI1 欠損症	ORAI1
STIM1 欠損症	STIM1
CRACR2A 欠損症	CRACR2A

9. その他

疾患名	遺伝子
PNP 欠損症	PNP
複合免疫不全症合併多発腸閉塞症	TTC7A
Tricho-Hepato-Enteric 症候群	TTC37/SKIV2L
肝中心静脈閉鎖症を伴う免疫不全症	SP110
BCL11B 欠損症	BCL11B
EPG5 欠損症	EPG5
HOIL1 欠損症	RBCK1
HOIP 欠損症	RNF31
Hennekam lymphangiectasia-lymphedema 症候群	CCBE1/FAT4
Activating de novo mutation in nuclear factor, erythroid 2-like (NFE2L2)	NFE2L2
STAT5b 欠損症	STAT5B
Kabuki 症候群 1 型/2 型	KMT2D/KDM6A
KMT2A 欠損症（Wiedemann-Steiner 症候群）	KMT2A
DIAPH1 欠損症	DIAPH1
AIOLOS 欠損症	IKZF3
CD28 欠損症	CD28

(Tangye SG, Al-Herz W, Bousfiha A, et al. Human Inborn Errors of Immunity: 2022 Update on the Classification from the International Union of Immunological Societies Expert Committee. *J Clin Immunol* 2022；42：1473-1507. より作成)

に有効であることが報告され，世界的にTRECによるSCIDスクリーニングが普及している．新生児スクリーニングが開始される以前にはSCIDの頻度は10万人に1人ほどと考えられていたが，TRECによる新生児スクリーニングが先行して開始された米国の一部の州では約6万人に1人の頻度で診断されており[4]，多くの症例が見逃されていたことが示唆された．また，この新生児スクリーニングにより，SCID以外にも免疫不全を伴う特徴的な症候群，特にDiGeorge症候群などが早期診断されている．CIDはそれぞれが希少疾患であるため，個々の疾患における詳細な疫学についての情報は乏しい．

3. 診断基準，診断の手引き

a CIDの臨床診断基準

1）症状・病歴

a）易感染性
- 難治性下痢症
- 間質性肺炎（ニューモシスチス，サイトメガロウイルス，RSウイルスなど）
- 重症あるいは反復性細菌性感染症
- BCG感染症
- その他の日和見感染症（真菌感染症，重症ウイルス感染症など）

b）体重増加不良

c）易感染性の家族歴

2）検査所見

a）本人由来CD3$^+$Tリンパ球数減少（生後2か月未満＜2,000/μL，2〜6か月未満＜3,000/μL，6か月〜1歳未満＜2,500/μL，1〜2歳未満＜2,000/μL，2〜4歳未満＜800/μL，4歳以上＜600/μL）

b）TRECの低値（＜100 copies/μg DNA 全血）

c）PHAによる芽球化反応がコントロールの30％未満

d）低ガンマグロブリン血症

e）胸腺，二次リンパ組織の欠損

1）にあげる3つの症状・病歴のうち1つ以上を呈し，2）検査所見のうちa）〜e）のいずれかを含む1つ以上の所見を示し，ヒト免疫不全ウイルス（HIV）感染症が否定された場合，CIDと臨床診断する．さらに1歳未満で発症し，本人由来CD3$^+$Tリンパ球数が300/μL未満かつフィトヘマグルチニン（phytohemagglutinin：PHA）による芽球化反応がコントロールの10％未満のとき，または血中に母由来リンパ球が存在するとき，SCIDと診断する．

また，米国を中心に設立された原発性免疫不全症治療コンソーシアム（Primary Immune Deficiency Treatment Consortium：PIDTC）が2022年に提示したSCIDの診断基準も参考にされたい．PIDTCでは典型的なSCIDを，①自己T細胞数の減少，②SCID関連遺伝子の病原性バリアントの存在，③TRECの低値またはナイーブCD4$^+$T細胞の減少，④母親末梢血由来のT細胞生着（maternal engraftment）のうち，①に加えて②または③，あるいは④を認めるものと定義している[3]．一方で，SCID関連遺伝子の病原性バリアントが認められるものの自己T細胞分化の障害が比較的軽度な症例において，T細胞数の減少，TREC低値，ナイーブCD4$^+$T細胞の減少，T細胞のオリゴクローナルな増殖が認められる症例をleaky/atypical SCIDとしている．

b 診断の進め方

慢性または反復性の呼吸器感染症，慢性ウイルス性疾患，日和見感染症，成長障害，免疫不全の家族歴などの所見あるいは病歴があればCIDを疑う．特にニューモシスチス肺炎，クリプトコッカスなどの真菌感染，サイトメガロウイルス感染といった日和見感染症はT細胞機能不全を強く示唆する感染症であり，これらを診断した場合にはCIDのスクリーニングが必ず必要である．また，乳児期の成長障害は非特異的ではあるがSCIDの唯一の初期症状であることがあり，成長障害の診療においては必ずSCIDを鑑別する必要がある．また，CIDではT細胞の調節障害によるB細胞の過剰応答などにより自己免疫性溶血性貧血のような自己免疫疾患を示す場合がある[5]．

細胞性免疫不全を疑った場合，リンパ球数の確認が必要であるが，細胞比率のみならず絶対数を年齢相応の基準値と比較して評価することが重要である．乳児でリンパ球数3,000/μL未満は要注意である．さらに保険収載の検査では，PHAや

コンカナバリンA（concanavalin A：ConA）によるリンパ球幼若化試験が可能である．PHAはCD4$^+$ヘルパーT細胞を，ConAはCD8$^+$細胞傷害性T細胞を強く刺激するマイトジェンである．SCIDではPHAによるリンパ球幼若化反応が正常の10%未満，leaky SCIDでは30%未満となることが参考所見とされ，CIDでも多くの症例で低下がみられる[2]．また，リンパ球サブセット検査によりT，B，NK細胞比率を算定し，T細胞が存在する場合にはCD45RA$^+$ナイーブT細胞を確認する．乳児では通常T細胞分画のほとんどがナイーブT細胞で構成されるが，メモリーT細胞が多くを占める場合，T細胞機能異常を強く疑う所見になる．保険未収載ではあるが，一部の検査会社でメモリーT/B細胞や活性化T細胞まで含めた免疫スクリーニングフローサイトメトリーが委託可能である．

液性免疫不全については免疫グロブリン値を評価するが，IgGだけでなくIgA/IgMも同時に評価を行う．出生後，半年頃までは母親からの移行抗体が存在するが，ワクチン接種後であれば特異抗体価の上昇があるかが参考になる．また，血液型ウラ試験による抗A抗体・抗B抗体の有無も特異抗体産生の評価に利用できる場合がある．また，高IgE症候群，Omenn症候群などIgE高値を特徴とする疾患がある．

TRECおよびkappa-deleting recombination excision circles（KREC）によりT細胞，B細胞の新生能を評価することも有用である．SCIDではTRECの著明な低下がみられ，CIDでも低値となることが多い．しかし，VDJ再構成の後のT細胞発達の異常を示すZAP70欠損症，MHC class II欠損症など，TRECが低下しないCIDが一部存在するため注意が必要である．

その他，白血球以外の血算・血液像も個々のCIDの診断に有用な情報が多く含まれる．例えば，血小板サイズの減少を伴う血小板減少を認めた場合にはWiskott-Aldrich症候群が鑑別にあがり，巨赤芽球性貧血はビタミンB$_{12}$・葉酸代謝異常が鑑別にあがる．

Omenn症候群ではナイーブT細胞は著減し，TCR Vβレパトア解析を行うと，T細胞のオリゴクローナルな増殖を反映して多様性の制限がみられる．

CIDの臨床診断に際しては，変異が一部のリンパ球分画で正常に戻るreversion現象，あるいはモザイクを呈している症例や，低機能型変異によりT細胞が存在する例，母由来のT細胞による移植片対宿主病（graft vs host disease：GVHD）を呈する場合など，非典型例が存在するため，注意が必要である．また，提示した臨床診断基準はIUIS分類で列挙されたすべてのCIDを網羅するものではなく，基準に当てはまらない場合でもCIDの診断を除外することはできない．また，臨床症状あるいは検査所見からCIDの個々の診断を鑑別していくが，最終的に遺伝子検査が必要になる場合が多い．

わが国でもTRECを利用したSCIDの新生児マススクリーニングが全国へ普及しつつあるが，leaky SCID，ADA欠損症などのlate-onset SCID，一部のCID（ZAP70欠損症，MHC class II欠損症，CD40リガンド欠損症など）は全例をTREC異常によって検出できないことが指摘されており[4]，新生児マススクリーニング普及後も早期の診断に苦慮するCID症例が発生しうる．診断前の症例でも日本免疫不全・自己炎症学会の症例相談フォーム（https://jsiad.org/consultation/）から専門医へ相談することが可能であり，CIDを疑った場合にはぜひ活用されたい．

4. 合併症

様々な感染症，リンパ増殖性疾患，自己免疫疾患などを合併しうる．免疫不全を伴う特徴的な症候群ではそれぞれの疾患に特徴的な合併症が認められる．また，Wiskott-Aldrich症候群，高IgE症候群，DNA修復障害，軟骨毛髪低形成症など悪性腫瘍の合併リスクのある疾患があり，注意する．

5. 重症度分類

SCIDは全例が最重症であり，速やかな感染症管理と根治治療が必要となる．その他は個別に検討を行い，免疫グロブリン補充療法，感染症予防治療，免疫抑制療法などを必要とする患者，造血細胞移植の適応となる患者は重症とする．

6. 管理方法，治療

a 造血細胞移植

多くのSCIDでは造血細胞移植が現在のわが国で唯一の根治療法である．ただし遺伝子治療，酵素補充療法，あるいはビタミンB_{12}・葉酸の補充により症状の改善が見込める疾患や自然経過で免疫異常が回復する疾患もあることから，原因遺伝子の同定は治療方針の決定において非常に重要である．CIDにおいても重症感染を生ずる場合，感染を繰り返す場合や，難治性の自己免疫疾患の合併がみられる場合などには造血細胞移植が考慮される．Omenn症候群に対してはステロイド，シクロスポリンなどによりT細胞性の炎症を抑える治療が有用であるが，やはり根治には造血細胞移植が必要である[6]．造血細胞移植の時期や方法については，原因遺伝子，個々の合併症，ドナーの有無などの様々な因子を考慮して個別に検討する必要がある．

b 感染管理

SCID患者では入院隔離などの感染対策を行う．スルファメトキサゾール・トリメトプリム（ST）合剤，抗真菌薬の予防投与など十分な支持療法を行うことが重要である．CID患者では液性免疫不全があるため，免疫グロブリンの補充も多くの患者に必要である．また，RSウイルスに対する生体防御にはT細胞による細胞性免疫が重要であり，保険承認がなされている月齢24までのCID患者にはパリビズマブによるRSV感染予防が推奨される[7]．

c 予防接種

CIDでは細胞性免疫不全を伴い，生ワクチンで感染を起こすため原則として禁忌である．特にBCGやロタワクチンは乳児期の定期接種となっており特に注意が必要であり，診断前に接種されたロタワクチン株の持続感染例が問題となっている．

d 栄養

慢性下痢により成長障害が生じるため，栄養管理は重要である．また，SCIDでは母乳を介したサイトメガロウイルス感染にも注意が必要であり，基本的に母乳栄養は控える．

7. 予後，成人期の課題

予後は原因遺伝子により大きく異なるが，早期診断例や感染予防の支持療法を十分に行っている症例では，予後は良好となる傾向にある．根治療法としての造血細胞移植の予後は，移植時の感染症あるいは臓器障害の合併の有無などの全身状態が大きく治療成績に影響する．造血細胞移植後にGVHD，生着不全，重症感染症を合併すると予後は悪化する．

8. 診療上注意すべき点

Artemis欠損症，DNAリガーゼIV欠損症などの疾患は放射線感受性が高くなることが知られており，放射線被曝を伴う検査や治療を計画する際には，これらの疾患の可能性を念頭に置いて慎重に検討することが望ましい．

文献

1) Tangye SG, Al-Herz W, Bousfiha A, et al. Human Inborn Errors of Immunity：2022 Update on the Classification from the International Union of Immunological Societies Expert Committee. *J Clin Immunol* 2022；42：1473-1507.
2) Griffith LM, Cowan MJ, Notarangelo LD, et al. Primary Immune Deficiency Treatment Consortium（PIDTC）report. *J Allergy Clin Immunol* 2014；133：335-347.
3) Dvorak CC, Haddad E, Heimall J, et al. The diagnosis of severe combined immunodeficiency（SCID）：The Primary Immune Deficiency Treatment Consortium（PIDTC）2022 Definitions. *J Allergy Clin Immunol* 2023；151：539-546.
4) Puck JM. Newborn screening for severe combined immunodeficiency and T-cell lymphopenia. *Immunol Rev* 2019；287：241-252.
5) Walter JE, Ayala IA, Milojevic D. Autoimmunity as a continuum in primary immunodeficiency. *Curr Opin Pediatr* 2019；31：851-862.
6) Villa A, Notarangelo LD, Roifman CM. Omenn syndrome：inflammation in leaky severe combined immunodeficiency. *J Allergy Clin Immunol* 2008；122：1082-1086.
7) Asner S, Stephens D, Pedulla P, et al. Risk factors and outcomes for respiratory syncytial virus-related infections in immunocompromised children. *Pediatr Infect Dis J* 2013；32：1073-1076.

II 各 論

第2章 免疫不全を伴う特徴的な症候群

第2章 免疫不全を伴う特徴的な症候群

ウィスコット・オルドリッチ（Wiskott-Aldrich）症候群（WAS）

東北大学大学院医学系研究科 発生・発達医学講座 小児病態学分野　**笹原洋二**

1. 疾患概要

ウィスコット・オルドリッチ症候群（Wiskott-Aldrich syndrome：WAS）は，易感染性，血小板減少，湿疹を3主徴とし，通常男児に発症するX連鎖原発性免疫不全症である．血小板減少のみを呈する病型としてX連鎖血小板減少症（X-linked thrombocytopenia：XLT）がある[1]〜[4]．近年WASと類似する臨床所見を呈する疾患として常染色体潜性（劣性）遺伝形式をとるWIP異常症が報告されている[5]〜[8]．また，自己免疫・自己炎症性所見の強い疾患として常染色体潜性（劣性）遺伝形式をとるARPC1B異常症が報告されている[9]．

2. 疫　学

わが国ではX連鎖WAS/XLTはこれまで60例以上の症例登録がなされているが，XLT症例は免疫性血小板減少性紫斑病（immune thrombocytopenic purpura：ITP）のなかで未診断例も存在すると推測される．WIP異常症は世界的にこれまで3家系14症例，ARPC1B異常症は6家系24症例の報告があるが，わが国からはWIP異常症とARPC1B異常症の報告はまだない．

3. 診断基準，診断の手引き

a 病因と分子病態

X連鎖WAS/XLTは，1994年にヒトX染色体上（Xp11.22）に存在するWAS遺伝子変異が病因であるであることが報告された[1]．WAS遺伝子は12エクソンよりなり，501個のアミノ酸よりなるWASP蛋白質をコードしている．図1にWAS遺伝子変異のまとめを図示する．遺伝子変異はWAS遺伝子のどこにも生じ得るが，N末の1-4エクソンに集中している点が特徴であり，その多くがミスセンス変異である．遺伝子型/表現型（重症度）の関連性として，リンパ球におけるWASP蛋白質の発現の有無が相関し，重症例はWASP蛋白が発現しておらず，ナンセンス変異，フレームシフトを伴う挿入，欠失が多い[2][3]．XLTを含む軽症例はWASP蛋白が発現している例が多く，ミスセンス変異例が多い[4]．まれにWASはX染色体不活化偏位により女児にも発症したとの報告がある．

WIP異常症の原因遺伝子はヒト2番染色体上に存在する*WIPF1*遺伝子であり，WIPは503個のアミノ酸よりなり，WASPのN末と強固に結合して複合体を作りWASP蛋白質の安定化に重要な機能をもつことが報告されている[5]〜[8]．そのため，WIP異常症ではWIP蛋白発現のみならず，WASP蛋白発現も低下している．これは，上述のX連鎖WAS/XLT症例のミスセンス変異がN末の1-4エクソンに集中し，WASP-WIP結合が解離することによりWASP蛋白が不安定になることにより発症することを説明するものである．

ARPC1B異常症の原因遺伝子はヒト7番染色体上に存在する*ARPC1B*遺伝子であり，WASPのC末に結合してアクチン重合化を司るArp2/3複合体の構成蛋白質の一つであるARPC1B蛋白をコードする[9]．

b 臨床症状

1）易感染性

易感染性の程度は症例により異なる．WASは乳幼児期から中耳炎，肺炎，副鼻腔炎，皮膚感染症，髄膜炎などを反復する．細菌感染としては肺炎球菌やブドウ球菌が多く，真菌感染ではカンジ

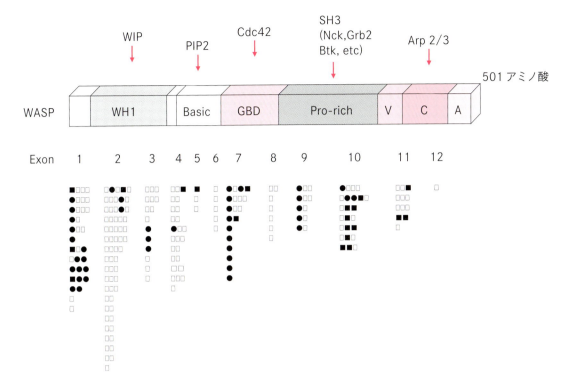

図1 WAS 遺伝子変異のまとめ
□：ミスセンス変異, ●：ナンセンス変異, ■：フレームシフトを伴う挿入変異, ☐：フレームシフトを伴わない挿入変異

ダ, アスペルギルス, ニューモシスチスカリニ肺炎が少数でみられる. ウイルス感染では, ヘルペス属ウイルス感染症 (HSV, VZV, CMV, EBV) が多いのが特徴である.

2) 血小板減少

ほぼ全例でみられ, WAS では出生直後や幼少時からみられることが多いが, XLT では症状が軽微な場合もある. 初発症状としては血便, 皮下出血, 紫斑が多い. 頭蓋内出血は ITP より明らかに高頻度である. 血小板サイズの減少（小型血小板）を伴うことが多く平均血小板容積（mean platelet volume：MPV）は低下している例が多いが, 必ずしも全例が小型とは限らないため目視で確認する. 血便は血小板減少のほかに, 超早期発症炎症性腸疾患（very early-onset inflammatory bowel disease：VEO-IBD）の合併が原因となっていることが推測されている.

3) 湿疹

X連鎖 WAS/XLT の湿疹はアトピー性皮膚炎様である. 血清 IgE 高値や皮膚常在菌への免疫応答異常[10]により Th2 偏位となっていることが原因と推測されている.

WIP 異常症の湿疹は乳頭小胞状様である.

ARPC1B 異常症の湿疹は血管炎に伴う皮膚病変が目立つ特徴がある.

C 検査所見

1) X連鎖 WAS/XLT

a) 血小板減少を認める. 小型血小板である場合が多いが, 正常大の場合もある.

b) T 細胞数の減少と CD3 抗体刺激に対する反応低下がみられる.

c) B 細胞数は正常であるが, 血清免疫グロブリン値は IgM 低値, IgE 高値を認める. 多糖類抗体, 同種血球凝集素価などの特異的抗体産生能は低下する.

d) NK 活性は半数で低下する.

e) 補体価は正常とされるが, 好中球および単球の遊走能は低下例が多い.

f) WAS 遺伝子変異, WASP 蛋白発現の低下を

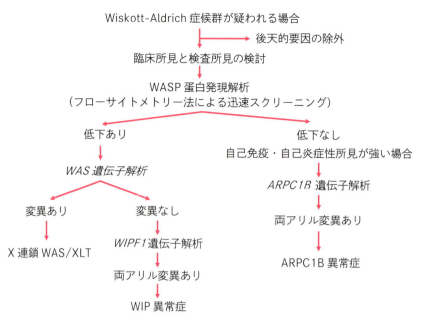

図 2　Wiskott-Aldrich 症候群の診断フローチャート

認める．

2）WIP 異常症

a）血小板減少を認める．血小板サイズは小型から正常大である．
b）T 細胞数の減少と CD3 抗体刺激に対する反応低下がみられる．
c）B 細胞数は正常か低下する．血清免疫グロブリン値は IgE 高値を認める．CD27 陽性メモリーB 細胞は減少する．
d）*WIPF1* 遺伝子の両アリル変異，WASP 蛋白発現の低下を認める．

3）ARPC1B 異常症

a）軽度の血小板減少を認める．血小板サイズは正常大である．
b）T 細胞数の減少，CD8 陽性 T 細胞減少を認める．
c）B 細胞数は相対的に増加する．血清免疫グロブリン値は IgA と IgE 高値を認める．自己抗体（抗核抗体など）陽性を認める．
d）NK 活性は低下する．
e）好中球および単球の遊走能は低下例がある．好酸球増多を認める．
f）*ARPC1B* 遺伝子の両アリル変異を認める．WASP 蛋白発現は正常である．

d　鑑別診断

ITP，遺伝性血小板減少症，血小板減少を伴う先天性免疫異常症や自己免疫疾患を鑑別する．図 2 に診断フローチャートを図示する．

上記症状および検査所見をすべて認める症例は少ないため，血小板減少症およびその他の上記症状，家族歴の有無から本疾患が疑われる場合は，血液免疫学的検査および後天的要因の除外を行った後，*WAS* 遺伝子変異を確認する．その際，特異度の高いモノクローナル抗体を用いたフローサイトメトリー法による細胞内 WASP 蛋白発現低下の解析は迅速スクリーニング法として有用である（図 3）[11]．

WASP 蛋白発現低下があるものの *WAS* 遺伝子変異を認めない場合は *WIPF1* 遺伝子検索を行う．

WASP 蛋白発現低下はないが自己免疫や自己炎症所見が強く *WAS* 遺伝子変異を認めない場合は *ARPC1B* 遺伝子検索を行う．

ほかに遺伝性血小板減少症との鑑別も重要である．日本小児血液・がん学会血小板委員会より，遺伝性血小板減少症の診療ガイドが公表されているので，ぜひ参照されたい[12]．

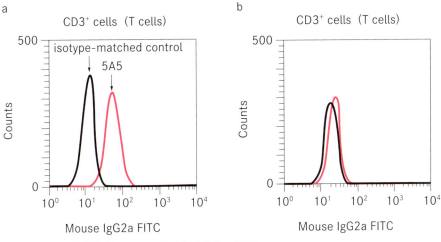

図3 WASP 蛋白発現のフローサイトメトリー解析
a：Normal individual，b：WAS patient

表1　Wiskott-Aldrich 症候群の重症度分類

クラス1（XLT）	血小板減少のみ
クラス2（XLT）	血小板減少＋軽症一過性の湿疹±軽症感染症
クラス3（WAS）	血小板減少＋持続性の湿疹 and/or 反復性感染症
クラス4（WAS）	血小板減少＋持続性難治性湿疹＋反復性重症感染症
クラス5（WAS）	血小板減少＋湿疹 and/or 反復性感染症＋ 自己免疫疾患（5A）あるいは悪性腫瘍（5M）の合併

e 診断基準

　各責任遺伝子に有意な遺伝子変異が同定されることにより確定診断される．保険収載となっている，かずさ DNA 研究所による本症候群の既知遺伝子パネル解析が有用である．

4. 合併症

a 自己免疫疾患

　IgA 腎症，自己免疫性溶血性貧血，ITP，関節炎，血管炎，VEO-IBD などの自己免疫疾患を合併することがある．
　特に，ARPC1B 異常症のほぼ全症例に血管炎を合併することが特徴的である．

b 悪性腫瘍

　悪性リンパ腫（特にびまん性大細胞型 B 細胞性リンパ腫：DLBCL）が多く，EB ウイルス関連を含む B 細胞性腫瘍が多いのが特徴的である．まれに脳腫瘍の報告もある．

5. 重症度分類

　従来から X 連鎖 WAS/XLT においては，表1の重症度分類が提唱されている．

6. 管理方法（フォローアップ指針），治療

a 根治療法

　根治療法としては同種造血細胞移植が行われる．
　X 連鎖 WAS で WASP 蛋白発現を認めず，感染を繰り返す症例や自己免疫疾患や悪性腫瘍を合併する症例では早期に移植を考慮すべきである．
XLT 症例は，生命予後は良好ではあるが，経時的に重篤な出血，自己免疫疾患，悪性腫瘍，腎炎

を合併する率が高まるため，移植適応となりうると考えられるが，移植時期については今後の症例蓄積が重要である．5歳以下の症例は約80%の移植後長期生存率であるが，5歳以上では様々な合併症により成功率が低くなる点に留意すべきである[13]．移植前処置は従来から骨髄破壊的前処置による同種骨髄移植が主体となっていたが，最近は骨髄非破壊的前処置や臍帯血による移植症例が増加している．

WIP異常症に対する同種造血細胞移植はまだ1例のみの報告しかなく，今後の症例蓄積が重要である．

ARPC1B異常症に対する同種造血細胞移植は5例の報告があり，2例の長期生存が得られている．

近年，X連鎖WAS症例に対する造血幹細胞への遺伝子治療の報告がなされており，レンチウイルスベクターによる有効性が示されている[14]．

b 支持療法

重大出血の頻度はITPと比較し有意に高いと考えられる．しかしながら，血小板輸血は，重症な出血傾向や観血的処置がある場合など最小限に止めるべきである．血小板減少に対する脾摘は，多くの症例で血小板増加が得られるが，経過とともに減少することもあり，かつ感染症のリスクが増加することから推奨はされない．免疫グロブリン大量療法やステロイド投与は通常効果は部分的であり，ITP合併例や抗血小板抗体陽性例でB細胞からの自己抗体産生を認める場合はリツキシマブ投与が検討される．最近，一部の症例においてトロンボポイエチン受容体作動薬の有効性が報告されている[15]．

湿疹は治療に難渋するが，一般的なアトピー性皮膚炎治療に準じた治療を行い，食物アレルギーが明らかであれば除去食を考慮する．FK506軟膏が対症的に有効であった症例も報告されている．

感染症の管理としては，臨床経過に応じて，ST合剤，抗菌薬，抗真菌薬，抗ウイルス薬の予防的あるいは治療的投与を行う．免疫グロブリン製剤投与は，血清IgG値が低値で易感染性のある症例や重症感染症時に考慮する．ヘルペス属ウイルス感染症のリスクが高いため，EBVとCMVのモニタリングも重要である．

c フォローアップ指針

各症例の臨床所見に即した長期的な管理とフォローアップが必要である．XLT症例で造血細胞移植未施行例では成人期以降でも出血傾向，自己免疫疾患や悪性腫瘍の合併が経時的に増加するため，慎重に長期的管理を行うことが必要である．

同種造血細胞移植を施行した症例は，成人期に至っても移植後の晩期障害に注意した長期的なフォローアップ管理が必要である．

また，保因者である女性においては，血小板数が低下する場合にはX染色体不活化状態を検索し，妊娠時を含めて血小板数のフォローアップを行うことが必要である．

7. 予後，成人期の課題

わが国におけるX連鎖WASで非移植例の平均長期生存年齢は11歳とされる．感染症，出血，悪性腫瘍がおもな死因であり，10歳までの死因のほとんどは感染症と出血である．WASP蛋白発現陰性例は陽性例と比較し，長期予後は有意に低下する[3]．

易感染性を伴わないXLTでの生存率はX連鎖WASよりも良好であるが，経過とともに出血，IgA腎症からの腎不全，自己免疫疾患や悪性腫瘍の合併率が増加し，長期的な無病生存率は経過とともに低下する[4]．

WIP異常症およびARPC1B異常症の長期的予後はまだ不明である．

8. 診療上注意すべき点

乳児期からの血小板減少に伴う出血傾向として皮下出血・紫斑や血便を伴う場合，易感染性を疑う経過がある場合，湿疹を伴う場合，自己免疫疾患を合併する場合には，WASの鑑別診断を進めることが重要である．

XLTは治療抵抗性慢性ITPあるいは遺伝性血小板減少症のなかに未診断例が含まれると推定されるため，鑑別診断に入れることが必要である．

症例により臨床所見の程度や重症度が異なるため，確定診断後の管理と治療方針決定には，専門

医との相談が必要である．

> **診療上のコツ：臨床症例から**
>
> 血小板減少症の 12 歳男児で，2 歳時より ITP と診断され，大量免疫グロブリン療法とステロイド治療が行われたが，効果は一時的であった．血小板サイズは小型から正常大であり，易感染性や湿疹は認めなかった．免疫学的スクリーニング検査は正常だったが，かずさ DNA 研究所でのパネル遺伝子検査にて *WAS* 遺伝子にミスセンス変異を同定したことから，XLT と診断した．確定診断後は不要な ITP の治療は行わず保存的治療を行い，根治療法として同種造血細胞移植を検討することとした．

Pitfall

> 慢性 ITP と暫定診断されているものの治療反応性が乏しい小児例では，血小板サイズを確認のうえ，*WAS* 遺伝子異常による XLT を含めて，遺伝性血小板減少症を鑑別診断に入れるべきである．これにより適切な治療方針決定につながることが期待される．

文献

1) Derry JMJ, Ochs HD, Francke U. Isolation of a novel gene mutated in Wiskott-Aldrich syndrome. *Cell* 1994；78：635-644.
2) Thrasher AD. WASP in immune-system organization and function. *Nat Rev* 2002；2：635-646.
3) Imai K, Morio T, Zhu Y, et al. Clinical course of patients with WASP gene mutations. *Blood* 2004；103：456-464.
4) Albert MH, Bittner TC, Nonoyama S, et al. X-linked thrombocytopenia（XLT）due to WAS mutations：clinical characteristics, long-term outcomes and treatment options. *Blood* 2010；115：3231-3238.
5) Ramesh N, Antón IM, Hartwig JH, et al. WIP, a protein associated with Wiskott-Aldrich syndrome protein, induces actin polymerization and distribution in lymphoid cells. *Proc Natl Acad Sci USA* 1997；23：14671-14676.
6) de la Fuente MA, Sasahara Y, Calamito M, et al. WIP is a chaperone for Wiskott-Aldrich syndrome protein（WASP）. *Proc Natl Acad Sci USA* 2007；104：926-931.
7) Lanzi G, Moratto D, Vairo D, et al. A novel primary human immunodeficiency due to deficiency in the WASP-interacting protein WIP. *J Exp Med* 2012；209：29-34.
8) Schwinger W, Urban C, Ulreich R, et al. The phenotype and treatment of WIP deficiency：literature synopsis and review of a patient with pre-transplant serial donor lymphocyte infusions to eliminate CMV. *Front Immunol* 2018；9：2554-2560.
9) Kahr WHA, Pluthero FG, Elkadri A, et al. Loss of the Arp2/3 complex component ARPC1B causes platelet abnormalities and predisposes to inflammatory disease. *Nat Commun* 2017；8：14816-14829.
10) Sasahara Y, Wada T, Morio T. Impairment of cytokine production following immunological synapse formation in patients with Wiskott-Aldrich syndrome and leukocyte adhesion deficiency type 1. *Clin Immunol* 2022；242：109098-109102.
11) Kawai S, Minegishi M, Ohashi Y, et al. Flow cytometric demonstration of intracytoplasmic Wiskott-Aldrich syndrome protein in peripheral lymphocyte subpopulations. *J Immunol Methods* 2002；260：195-205.
12) 笹原洋二，國島伸治，石黒精，日本小児血液・がん学会血小板委員会．先天性血小板減少症・異常症の診療ガイド．日本小児血液・がん学会雑誌 2021；58：253-262.
13) Kobayashi R, Ariga T, Nonoyama S, et al. Outcome in patients with Wiskott-Aldrich syndrome following stem cell transplantation：an analysis of 57 patients in Japan. *Br J Haematol* 2006；135：362-366.
14) Aiuti A, Biasco L, Scaramuzza S, et al. Lentiviral hematopoietic stem cell gene therapy in patients with Wiskott-Aldrich syndrome. *Science* 2013；341：1233151-1233157.
15) Gerrits AJ, Leven EA, Frelinger 3rd AL, et al. Effects of eltrombopag on platelet count and platelet activation in Wiskott-Aldrich syndrome/X-linked thrombocytopenia. *Blood* 2015；126：1367-1378.

第 2 章　免疫不全を伴う特徴的な症候群

B　毛細血管拡張性運動失調症

東京医科歯科大学大学院医歯学総合研究科 茨城県小児・周産期地域医療学講座　髙木正稔

1. 疾患概要

毛細血管拡張性運動失調症（ataxia telangiectasia：A-T）は，特徴的な症候を伴う免疫不全症に分類され，運動失調，毛細血管拡張を主症状とし，約 2/3 の患者で様々な程度で免疫不全症を合併する．多くの患者は 1 歳の後半より歩行困難が出現し，10 歳台で車椅子が必要になる．眼球または顔面の毛細血管拡張は 4～8 歳で気づかれることが多い．免疫不全は複合免疫不全であり，低ガンマグロブリン血症が様々な程度に認められる．乳幼児期に致死的となる日和見感染症の合併はないが，上下気道の易感染性は高頻度に認められ，嚥下調節障害により，誤嚥性肺炎を発症することが多い．運動失調のある児で，上下気道の反復感染や毛細血管拡張，免疫グロブリン値異常などを合併していれば本疾患を疑い，血液検査で α フェトプロテイン（α-fetoprotein：AFP）の上昇やリンパ球の染色体異常を検出することで診断できる．確定診断は ATM 遺伝子解析による．20～30% の症例に悪性腫瘍を合併し，間質性肺炎，気管支拡張症の合併も多い．感染予防のために投薬や免疫グロブリン投与が行われるが，有効性は明らかとはなっていない．根本的治療法はない．

2. 疫学

A-T の出生に対する発症頻度は 1/3～10 万で，保因者は人口の 0.1～0.4% を占めるとされる．発症頻度に人種，男女差はない．20～30 名の国内患者がいる．

3. 診断基準・診断の手引き

a 臨床症状・身体所見

①歩行開始と共に明らかになる歩行失調（体幹失調）：徐々に確実に進行（2～5 歳までの間には進行がマスクされることもある）
②小脳性構語障害・流涎
③眼球運動の失行，眼振
④不随意運動
⑤低緊張性顔貌
⑥眼球結膜・皮膚の毛細血管拡張：6 歳までに 50%，8 歳時で 90% が明らかになる．
⑦免疫不全症状（反復性気道感染症）：ただし 30% では免疫不全症状を認めない．
⑧悪性腫瘍：特に T 細胞性腫瘍の発生頻度が高い．
⑨その他：発育不良，内分泌異常（耐糖能異常：インスリン非依存性糖尿病），皮膚，頭髪，血管の早老性変化

b 検査所見

① AFP の上昇（2 歳以降：95% で認められる）
②末梢血 PHA 刺激染色体検査で T 細胞受容体（7 番）や免疫グロブリン遺伝子領域（14 番）を含む領域の転座をもつリンパ球の出現
③ IgG（IgG2），IgA，IgE の低下，（IgM は上昇する場合あり）
④ T 細胞数の低下，CD4 陽性 T 細胞中 CD4$^+$CD45RA$^+$細胞の比率の低下
⑤ TREC/KREC 低値（研究検査）
⑥電離放射線高感受性：培養細胞における放射線による染色体断裂の亢進，生存能の低下（研究検査）

c 補助条項

誤嚥性肺炎, 免疫不全による重篤な感染症（EBウイルス持続感染, 風疹ウイルスによる皮膚肉芽腫），化学療法薬や放射線治療での重篤な有害事象.

d 診断の進め方（図1）

進行性の失調があり, 血清AFP高値を示す場合, 本疾患の可能性が高い. AFP高値を示す失調症は, ほかには眼球運動失行を伴う失調症2型, RIDDLE症候群がある. 遺伝学的解析, 研究レベルで行うATM蛋白質の発現解析で確定診断ができる.

e 診断基準

1）確定診断

運動失調, *ATM*遺伝子の両アレルの機能不全型のバリアントがあるもの.

2）診断を強く疑う症例

運動失調があり以下のうち三つを満たすもの.
①眼球または顔面の毛細血管拡張
②血清IgAの基準値からの－2SD以上の低下
③αフェトプロテインの基準値からの－2SD以上の上昇
④*ATM*遺伝子の1アレルの機能不全型のバリアント
⑤培養細胞における放射線による染色体断裂の亢進, 生存率の低下

3）診断を疑う症例

進行性小脳失調があり以下のうち一つを満たすもの.
①眼球または顔面の毛細血管拡張
②血清IgAの基準値からの－2SD以上の低下
③AFPの基準値からの－2SD以上の上昇
④培養細胞における放射線による染色体断裂の亢進, 生存能の低下

f 鑑別診断

以下の疾患を鑑別する.

Nijmegen断裂症候群, Bloom症候群, 毛細血管拡張性小脳失調症様疾患1型, 2型, 眼球運動失行を伴う失調症1型, 2型, RIDDLE症候群.

g 遺伝学的検査

*ATM*遺伝子のバリアント同定：69〜90％がナンセンスバリアント（遺伝子欠失の症例も2〜25％に存在するため, 保険診療で行われている

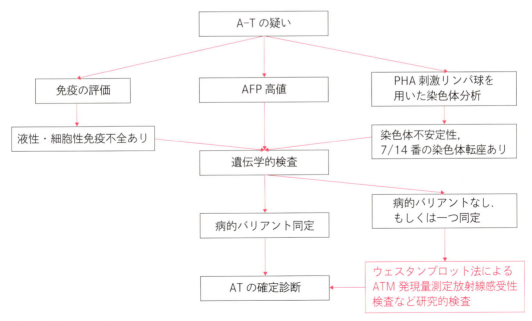

図1 診断フローチャート
色字で示された項目は研究検査

遺伝学的検査では，一つのバリアントしかない，もしくはバリアントが見つからない症例も存在する）．

4. 合併症

悪性腫瘍 20〜30%，糖尿病 5〜20%，誤嚥性肺炎 70%，間質性肺炎 25%，性腺機能低下．

5. 重症度分類

原発性免疫不全症の重症度分類，または神経症状に対する重症度分類いずれかの基準を満たすものを対象とする．

a 原発性免疫不全症の重症度分類

予防投与を含む継続的または断続的に治療が必要なものを対象とする．

6. 管理方法，治療

a 遺伝カウンセリング

A-T は常染色体潜性（劣性）遺伝で発症する．A-T の同胞をもつ両親は，臨床遺伝専門医と面談を行うことが望ましい．

保因者が他の保因者と結婚する確立は約 1/200 であり，この A-T 保因者同士のカップルに A-T の子どもが生まれる確立はやはり 1/4 となる．こから計算すると A-T 患者の兄弟姉妹や叔父，叔母が A-T 保因者と結婚をして，さらに A-T の子どもができる確立は約 1/1,200 となる．子どもが深刻な障害を抱えて生まれるリスクが 1% であることと比較して，小さな数字と考えられ，一般の人に対し A-T 保因者であるのかを尋ねることは非常に困難であり，積極的に保因者診断を行う必然性は少ないと考える．

b 神経症状

小脳症状の進行は 12〜15 歳以降から緩徐，もしくは停止するとされる．A-T 患者の運動障害に有効な薬物はない．少量デキサメタゾンの有効性を示唆する論文がいくつか報告されている．長期投与が必要であり，ステロイドの副作用が問題となる．基底核症状に対して L-DOPA やアマンタジンの有効例が散見される．継続的な作業療法，理学療法が行われるべきである．

c 免疫

A-T 患者のうちおおよそ 13% の患者には，IgA，IgG2 欠損が認められる．総 IgG レベルが 500 mg/dL 以下の人は 10〜20% 程度である．約 80% で CD3 陽性 T 細胞数が 1,000/μL 以下であり，CD3 陽性 T 細胞数が 450/μL 以下で重症感染症を合併しやすいと考えられる．

感染症の起因菌としては上気道，下気道感染症として *Pseudomonas aeruginosa*, *Haemophilus influenza*, *Streptococcus pneumoniae*, *Staphylococcus aureus* などが多い．また EB ウイルスの不顕性の持続感染のある症例が存在する．

総 IgG レベルが 500 mg/dL 以下の症例に対して免疫グロブリンの定期補充が行われるケースが多い．IgG2 が低値の症例も対象になると考えられる．一定の有効性があると考えられるが，これまで比較試験は行われていない．皮下投与型免疫グロブリン製剤の使用も行われている．感染予防としてのスルファメソキサゾール・トリメトプリム（ST）合剤や抗真菌薬の投与が行われる症例もあるが，有用性は明らかとなってはいない．A-T 患者ではニューモシスチス肺炎の報告は少ない．

定期的に行われる小児用予防接種はすべて（4種混合，肺炎球菌，インフルエンザ桿菌，麻疹，おたふくかぜ，風疹，水痘）接種する．ただし，風疹ワクチンによる肉芽腫に留意する．また患者とその家族はインフルエンザワクチンを毎秋，接種する．

d 呼吸器

A-T 患者の約 80% が何らかの呼吸器感染症を経験するといわれている．25% の症例で間質性肺炎など慢性呼吸器疾患が死因となっている．こういった症例ではステロイドの投与が行われ，症状の改善をみるが，長期的には生存率の改善にはつながらない．呼吸が浅い，あるいは咳がうまくできないような患者には気道クリアランス改善のための器具（バイブレータ，胸壁に高振動を与える器具，痰除去を補助する器具），胸部理学療法，

ステロイド薬の吸入，気管支拡張薬によるサポートが重要と思われる．

A-T 患者が慢性的な肺疾患を患っている場合，アジスロマイシンなどの予防的な抗菌薬の使用により細菌性肺炎や気管支拡張症のリスクを抑えることができるかもしれない．

e 栄養

A-T 患者の多くに低栄養が認められる．また嚥下障害により簡単に誤嚥性肺炎を引き起こす．これを回避するために，食事回数を多くし，頭の位置に気をつけ正しい姿勢で食事を行わせる．食品によってはとろみをつけることで誤嚥のリスクを低減できる．

f 糖尿病・脂質代謝異常

A-T の 5〜20% に糖尿病の発症をみとめる．多くは 2 型糖尿病であるが，1 型糖尿病の報告もある．血糖値，脂質代謝異常にたいして，対症的に血糖降下薬，脂質改善薬を投与する．

g 悪性腫瘍

A-T の 20〜30% に悪性腫瘍の合併を認める．通常の化学療法では毒性が強く，用量を減量した化学療法が必要となる．

1）化学療法における治療薬選択のガイドライン

① A-T の患者は放射線に高感受性を示す．放射線を用いた治療は可能な限り避けるべきと考える．同様に，放射線類似の作用を示す薬剤ブレオマイシンなどの使用も避けるべきである．もし，放射線療法が必須と考えられる場合には，十分な減量（危険量の 1/3 程度）が必要である．

② A-T の患者は運動失調を伴うことから，ビンクリスチンの神経毒性による筋力低下からの回復が困難である．このため，毎週のビンクリスチン投与は耐えられないと考える．投与後に筋力低下の徴候が現れた場合には，以降の投与について中止もしくは減量を行うべきである．ビンブラスチンはビンクリスチンよりも神経毒性が軽微と考えられ，より安全に使用可能と考える．治療レジメに毎週のビンクリスチン投与が計画されている場合には，ビンブラスチンで代替すべきである．ビンクリスチン 1.5 mg/m² はビンブラスチン 6 mg/m² に置き換え可能である．なお，経験がないため推測の域を出ないが，ネララビンも神経毒性を有することから，A-T の患者では毒性が増強する可能性がある．適応は投与による利益を考え慎重に決定されるべきと考える．

③ A-T の患者は毛細血管拡張の存在からも示唆されるように，シクロホスファミドまたはイホスファミドによる出血性膀胱炎の発症リスクが高いと考える．さらに，A-T の患者では，投与後数か月たって現れてくる可能性もある．したがって，投与量にかかわらず，十分な輸液とメスナの投与が必要である．また，これらアルキル化薬に対しても A-T の患者は高感受性を示すことから，2/3 から 1/2 程度への減量が必要と考えられる．

④ A-T の患者にメトトレキサートを使用した場合に，重篤かつ難治性の消化管粘膜障害が起こり，瘢痕形成，狭窄を起こすことが経験される．それゆえ，メトトレキサート血中濃度モニタリング，ロイコボリンカルシウムの投与を計画的に行い，薬剤の体外排泄を速やかに誘導する必要がある．すなわち，十分な輸液，適切な尿のアルカリ化，腎障害性のある薬剤投与の回避について，配慮すべきである．

⑤ A-T の患者は，エトポシドやドキソルビシンなどのトポイソメラーゼ阻害薬に対する高感受性がある．St. Jude 小児研究病院における治療指針では，治療反応性が不良でない場合には 3/4 程度に減量して投与することを推奨している．しかし細胞生物学的に，A-T の患者は明らかにはエトポシドやドキソルビシンに対する高感受性があり，最近の小児急性リンパ性白血病の治療においては二次がんなど発がんのリスクも考慮して，可能な限り投与を避ける方向にすすんでおり，可能であればトポイソメラーゼ阻害薬を含まない治療計画を立てるべきと考える．

⑥ リツキシマブなど分子標的薬の使用を積極的に考慮する．

2）がん化学療法時のサポートケア

① ダブルルーメンの中心静脈カテーテルを留置し，安全な薬剤投与，十分な栄養の補給を行う．

栄養の管理に十分な配慮を行う．A-T の患者は化学療法による体重減少が著明であり回復がむずかしい．
② 治療の前に脳 MRI の撮影と，小児神経科医による診察を受けるべきである．
③ 発熱時には好中球減少の有無にかかわらず，また発熱がなくても全身状態良好でない場合には，速やかに血液培養を実施し，広域スペクトラムを有する抗菌薬を投与するべきである．
④ A-T の患者では，X 線撮影など放射線診断は避けるべきであり，可能な限り MRI や超音波検査で代用すべきである．しかし X 線診断により有用な情報が得られると判断したときは，行うべきである．
⑤ ST 合剤の予防投与を行う．
⑥ H_2 ブロッカーもしくはプロトンポンプ阻害薬の予防投与を行う．
⑦ 免疫グロブリンの補充療法を行う．
⑧ 長期臥床による筋力低下，歩行困難が著明に出現してくるので，積極的なリハビリテーションを行う．

h 免疫不全症，悪性腫瘍を発症した患者の造血細胞移植

A-T とその類縁疾患の造血細胞移植は，前処置毒性の強さと，造血細胞移植では治癒しえない全身合併症の存在から敬遠されており，報告は限られている．

これまで 13 例の A-T に対する造血細胞移植が論文報告されている．うち 5 例は骨髄破壊的前処置が用いられ，8 例に骨髄非破壊的前処置が用いられている．骨髄破壊的前処置が用いられた全例が死亡していた．一方，骨髄非破壊的前処置が用いられた 8 例のうち 6 例が生存していた（平均観察期間 34 か月）．

7. 予後，成人期の課題

平均寿命は 20 歳台と報告されている．わが国の調査での平均寿命は 26 歳であった．軽症例では 40〜50 歳の予後が期待できる．また予後因子として，IgM 高値の症例で予後が不良なことが示されている．成人期では耐糖能異常，非アルコール性脂肪性肝疾患などが管理を行ううえで課題となっている．

8. 診療上注意すべき点

放射線感受性疾患であり，不必要な X 線写真，CT は避けるべきである．神経の専門家および血液免疫の専門家によるチーム医療が必要な疾患である．

参考文献
- Perlman S, Becker-Catania S, Gatti RA. Ataxia-telangiectasia : diagnosis and treatment. *Semin Pediatr Neurol* 2003 ; 10 : 173-182.
- Bhatt JM, Bush A, van Gerven M, et al. European Respiratory Society. ERS statement on the multidisciplinary respiratory management of ataxia telangiectasia. *Eur Respir Rev* 2015 ; 24 : 565-581.
- Morio T, Takahashi N, Watanabe F, et al. Phenotypic variations between affected siblings with ataxia-telangiectasia : ataxia-telangiectasia in Japan. *Int J Hematol* 2009 ; 90 : 455-462.
- Sandlund JT, Hudson MM, Kennedy W, et al. Pilot study of modified LMB-based therapy for children with ataxia-telangiectasia and advanced stage high grade mature B-cell malignancies. *Pediatr Blood Cancer* 2014 ; 61 : 360-362.

第2章 免疫不全を伴う特徴的な症候群

C DNA修復障害

岐阜大学大学院医学系研究科 小児科学分野　**大西秀典**

1. 疾患概要

　国際免疫学会連合(International Union of Immunological Societies：IUIS)によって2022年度に公開された最新の先天性免疫異常症の分類表によると、複合免疫不全症の項に含まれないその他のDNA修復障害として15疾患，18責任遺伝子が登録されている[1]。本稿では別項に記載のある毛細血管拡張性運動失調症以外のDNA修復障害，すなわち，Nijmegen染色体不安定症候群，Bloom症候群，ICF症候群，PMS2異常症，RIDDLE症候群，MCM4欠損症，X連鎖網状色素異常症（POLA1欠損症），FILS症候群（POLE1欠損症），POLE2欠損症，DNAリガーゼI欠損症，NSMCE3欠損症，ERCC6L2欠損症（Hebo欠損症），GINS1欠損症，MCM1欠損症について概説する．

　Nijmegen染色体不安定症候群は，染色体不安定性を基盤とした，小頭症や特徴的な顔貌（鳥様顔貌），成長発達障害，精神遅滞，皮膚症状，免疫不全症などの特徴的な身体所見と放射線感受性の亢進による高頻度の悪性腫瘍を呈する常染色体潜性（劣性）遺伝形式の疾患である．1981年にWermaesらが10代の兄弟例を初めて報告し，その後に責任遺伝子が*NBS1*遺伝子であることが明らかとなっている[2]．

　Bloom症候群は，出生時からの小柄な体型，特徴的な顔貌（鳥様顔貌），日光過敏性紅斑，免疫不全症を特徴とする常染色体潜性（劣性）遺伝形式の疾患であり，20歳までに，約3割の症例がなんらかの悪性腫瘍を発症する．姉妹相同染色体の組み換え（sister chromatid exchange：SCE）が高率に認められ，診断に重要である．DNAの複製・修復に関与するRecQヘリカーゼファミリーに属する*BLM*遺伝子（RECQL3）異常が原因である[3]．

　ICF症候群は，1999年に免疫不全（immunodeficiency），動原体不安定性（centromeric instability），顔貌異常（facial anomalies）を三主徴とするまれな常染色体潜性（劣性）遺伝病として報告された．多様な低ガンマグロブリン血症に伴う易感染性が知られており，末梢血中の記憶B細胞の減少が報告されている．動原体不安定性（centromeric instability）は第1・9・16番染色体のヘテロクロマチン領域の伸長や分枝染色体が特徴である．小頭，眼間解離，内眼角贅皮，平坦な顔，小顎，巨舌，低く幅広い鼻，耳介低位などの顔貌異常がみられる．また知能低下，言語発達遅滞も症状として知られている．ICF症候群の責任遺伝子は*DNMT3B*，*ZBTB24*，*CDCA7*，*HELLS*の4つが知られているが，いずれも常染色体潜性（劣性）遺伝形式であり，極めてまれな疾患である[4]．

　PMS2異常症は，DNAミスマッチ修復に重要な*PMS2*遺伝子異常が原因となる，常染色体潜性（劣性）遺伝形式の疾患である．類縁疾患概念として*MLH1*，*MSH2*，*MSH6*遺伝子異常によるLynch症候群があるが，PMS2異常症もLynch症候群とともにDNAミスマッチ修復異常をきたす症候群の一つである．カフェオレ斑があり，特徴的な身体所見と放射線感受性を呈し，悪性腫瘍を高率に合併するが，免疫学的には低ガンマグロブリン血症を呈することが知られている[5]．

　RIDDLE症候群は，蛋白ユビキチン化異常を基盤とした特異的顔貌や低身長と放射線感受性を呈する免疫不全症であり，悪性腫瘍合併率が多い疾患である．毛細血管拡張も認め，毛細血管拡張性運動失調症と類似するが，小脳失調は認めないとされる．αフェトプロテイン（AFP）が高値とな

ることも特徴である．責任遺伝子は，RING型E3ユビキチンリガーゼをコードする*RNF168*遺伝子であり，常染色体潜性（劣性）遺伝形式の疾患である．RNF168はユビキチン化ヒストンH2Aへ結合し，DNA二重鎖損傷修復機構に重要な役割を果たす分子である[6]．

2. 疫　学

Nijmegen染色体不安定症候群は，わが国では現在までに報告例はない．スラブ人で発症率が高く，チェコ，ウクライナ，ポーランドで保因者頻度が高い．Bloom症候群は，2010年度に実施された国内での実態調査研究により，9家系10症例のBloom症候群の確定例が明らかとなっている．アシュケナージ系ユダヤ人では，保因者が約100人に1人の頻度で存在するとされている．ICF症候群は，世界では118例をまとめた報告があり，わが国ではICF1とICF2を合わせた11例のまとめと，ICF4の1例報告がある[4]．PMS2異常症やRIDDLE症候群は非常にまれであり国内報告例はない．

その他のDNA修復障害として10疾患があげられているが，ERCC6L2欠損症を除いて極めてまれである．

3. 診断基準，診断の手引き（診断フローチャート）

Nijmegen染色体不安定症候群，Bloom症候群，ICF症候群，PMS2異常症，RIDDLE症候群については，厚生労働科学研究費補助金 原発性免疫不全症候群の全国診療体制確立，移行医療体制構築，診療ガイドライン確立に関する研究班（研究代表者 森尾友宏）によって策定された診断基準（本稿掲載にあたり一部改変），診断フローチャート（図1～図5）を用いて各疾患の診断を行う．DNA修復障害は，非常に多彩な疾患群であるため各疾患の臨床的特徴を表1にまとめた．これらの臨床像，検査所見から疑い，最終的にNBS，*BLM*，*DNMT3B*，*ZBTB24*，*CDCA7*，*HELLS*，*PMS2*，*RNF168*，*MCM4*，*POLA1*，*POLE1*，*POLE2*，*NSMCE3*，*LIG1*，*GINS1*，*ERCC6L2*，*MCM10*遺伝子のいずれかに疾患関連遺伝子バリ

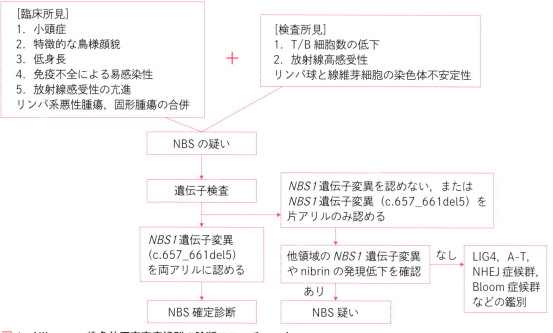

図1　Nijmegen染色体不安定症候群の診断フローチャート
NBS：Nijmegen breakage syndrome Nijmegen染色体不安定症候群
（厚生労働科学研究費補助金 原発性免疫不全症候群の診療ガイドライン改訂，診療提供体制・移行医療体制構築，データベースの確立に関する研究班（研究代表者 森尾友宏）．研究報告書．令和2（2020）年度～令和4（2022）年度．より作成）

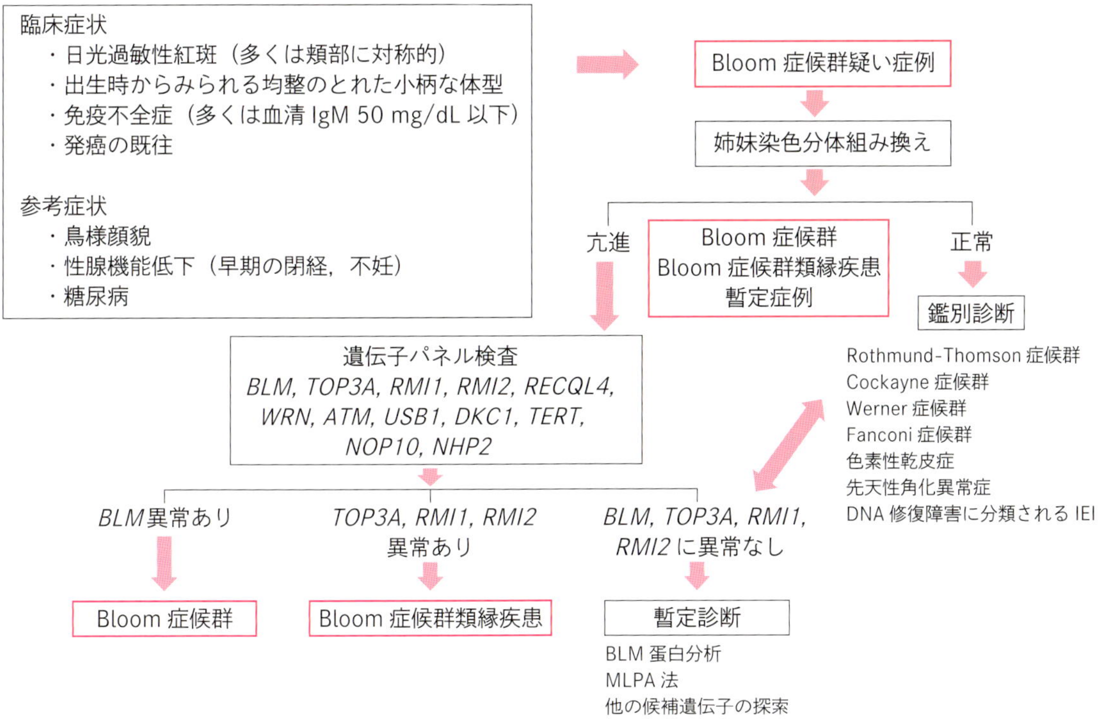

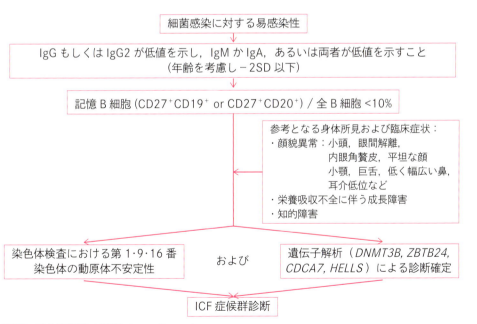

図2　Bloom 症候群の診断フローチャート

IEI：inborn errors of immunity 先天性免疫異常症
（厚生労働科学研究費補助金 原発性免疫不全症候群の診療ガイドライン改訂，診療提供体制・移行医療体制構築，データベースの確立に関する研究班（研究代表者 森尾友宏）．研究報告書．令和2（2020）年度～令和4（2022）年度．より作成）

図3　ICF 症候群の診断フローチャート

（厚生労働科学研究費補助金 原発性免疫不全症候群の診療ガイドライン改訂，診療提供体制・移行医療体制構築，データベースの確立に関する研究班（研究代表者 森尾友宏）．研究報告書．令和2（2020）年度～令和4（2022）年度．より作成）

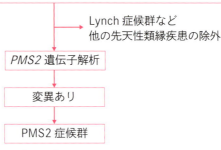

図4 PMS2異常症の診断フローチャート

(厚生労働科学研究費補助金 原発性免疫不全症候群の診療ガイドライン改訂,診療提供体制・移行医療体制構築,データベースの確立に関する研究班(研究代表者 森尾友宏).研究報告書.令和2(2020)年度～令和4(2022)年度.より作成)

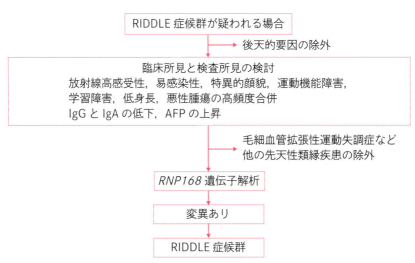

図5 RIDDLE症候群の診断フローチャート

(厚生労働科学研究費補助金 原発性免疫不全症候群の診療ガイドライン改訂,診療提供体制・移行医療体制構築,データベースの確立に関する研究班(研究代表者 森尾友宏).研究報告書.令和2(2020)年度～令和4(2022)年度.より作成)

表1　DNA修復障害

疾患名	責任遺伝子	遺伝形式	臨床的特徴・合併症	免疫学的特徴
毛細血管拡張性運動失調症	ATM	AR	運動失調症，強膜の毛細血管拡張症，肺炎，リンパ系などの悪性腫瘍，αフェトプロテイン増加，放射線感受性増加，染色体不安定性	T細胞の進行性減少，マイトジェンに対する増殖反応の不良，しばしばIgA, IgE, IgGサブクラス低下，IgM増加，抗体多様性減弱
Nijmegen染色体不安定症候群（Nijmegen breakage syndrome）	NBS1	AR	小頭症，特異顔貌，リンパ腫および固形腫瘍，放射線感受性増加，染色体不安定性	T細胞の進行性減少，B細胞の減少は様々．しばしばIgA, IgE, IgGサブクラス低下，IgMの減少は様々
Bloom症候群	BLM	AR	低身長，特異顔貌，日光過敏性紅斑，骨髄不全，白血病，リンパ腫，放射線感受性増加，染色体不安定性	T細胞，B細胞は正常．免疫グロブリンの低下
ICF症候群	DNMT3B, ZBTB24, CDCA7, HELLS	AR	特異顔貌，発達遅延，巨舌，日和見細菌感染，吸収不良，血球減少，悪性腫瘍，1・9・16番染色体の分枝染色体	T細胞，B細胞は正常か減少，様々な程度の抗体産生不全
PMS2異常症	PMS2	AR	反復性感染症，カフェオレ斑，リンパ腫，大腸癌，脳腫瘍，放射線感受性増加	B細胞減少，クラススイッチ障害，IgGとIgAの低下，IgM増加，抗体産生の異常
RIDDLE症候群	RNF168	AR	低身長，軽度の失調症，正常知能あるいは学習障害，軽度の特異顔貌，小頭症，放射線感受性増加	IgGあるいはIgA低下
MCM4欠損症	MCM4	AR	子宮内発育遅延，発育障害，小頭症，反復性ウイルス感染，糖質コルチコイド欠損症，低血糖，皮膚色素沈着	NK細胞（特にCD56dim）減少，好中球減少，一過性T細胞減少
X連鎖網状色素異常症（POLA1欠損症）	POLA1	AR	色素沈着，特異顔貌，肺・消化器病変	まだ評価されていない
FILS症候群（POLE1欠損症）	POLE1	AR	特異顔貌，網状皮斑，低身長，子宮内発育遅延，骨幹端異形成，先天性副腎低形成，生殖器形態異常，易感染	IgM低下，抗肺炎球菌多糖体抗原抗体獲得不全，メモリーB細胞減少，リンパ球減少，NK細胞欠損
POLE2欠損症	POLE2	AR	特異顔貌，複合免疫不全，乳児期発症糖尿病，甲状腺機能低下症	IgG, IgA, IgMの低下，B細胞欠損，T細胞減少，エフェクターメモリーT細胞比率増加，TREC低下，NK細胞減少，好中球減少
DNAリガーゼI欠損症	LIG1	AR	日光過敏症，放射線感受性亢進，成長障害，免疫不全，多嚢胞性異形成腎，巨大赤血球症，易発癌性（悪性リンパ腫）	IgG, IgA, IgM低下，B細胞およびT細胞減少，γδT細胞比率増加，PHAに対するリンパ球増殖反応低下
NSMCE3欠損症	NSMCE3	AR	成長障害，体軸性筋緊張低下，湿疹，反復性ウイルス感染，致死的な急速進行性肺障害，皮下気腫，好酸球性間質性肺炎，胸腺低形成，放射線感受性亢進	T細胞減少，T細胞増殖反応低下，抗肺炎球菌多糖体抗原抗体獲得不全
ERCC6L2欠損症（Hebo欠損症）	ERCC6L2	AR	顔面形態異常，小頭症，学習障害あるいは発達遅滞，骨髄不全	リンパ球減少，ナイーブCD4陽性T細胞減少，B細胞減少
GINS1欠損症	GINS1	AR	子宮内発育遅延，発育障害，特異顔貌，乾燥性皮疹，細菌およびウイルス感染に対する易感染性	好中球減少，NK細胞欠損
MCM10欠損症	MCM10	AR	重症（致死的）CMV感染，HLH様，GINS1およびMCM4欠損症と同様のフェノタイプ	T細胞は正常か減少，B細胞減少，IgMとIgA正常，IgG低下，NK細胞数およびNK細胞活性欠損

AR：常染色体性潜性（劣性）遺伝，CMV：サイトメガロウイルス，HLH：血球貪食性リンパ組織球症，PHA：phytohemagglutinin

アントが確認できれば確定診断となる．

鑑別診断として，原発性免疫不全症のなかで複合免疫不全症（特にDNA修復障害を基盤とする疾患：Artemis欠損症，DNA-PKcs欠損症，Cernunnos欠損症，DNAリガーゼIV欠損症），先天性角化異常症に加えRothmund-Thomson症候群，Cockayne症候群，Werner症候群，Fanconi症候群，色素性乾皮症などの遺伝性高発癌症候群などがあげられる．

現在，かずさDNA研究所でDNA修復異常症遺伝子検査を依頼すると，*ATM*，*MRE11*，*NBN*，*RAD50*，*LIG4*，*NHEJ1*，*DCLRE1C*，*PRKDC*，*DNMT3B*，*ZBTB24*，*CDCA7*，*HELLS*，*RNF168*，*MCM4*，*BLM*遺伝子の検査が可能となっているが，このなかに含まれない遺伝子については研究検査として対応することになる．

a Nijmegen染色体不安定症候群の診断基準

1）臨床症状
- a）小頭症
- b）特徴的な顔貌（鳥様顔貌）
- c）成長発達障害
- d）精神遅滞
- e）日光過敏性紅斑
- f）免疫不全症
- g）放射線高感受性

2）検査所見
- a）染色体不安定性
- b）細胞性免疫および液性免疫の低下

3）診断
以上の臨床症状と検査所見を満たし，以下のうちいずれかを認める場合にNijmegen染色体不安定症候群と診断する．
- a）*NBS1*遺伝子における両アリル変異
- b）*NBS1*遺伝子がコードするnibrin発現低下

ただし，まれに*NBS1*遺伝子exon6におけるc.657_661del5を片アリルのみにしか，もしくは認めない患者が存在し，そのような場合にはpromotorもしくはsplicing変異，*NBS1*遺伝子を含む染色体欠失などを検索する．

b Bloom症候群の診断基準

1）臨床症状
- a）日光過敏性血管拡張性紅斑（多くは頬部に対称性に出現）
- b）小柄な体型（出生時から認められ均整がとれている）
- c）特徴的な顔貌（鳥様顔貌）
- d）免疫不全症
- e）悪性腫瘍（造血器腫瘍，皮膚癌，大腸癌，乳癌等）の若年発症が高率である
- f）糖尿病
- g）性腺機能低下（無精子症，早期の閉経，不妊）

2）検査所見
- a）抗体産生不全（多くは血清IgM値が50 mg/dLの以下の低値を示す）
- b）T細胞，B細胞数は正常範囲のことが多い
- c）CD4陽性T細胞の低下
- d）遅延型過敏反応の低下
- e）姉妹染色分体組み換え（sister chromatid exchange：SCE）の亢進

3）診断
以上の臨床症状と検査所見を満たし，以下のうちいずれかを認める場合にBloom症候群と診断する．
- a）*BLM*遺伝子に病的バリアントを認める．
- b）*TOP3A*，*RMI1*，*RMI2*遺伝子変異を認めない．

c ICF症候群の診断基準

1）臨床症状
- a）細菌感染に対する易感染性
- b）顔貌異常：小頭，眼間解離，内眼角贅皮，平坦な顔，小顎，巨舌，低く幅広い鼻，耳介低位など
- c）栄養吸収不全に伴う成長障害
- d）知的障害

2）検査所見
- a）低ガンマグロブリン血症

3）診断
以上の臨床症状と検査所見を満たし，以下のうちいずれかを認める場合にICF症候群と診断する．
- a）染色体異常：第1・9・16番染色体の動原体不安定性

b）*DNMT3B*, *ZBTB24*, *CDCA7*, *HELLS* 遺伝子いずれかの病的バリアント

d PMS2 異常症の診断基準
1）臨床症状
　　a）放射線高感受性
　　b）易感染性
　　c）カフェオレ斑
　　d）悪性腫瘍の高頻度合併
2）検査所見
　　a）T 細胞数は正常
　　b）B 細胞数の減少
　　c）血清 IgG 値と IgA 値の低下，IgM 値の上昇
3）診断
　以上の臨床症状と検査所見を満たし，*PMS2* 遺伝子の両アリルに病的バリアントを認める場合に PMS2 異常症と診断する．

e RIDDLE 症候群の診断基準
1）臨床症状
　　a）放射線高感受性
　　b）免疫不全による易感染性
　　c）特異的顔貌
　　d）運動機能障害
　　e）学習障害
　　f）低身長
　　g）悪性腫瘍の高頻度合併
　　h）毛細血管拡張
2）検査所見
　　a）血清 IgG 値と IgA 値の低下
　　b）α フェトプロテイン（AFP）の上昇
3）診断
　以上の臨床症状と検査所見を満たし，*RNF168* 遺伝子の両アリルに病的バリアントを認める場合に RIDDLE 症候群と診断する．

4. 合併症

　本稿に該当する疾患は症候群としての特徴を有しており，その臨床症状は免疫系の異常のみにとどまらず非常に多彩である．易感染性以外に，発達遅滞，発育障害，自己免疫疾患，内分泌異常，易発癌性を併発する．Nijmegen 染色体不安定症候群は，他の染色体不安定性症候群と比べても高率に悪性腫瘍を合併し，発症時の年齢中央値は 10 歳で，20 歳までに半数近くがリンパ系悪性腫瘍（特に非 Hodgkin リンパ腫），もしくは固形腫瘍などの悪性腫瘍を発症する．また，自己免疫性溶血性貧血（autoimmune hemolytic anemia：AIHA）や免疫性血小板減少性紫斑病（immune thrombocytopenic purpura：ITP）などの自己免疫疾患を合併する場合がある．女性患者は思春期初来を欠き，原発性性腺機能不全を呈する一方で，男性患者は健常人同様に思春期が始まることが多い．Bloom 症候群では，20 歳までに約 3 割の患者が何らかの悪性腫瘍を発症するとされるが，特に B 細胞系リンパ腫の発生例が多い．また高頻度に糖尿病を合併する．ICF 症候群では，栄養吸収不全がみられ，特に難治性の下痢が遷延する例では成長障害の要因となることがある．また自己炎症／自己免疫症状や，性腺機能低下例が一部の症例で報告されている．悪性腫瘍の合併の報告例もある．PMS2 異常症，RIDDLE 症候群においても同様に悪性腫瘍の合併が高率に起きる．なお DNA 修復障害に分類される疾患は，いずれの疾患も極めてまれな疾患であり，症例数が限られているため，未知の合併症の発生もありうる．

5. 重症度分類

　DNA 修復障害では，反復性感染，発達遅滞，悪性腫瘍の発生等により一生涯にわたり定期的な検査，治療が必要である．また，定期的な全身検索による悪性腫瘍の早期発見が本疾患の管理上重要であるため，確定診断例は全例重症に分類する．

6. 管理方法（フォローアップ指針），治療

　治療は対症療法が基本となる．易感染性に対して抗菌薬の予防投薬，低ガンマグロブリン血症に対しては免疫グロブリン補充療法が行われるが，いずれの疾患も症例数が少なく，有効性に関するエビデンスは乏しい．T 細胞機能不全などの重症の免疫不全症を呈する場合には，同種造血細胞移植の適応となる場合があるが，放射線感受性の亢

進による移植関連合併症や二次がんが問題となるため事前に十分な適応やレジメンの検討が必要である．Nijmegen染色体不安定症候群，ICF症候群やERCC6L2欠損症に対しては造血細胞移植が有効であったと報告されている．

DNA修復障害では比較的若年で悪性腫瘍を発症することがあり，致死的となりうるので注意が必要である．そのほか，MCM4欠損症における糖質コルチコイド欠損症状に対しては補充療法を行うなど，それぞれの症候に対する対症療法を行う．

7. 予後，成人期の課題

予後は，免疫不全症としての重症度や合併症（おもに悪性腫瘍）の有無によって左右される．特にT細胞機能不全や重篤なNK細胞機能不全の特徴が前面に現れる疾患（Nijmegen染色体不安定症候群，ICF症候群の重症例，POLE2欠損症，NSMCE3欠損症，DNAリガーゼI欠損症），MCM10欠損症では，幼少期に死亡する例が報告されている．なかでも特にNSMCE3欠損症は重篤な肺障害によりいずれの症例も乳幼児期に死亡しており，またMCM10欠損症も乳幼児期に致死的なCMV感染を引き起こす極めて予後不良な疾患である．その他の疾患も比較的若年期に悪性腫瘍を高頻度に発症しうると想定されるため，いずれも長期予後が不良の疾患と考えられる．できるだけ放射線を使用しない検査を定期的に行うことで早期に悪性腫瘍の発見を試みる必要がある．また成人年齢に達する症例もみられるため，内科医等の成人担当診療科と連携していく必要がある．

8. 診療上注意すべき点

T細胞機能不全を伴う疾患では，BCGワクチンや生ワクチンの接種が禁忌である．DNA修復障害では，前述のとおり悪性腫瘍の発生に常に留意する必要がある．また，Nijmegen染色体不安定症候群，Bloom症候群，PMS2異常症，RIDDLE症候群，NSMCE3欠損症やDNAリガーゼI欠損症では放射線感受性の亢進がみられる可能性が指摘されているため，画像検査等の施行時には注意が必要である．

文献

1) Tangye SG, Al-Herz W, Bousfiha A, et al. Human Inborn Errors of Immunity：2022 Update on the Classification from the International Union of Immunological Societies Expert Committee. *J Clin Immunol* 2022；42：1473-1507.
2) Varon R, Vissinga C, Platzer M, et al. Nibrin, a novel DNA double-strand break repair protein, is mutated in Nijmegen breakage syndrome. *Cell* 1998；93：467-476.
3) Ellis NA, Groden J, Ye TZ, et al. The Bloom's syndrome gene product is homologous to RecQ helicases. *Cell* 1995；83：655-666.
4) Kamae C, Imai K, Kato T, et al. Clinical and Immunological Characterization of ICF Syndrome in Japan. *J Clin Immunol* 2018；38：927-937.
5) Péron S, Metin A, Gardès P, et al. Human PMS2 deficiency is associated with impaired immunoglobulin class switch recombination. *J Exp Med* 2008；205：2465-2472.
6) Stewart GS, Panier S, Townsend K, et al. The RIDDLE syndrome protein mediates a ubiquitin-dependent signaling cascade at sites of DNA damage. *Cell* 2009；136：420-434.

第2章 免疫不全を伴う特徴的な症候群

D 胸腺低形成

名古屋大学大学院医学系研究科 小児科学　若松　学　村松秀城

1. 疾患概要

胸腺は，自己に対する免疫寛容を維持しながら，外来抗原に応答するT細胞再構築と選択にかかわる免疫系の重要な器官である．おもな構成要素として，内胚葉由来の胸腺上皮細胞（thymic epithelial cell：TEC）がある．TECは，T細胞の機能的成熟と分化，T細胞受容体レパートリーの選択にかかわり，皮質上皮細胞（cortical TEC：cTEC）と髄質上皮細胞（medullary TEC：mTEC）に分類される．cTECは，非自己へ応答するTリンパ球を産生する一方で，mTECは，Tリンパ球による自己に対する免疫寛容にかかわる．この2種類の胸腺上皮細胞が固有の機能を備え，獲得免疫システムを形成する．

胸腺の発生は，ヒトの胚形成過程で妊娠6週の早い段階で，内胚葉前腸外側の第3咽頭嚢から始まる．第3咽頭嚢の形成と初期パターンは，HOXA3，EYA1，PAX1，TBX1など多くの転写因子によって調節される．妊娠6週半ばからTECのマスター転写調節因子であるFOXN1が出現し，8週からFOXN1依存的にTECが，cTECとmTECに分化誘導される．結果，10週目以降に初期T前駆細胞が劇的に増加する．TECと胸腺細胞の発生プロセスは，クロストークとよばれ，胸腺形成，TECの分化と成熟，胸腺造血に重要である．

胸腺低形成を認める疾患として，DiGeorge症候群（DiGeorge syndrome：DGS）がある．1965年にDiGeorgeが初めて報告し，半数以上が染色体22q11.2領域に欠失を認め，常染色体顕性（優性）遺伝形式で発症する．その臨床症状は非常に多彩で，T細胞欠損，易感染性，先天性心疾患，特徴的な顔貌，副甲状腺低形成による低カルシウム血症と新生児テタニーを伴う．T細胞欠損に関連した日和見感染症として，ニューモシスチス肺炎やサイトメガロウイルス（cytomegalovirus：CMV）などのウイルスや真菌が含まれる．DGSに次いで頻度の多い胸腺低形成を認める疾患として，CHARGE症候群がある．CHARGE症候群は，CHD7遺伝子変異が原因で発症する常染色体顕性（優性）遺伝の疾患である．CHD7は，咽頭器官の神経堤由来間葉組織とTECで発現し，胸腺形成，FOXN1発現，TECの機能調節にかかわる．

そのほかに胸腺低形成を認める免疫異常症として，胸腺器官の発達に影響を与えるFOXN1，PAX1，22q11.2領域内のTBX1，CHD7などの正中線領域の発達に関与する遺伝子変異が原因で発症する疾患群がある．胸腺低形成を認める各疾患とその原因遺伝子を表1[1)2)]に記す．多くの疾患は，胸腺低形成によりT細胞欠損を示すが，一方でB細胞とNK細胞は正常であり，T$^-$B$^+$NK$^+$の重症複合免疫不全症（severe combined immuno-deficiency：SCID）の表現型を示す．また，22q11.2欠失症候群のほかに，染色体異常がかかわる胸腺低形成として，2p11.2，10p13-14，11q23欠失などがある[3)]．22q11.2領域の欠失は，蛍光 in situ ハイブリダイゼーション法（fluorescence in situ hybridization：FISH）やアレイCGH法を用いて評価することが可能で，臨床現場でも有用な検査である．22q11.2欠失症候群の1.5 Mbから3.0 Mbの領域には，30以上の遺伝子が存在し，特にTBX1遺伝子のハプロ不全が身体形態異常に関与するとされる．

胸腺低形成の鑑別診断を進めるうえで，遺伝学的検査は非常に重要であるが，一部に遺伝的原因が特定できない症例も存在し，母体糖尿病やレチノイン酸への曝露などの環境要因も鑑別する必要がある．

表1 胸腺機能低下を伴う免疫異常症

疾患名	遺伝学的異常	遺伝形式	免疫学的・臨床的特徴
22q11.2 欠失症候群	22q11.2 領域の欠失	de novo（90〜95％）	T細胞欠損，TREC低値，T細胞の増殖障害，B・NK細胞正常，免疫グロブリン低下，抗体産生の障害（臨床的特徴は本文参照）
		常染色体顕性（優性）（約10％）	
CHARGE 症候群	CHD7, SEMA3E	常染色体顕性（優性）	
TBX1 異常症	TBX1	常染色体顕性（優性）	
10p 部分欠失	10p13-14 領域の欠失	常染色体顕性（優性）	
2p11.2 微細欠失	2p11.2 領域の欠失	常染色体顕性（優性）	
		de novo	
FOXN1 欠損症	FOXN1	常染色体潜性（劣性）	T細胞欠損（年齢とともに改善する），B・NK細胞正常
		常染色体顕性（優性）	
PAX1 欠損症	PAX1	常染色体潜性（劣性）	T細胞欠損，B・NK細胞正常，抗体産生の障害
EXTL3 欠損症	EXTL3	常染色体潜性（劣性）	T細胞欠損・減少の程度が様々，B細胞正常
TTC7A 欠損症	TTC7A	常染色体潜性（劣性）	先天性腸閉鎖症・炎症性腸疾患，T/B/NK細胞の減少・欠損
AIRE 異常症	AIRE	常染色体潜性（劣性）	小児期発症の自己免疫疾患，慢性粘膜皮膚カンジダ症，副甲状腺機能低下，Addison病，無脾症など
		常染色体顕性（優性）	遅発性の軽症な自己免疫疾患

(Tangye SG, Al-Herz W, Bousfiha A, et al. Human Inborn Errors of Immunity：2022 Update on the Classification from the International Union of Immunological Societies Expert Committee. *J Clin Immunol* 2022；42：1473-1507. / Kreins AY, Maio S, Dhalla F. Inborn errors of thymic stromal cell development and function. *Semin Immunopathol* 2021；43：85-100. より作成)

2. 疫　学

22q11.2 欠失症候群は，胸腺低形成を認める疾患で最も頻度が高く，発生頻度は 4,000〜5,000 人出生に 1 人である．大部分が de novo であるが，約 10％が染色体 22q11.2 欠失を有する親に由来する．次に頻度の高い疾患が CHARGE 症候群で，発生頻度は 15,000〜17,000 人出生に 1 人である．

最近，欧米を中心に T 細胞受容体遺伝子再構成断片（T-cell receptor excision circle：TREC）を用いた SCID 新生児マススクリーニング検査（newborn screening：NBS）が始まり，その有用性が示されている．胸腺低形成を認める疾患は，TREC が産生されないため，NBS で陽性所見を示す．筆者らは，2017 年から愛知県において SCID に対する NBS を開始し，検査を実施した約 15 万例の新生児のうち，2 例の SCID に加えて，DGS を 1 例，その他の免疫異常症例の児を 9 例同定した[4]．今後，TREC を用いた NBS が普及することで，国内における胸腺低形成を認める患者の正確な発症頻度が明らかになるとともに，迅速な治療介入が可能となると考えられる．

3. 診断基準，診断の手引き

表 2 に完全型および不完全型 DGS の診断基準を示す．完全型 DGS は，22q11.2 欠失症候群の 1％以下の頻度で，T 細胞数は極めて少なく，マイトジェンに対する T 細胞の反応も認めないために，SCID と同様に重度の細胞性免疫不全症状を呈する．一部の DGS では，T 細胞欠損の影響で B 細胞の制御がうまく働かず，抗体産生不全を認める場合もある．不完全型 DGS では，軽度から中等度の T 細胞数低下を認め，異所性に残存する胸腺上皮細胞が，T 細胞の産生を補うと考えられる．胸腺低形成を引き起こす原因は多岐におよび，臨床的に胸腺低形成を認めた患児は速やかに遺伝子解析を行うことが重要である．

表2 完全型および不完全型DiGeorge症候群（DGS）の診断基準

分類	区分	
不完全型DGS	definitive	生後3年以内でCD3陽性T細胞数が500/μL未満で，以下の一つを満たす． ・円錐動脈幹心奇形と低カルシウム血症 ・円錐動脈幹心奇形と22q11.2欠失 ・低カルシウム血症と22q11.2欠失 ・円錐動脈幹心奇形，低カルシウム血症，および22q11.2欠失
	probable	生後3年以内でCD3陽性T細胞数が1,500/μL未満で，22q11.2欠失がある．
	possible	生後3年以内でCD3陽性T細胞数が1,500/μL未満で，先天性心疾患もしくは低カルシウム血症，もしくは特徴的な顔貌／口蓋の形態異常を認める．
完全型DGS	definitive	CD3陽性T細胞数が50/μL未満，かつ胸腺無形成（CD3$^+$ CD45RA$^+$ CD62L$^+$細胞＜50/μL，またはTREC低値），低カルシウム血症，先天性心疾患のすべてを認める．

（欧州免疫不全症学会（European Society for Immunodeficiencies：ESID）の診断基準より作成）

4. 合併症

DGSでは，幼少期に自閉スペクトラム症，青年・成人期に統合失調症などの精神疾患を合併する．抗核抗体や抗甲状腺抗体などの自己抗体をしばしば認め，若年性特発性関節炎や自己免疫性甲状腺疾患などの自己免疫疾患を合併する場合がある．また，T細胞欠損例ではB細胞性リンパ腫などの悪性腫瘍の合併率が高い．

5. 重症度分類

完全型DGSでは，ナイーブT細胞（CD4$^+$ CD45RA$^+$）数が著減するために，重篤な感染を繰り返しやすく，重度の細胞性免疫不全症状を呈する．胸腺低形成を認める疾患では，免疫学的機能に加えて，心機能などの併存疾患も重症度や予後に影響する．

6. 管理方法と治療

免疫能の評価に基づき，適切に抗菌薬や免疫グロブリン補充などの予防的措置を行う必要がある．まれな疾患群であり，診断や治療介入にあたり，専門医にコンサルトすることが望ましい．
胸腺低形成に対する根治的な治療は胸腺移植である．わが国では，胸腺移植を実施できる施設は存在せず，胸腺移植に代わる治療法として，同種造血細胞移植が用いられている．従来，骨髄，末梢血リンパ球を移植片として造血細胞移植が実施されていたが，筆者らは，完全型DGSに対する臍帯血移植後に良好な免疫能の構築が行われた症例を経験した[5]．Markertら[6]は，44例の完全型DGS患者に胸腺移植を行い，うち33例（75％）が長期の生存が得られたと報告した．胸腺移植を受けた患者は，移植後4か月後頃より多様なT細胞レパートリーを獲得し，感染症を繰り返すことなく，予防的措置を中止できた．近年，心臓手術時に切除された乳児の培養胸腺組織を用いた胸腺移植が報告されている．しかしながら，移植後に自己免疫性甲状腺炎などの自己免疫疾患を認める点において課題がある．

FOXN1ハプロ不全症は，T細胞機能不全の重症度に応じて，胸腺移植を含めた治療介入が必要な疾患である．既報では，幼児期に顕著であったTリンパ球減少症も年齢とともに改善する傾向がある[7]．自験例は，乳児期にCMV抗原血症を認め，ナイーブT細胞数も低値が持続しているが重篤な感染を認めず，リンパ球数の回復を待ちつつ経過観察している．この自験例を通じて，SCID疑い例に，必ずしも造血細胞移植が根治的とならない症例が存在し，遺伝学的検査を迅速に行うことが重要であると改めて認識した．

移植以外の管理として，完全型DGSは，ニュー

モシスチス肺炎，真菌感染症の予防目的にST合剤および抗真菌薬を開始し，必要に応じて免疫グロブリンの補充を行う．T細胞数の低下，抗体産生不全を認める場合には，生ウイルスワクチンの接種を控えるべきである．RSウイルス感染流行初期において生後24か月齢以下で先天性心疾患もしくは，T細胞機能の低下がある場合には，RSウイルス感染症予防を目的としたパリビズマブ投与も重要である．

7. 予後，成人期の課題

胸腺低形成の児を未治療のままにしておくと，感染症により致命的となる．必要に応じて，感染予防の措置を開始し，専門施設へ紹介することが重要である．思春期以降に低ガンマグロブリン血症等の液性免疫不全を発症することがあり，長期的な経過観察が必要である．

8. 診療上注意すべき点

症状が多彩で，診療を行ううえで包括的な管理が必要である．22q11.2欠失症候群の約10%が親由来の常染色体顕性（優性）遺伝疾患で，生殖細胞系列モザイクの報告も存在するため，専門医による遺伝カウンセリングを行うことが望ましい．

文献

1) Tangye SG, Al-Herz W, Bousfiha A, et al. Human Inborn Errors of Immunity：2022 Update on the Classification from the International Union of Immunological Societies Expert Committee. *J Clin Immunol* 2022；42：1473-1507.
2) Kreins AY, Maio S, Dhalla F. Inborn errors of thymic stromal cell development and function. *Semin Immunopathol* 2021；43：85-100.
3) Daw SC, Taylor C, Kraman M, et al. A common region of 10p deleted in DiGeorge and velocardiofacial syndromes. *Nat Genet* 1996；13：458-460.
4) Wakamatsu M, Kojima D, Muramatsu H, et al. TREC/KREC Newborn Screening followed by Next-Generation Sequencing for Severe Combined Immunodeficiency in Japan. *J Clin Immunol* 2022；42：1696-1707.
5) Kojima D, Muramatsu H, Okuno Y, et al. Successful T-cell reconstitution after unrelated cord blood transplantation in a patient with complete DiGeorge syndrome. *J Allergy Clin Immunol* 2016；138：1471-1473.e4.
6) Markert ML, Devlin BH, Alexieff MJ, et al. Review of 54 patients with complete DiGeorge anomaly enrolled in protocols for thymus transplantation：outcome of 44 consecutive transplants. *Blood* 2007；109：4539-4547.
7) Bosticardo M, Yamazaki Y, Cowan J, et al. Heterozygous FOXN1 Variants Cause Low TRECs and Severe T Cell Lymphopenia, Revealing a Crucial Role of FOXN1 in Supporting Early Thymopoiesis. *Am J Hum Genet* 2019；105：549-561.

第2章 免疫不全を伴う特徴的な症候群

E 免疫不全を伴う無汗性外胚葉形成異常症

筑波大学医学医療系小児科学　**高田英俊**

1. 疾患概要

NF-κBシグナル伝達障害に関連する分子の異常により，外胚葉の発生に重要なectodysplasin受容体（ectodysplasin A receptor：EDAR）からのシグナル伝達障害による外胚葉形成不全（歯牙欠損／萌出不全・円錐状歯，発汗低下や無汗症，粗な頭髪や眉毛）を呈し，TNF-α受容体，IL-1受容体，toll様受容体（toll-like receptor：TLR），T細胞受容体，CD40等からのシグナル伝達障害に

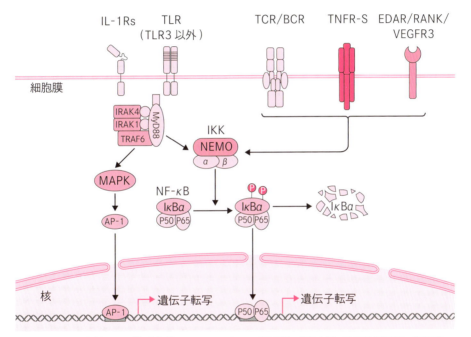

図1 IL-1受容体，toll様受容体，ectodysplasin受容体（EDAR），T細胞受容体（TCR），B細胞受容体（BCR）などからの細胞内シグナル伝達におけるNEMO，IκBα，IKKβの役割

*IKBKG*遺伝子異常によるNEMO蛋白の機能障害により，外胚葉形成に関連するEDARからのシグナル伝達障害が起こるため，外胚葉形成不全症が起こる．この疾患では，さらにIL-1受容体，toll様受容体3以外のtoll様受容体，T細胞受容体，B細胞受容体（BCR）などからのシグナル伝達障害が起こることにより，自然免疫不全，細胞性免疫不全，液性免疫不全を呈する．IκBαをコードする*NFKBIA*遺伝子やIKKβをコードする*IKBKB*遺伝子の異常でも同様の病態となり類似した臨床像を呈する．
TLR：toll-like receptor，TCR：T-cell receptor，BCR：B cell receptor，TNFR：tumor necrosis factor receptors，EDAR：ectodysplasin A receptor，RANK：receptor activator of NF-κB，VEGFR：vascular endothelial growth factor receptor，NEMO：nuclear factor-κB essential modulator

(Picard C, Casanova JL, Puel A. Infectious diseases in patients with IRAK-4, MyD88, NEMO, or IκBα deficiency. *Clin Microbiol Rev* 2011; 24: 490-497. より改変)

よって免疫不全を呈することを特徴とする疾患である[1)2)]（図1）．ほとんどがNEMO（nuclear factor-κB essential modulator）をコードする IKBKG 遺伝子異常によって発症し，X連鎖潜性（劣性）遺伝形式をとる．まれにIκBαをコードする NFKBIA 遺伝子やIKKβをコードする IKBKB 遺伝子の異常によっても発症し，その場合には常染色体顕性（優性）遺伝形式をとる．自然免疫，細胞性免疫，液性免疫のいずれにも異常が認められるが，その臨床像や重症度は症例により多彩である．ほとんどの症例において莢膜多糖体に対する抗体産生不全を認め，侵襲性細菌感染症を起こしやすい．ヘルペスウイルスや抗酸菌に対する易感染性もみられる．カンジダなどの真菌やニューモシスチス・イロベチイによる重症感染症を呈する場合もある．また合併症として難治性の炎症性腸疾患の頻度が高く，まれにリンパ浮腫や大理石病を呈する．

2. 疫 学

まれな疾患であり，IKBKG 遺伝子異常症は出生男児25万人に1人と報告されている．X染色体不活化の偏りによって女性に発症した例も報告されている[3)]．NFKBIA 遺伝子や IKBKB 遺伝子の異常によるものは極めてまれである．

3. 診断基準，診断の手引き

a 臨床症状・身体所見[2)4)]

各々の患者における臨床像が多彩であり，外胚葉形成不全や免疫不全の臨床像が乏しい場合もあることに注意が必要である．以下の臨床症状を認めた場合に本疾患を疑う．歯牙の萌出や毛髪の発達が不十分である乳児期早期には外胚葉形成不全の判定はむずかしい．この時期に突然感染症を発症し，急速に進行し致死的経過をとった場合，この疾患の診断は極めて困難である．

1）外胚葉形成不全

皮膚，歯牙，皮膚付属器（毛髪，爪，エクリン汗腺，皮脂腺）の三つのうち少なくとも二つの形成異常を認める場合を外胚葉形成不全というが，所見に乏しい例から典型例まで臨床像は症例により大きく異なる．典型例では，以下の臨床像を呈する．皮膚は，汗腺の無形成または低形成によって乾燥し，皺が多く色素が少ない．アトピー性皮膚炎の合併頻度が高い．毛髪は粗で細かく色素が少ない．眉毛や睫毛，体毛は薄いか欠損する．歯牙の異常としては，完全無歯症または歯牙萌出遅延を伴う部分欠損，円錐状歯が認められる．顔貌の特徴は，眼上部の隆起を伴う前頭部の突出，頬部の平坦化，低い鼻梁，厚く外にめくれた唇，眼周囲の皺と色素過剰，突出した耳，耳介低位である．また，唾液や涙の分泌量は少なく，食道胃逆流現象の頻度が多いことが知られている．

2）免疫不全

TNF-α受容体，IL-1受容体，toll様受容体，T細胞受容体，CD40等からのシグナル伝達障害が原因である．したがって，自然免疫不全，細胞性免疫不全，液性免疫不全の症状による易感染性がみられ，細菌，ヘルペスウイルス（単純ヘルペスウイルス，水痘・帯状疱疹ウイルス等），真菌，ニューモシスチス，抗酸菌などによる感染症が起こりやすい．特に，莢膜多糖体に対する抗体産生不全のため，肺炎球菌感染症やインフルエンザ菌感染症が起こりやすい．BCGによる感染症は重症化しやすいためBCG接種は禁忌である．易感染性が強い例では，一般ウイルスを含めた重症感染症が起こり，早期の造血細胞移植を要する場合があるが，移植成績はよいとはいえない．

b 検査所見

本疾患は重症例を除くと，他の複合型免疫不全症や抗体産生不全と異なり，一般的な免疫学的検査では所見に乏しい．液性免疫の異常としては，血清IgG低値，高IgM・IgA・IgD血症を呈することが多く，特異抗体産生能の低下，肺炎球菌特異的IgG産生能の低下を認める場合がある．IKBKG 遺伝子異常ではNK活性が低下することが多い．

c 特殊検査

TLR3以外のTLRやIL-1受容体，IL-18受容体からのシグナル伝達障害が確認できる．例として，末梢血単核球をlipopolysaccharide（LPS）で刺激し培養上清中のサイトカイン濃度を測定する

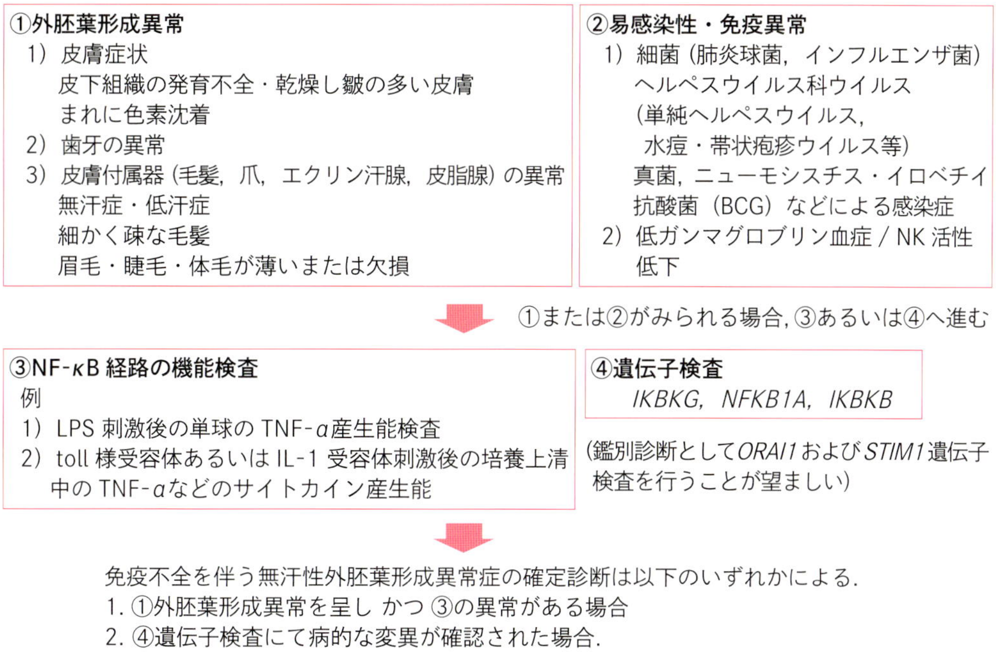

①外胚葉形成異常	②易感染性・免疫異常
1）皮膚症状 　皮下組織の発育不全・乾燥し皺の多い皮膚 　まれに色素沈着 2）歯牙の異常 3）皮膚付属器（毛髪，爪，エクリン汗腺，皮脂腺）の異常 　無汗症・低汗症 　細かく疎な毛髪 　眉毛・睫毛・体毛が薄いまたは欠損	1）細菌（肺炎球菌，インフルエンザ菌） 　ヘルペスウイルス科ウイルス 　（単純ヘルペスウイルス， 　　水痘・帯状疱疹ウイルス等） 　真菌，ニューモシスチス・イロベチイ 　抗酸菌（BCG）などによる感染症 2）低ガンマグロブリン血症／NK活性低下

 ①または②がみられる場合，③あるいは④へ進む

③NF-κB経路の機能検査	④遺伝子検査
例 1）LPS刺激後の単球のTNF-α産生能検査 2）toll様受容体あるいはIL-1受容体刺激後の培養上清中のTNF-αなどのサイトカイン産生能	*IKBKG*, *NFKB1A*, *IKBKB* （鑑別診断として*ORAI1*および*STIM1*遺伝子検査を行うことが望ましい）

免疫不全を伴う無汗性外胚葉形成異常症の確定診断は以下のいずれかによる．
1．①外胚葉形成異常を呈し かつ ③の異常がある場合
2．④遺伝子検査にて病的な変異が確認された場合．

図2　診断フローチャート

と，健常者と比較して著しい低下が認められる．簡易な方法としては，末梢血をLPSで刺激して4時間後の単球内TNF-α産生をフローサイトメトリーで測定すると，患者では単球のTNF-α産生が減少している[5]．この疾患では，*IKBKG*遺伝子，*NFKBIA*遺伝子あるいは*IKBKB*遺伝子の塩基配列の異常が認められるが，遺伝子検査の際には，*IKBKG*遺伝子の偽遺伝子に注意して判定を行う必要がある．

d 鑑別診断

外胚葉形成不全症は，ectodysplasinをコードする*ED1*遺伝子やectodysplasin受容体遺伝子（*DL*遺伝子）の異常によっても起こるので鑑別する必要がある．これらの場合には免疫不全は呈さない．また，極めてまれな疾患ではあるが，カルシウムチャネル異常症である*ORAI1*あるいは*STIM1*遺伝子異常でも類似の臨床像を呈するため遺伝子検査などによる鑑別が必要である．乳幼児期の侵襲性細菌感染症の鑑別診断として，IRAK4欠損症やMyD88欠損症，無脾症が重要である．乳幼児期に炎症性腸疾患を発症しやすい点からは，慢性肉芽腫症，Wiskott-Aldrich症候群，IL-10欠損症，IL-10受容体欠損症，XIAP欠損症などを鑑別する

る必要がある．

e 診断基準

下記の場合に本疾患と診断する．
1）外胚葉形成不全を認め，NF-κB経路のシグナル伝達障害が機能検査によって確認された場合．
2）外胚葉形成不全および易感染性の症状の有無にかかわらず，*IKBKG*遺伝子，*NFKBIA*遺伝子あるいは*IKBKB*遺伝子の病的な異常を認める場合．

診断フローチャートを図2に示す．

4. 合併症

a 炎症性腸疾患・自己免疫疾患

この疾患では，炎症性腸疾患や自己免疫疾患が起こりやすく，*IKBKG*遺伝子の異常では25％で炎症性腸疾患を合併する．炎症性腸疾患は乳幼児期に発症し，難治性の下痢・血便を呈し，成長障害をきたす．炎症性腸疾患を合併した場合，コントロール困難であることが多い．TNF阻害薬が有効であるとの報告もあるが，免疫抑制によって易感染性を悪化させる可能性があるため，注意が

必要である．

b 大理石病・血管形成異常

NF-κBシグナル伝達障害によって，RANK（receptor activator of NF-κB）シグナル伝達障害による破骨細胞の分化障害が起こり大理石病が発症することがある．この場合，重症感染症を併発しやすいため，通常，造血細胞移植の適応である．また，VEGF受容体（vascular endothelial growth factor receptor）3からのシグナル伝達にもNF-κBが関与していることから，このシグナル伝達障害によってリンパ管浮腫が起こることがある[6]．

5. 重症度分類

a 重症

感染症を繰り返す場合や重症感染症を発症する場合，明確な液性免疫不全症の所見をもとに，免疫グロブリンの定期的補充が必要な場合．炎症性腸疾患などの慢性の消化器病変や自己免疫疾患，大理石病，リンパ管浮腫を合併している場合．

b 中等症

外来での感染症予防療法等のみで長期的に治療可能である場合．

6. 管理方法（フォローアップ指針），治療

この疾患は臨床像が多彩であるので，臨床像に応じて治療方針を立てる必要がある．細菌感染症，特に侵襲性細菌感染症が急速に悪化することがあるので，可能性がある場合には迅速に抗菌薬の経静脈的投与による治療を開始することが必須である．また，ほとんどの患者で特異抗体産生不全がみられることから，免疫グロブリンの定期的補充は重要であると考えられる．易感染性が強い場合，抗真菌薬やST合剤による感染予防が必要になる．

免疫不全が重症である場合，造血細胞移植の適応となる．大理石病やリンパ浮腫を合併している場合には易感染性が強いことが知られており，造血細胞移植の適応となることが多い．炎症性腸疾患に対する造血細胞移植の効果は明確ではない．炎症性腸疾患に対してTNF阻害薬が有効であるとの報告があるが[7]，易感染性を増悪させてしまう可能性を考慮して慎重に行う必要がある．

7. 予後，成人期の課題

感染症や腸管合併症のコントロールが長期予後に大きく影響する．様々な合併症に対して細かな管理が必要である．

8. 診療上注意すべき点

BCG接種後にBCG感染症が起こるため，BCGは禁忌である．他の生ワクチンも禁忌である．不活化ワクチンの接種は可能であるが，十分な効果は期待できない．

文献

1) Picard C, Casanova JL, Puel A. Infectious diseases in patients with IRAK-4, MyD88, NEMO, or IκBα deficiency. *Clin Microbiol Rev* 2011；24：490-497.
2) Kawai T, Nishikomori R, Heike T. Diagnosis and treatment in anhidrotic ectodermal dysplasia with immunodeficiency. *Allergol Int* 2012；61：207-217.
3) Lei K, Zhang Y, Dong Z, et al. A novel 1-bp deletion mutation and extremely skewed X-chromosome inactivation causing severe X-linked hypohidrotic ectodermal dysplasia in a Chinese girl. *Clin Exp Dermatol* 2018；43：60-62.
4) Hanson EP, Monaco-Shawver L, Solt LA et al. Hypomorphic nuclear factor-kappaB essential modulator mutation database and reconstitution system identifies phenotypic and immunologic diversity. *J Allergy Clin Immunol* 2008；122：1169-1177. e16.
5) Ohnishi H, Kishimoto Y, Taguchi T, et al. Immunodeficiency in Two Female Patients with Incontinentia Pigmenti with Heterozygous NEMO Mutation Diagnosed by LPS Unresponsiveness. *J Clin Immunol* 2017；37：529-538.
6) Doffinger R, Smahi A, Bessia C, et al. X-linked anhidrotic ectodermal dysplasia with immunodeficiency is caused by impaired NF-kappaB signaling. *Nat Genet* 2001；27：277-285.
7) Mizukami T, Obara M, Nishikomori R, et al. Successful treatment with infliximab for inflammatory colitis in a patient with X-linked anhidrotic ectodermal dysplasia with immunodeficiency. *J Clin Immunol* 2012；32：39-49.

第2章 免疫不全を伴う特徴的な症候群

F 高 IgE 症候群

徳島大学先端酵素学研究所 免疫アレルギー学分野　峯岸克行

1. 疾患概要

　高 IgE 症候群（Job 症候群）は，黄色ブドウ球菌による皮膚膿瘍・肺炎，肺炎罹患後のその部位への肺嚢胞形成，皮膚粘膜カンジダ症，新生児期より発症する重症アトピー性皮膚炎，血清 IgE の著しい高値，炎症応答の低下を特徴とする原発性免疫不全症である．多くで特有の顔貌，軽微な外力による骨折（病的骨折），骨粗鬆症，脊椎側彎症，関節過伸展，乳歯の脱落遅延などの骨・軟部組織の異常を合併する[1)2)]．

　高 IgE 症候群の主要な病因は *STAT3* 遺伝子の突然変異である[3)4)]．突然変異は STAT3 分子の片アレルに起こるミスセンス変異がほとんどで，これらの変異は機能的にはドミナントネガティブ，すなわち片アレルの遺伝子変異が，もう一方の正常アレルの STAT3 機能を阻害する．STAT3 の遺伝子変異にはホットスポットが存在し，DNA 結合領域の codon 382 の Arginine（R），codon 463 の Valine（V），SH2 領域の codon 637 の Valine（V）の3か所で全体の約 2/3 を占める．これら以外の変異は非常に多様で，140 種類以上の異なる変異が報告されている．missense 変異以外に nonsense，ins/del，splicing 変異により機能喪失型となることが予想される変異が多数報告されているが（図1），最近の研究によりすべての変異は機能的にドミナントネガティブであることが明らかにされた[5)]．STAT3 以外の CARD11，ERBB2IP，IL6ST，IL6R，PGM3，TGFBR1，TGFBR2，SPINK5，TYK2，ZNF341 が原因で発症する高 IgE 症候群の報告もあるが，いずれも非常に低頻度である．

　STAT3 は 40 種以上のサイトカイン・増殖因子のシグナル伝達分子で，その本来の機能は感染症や悪性腫瘍等に対する生体防御である．サイトカインのシグナル伝達は，一つの細胞が同時に多数のサイトカインを産生し，一つのサイトカインが多彩な作用を有しており（pleiotropy），異なるサイトカインが同一の機能を有し（redundancy），複雑なシグナル伝達ネットワークを構成している．高 IgE 症候群においては STAT3 の分子異常によりその破綻が起こっているが，現時点ではネットワーク異常の詳細は不明な点が多い．

　高 IgE 症候群における黄色ブドウ球菌に対する易感染性は，感染症が皮膚と肺に限局している点が特徴的である．高 IgE 症候群の末梢血単核球のサイトカイン産生能は，TNF-α，IL-1β，IFN-γ などの古典的炎症性サイトカインの産生は正常だが，Th17 サイトカインの産生は低下しており，Th17 サイトカインの産生低下は，上皮細胞にケモカインと β-ディフェンシン等の抗菌物質の産生低下を引き起こす．すなわち，Th17 サイトカインに対する反応性が上皮細胞とそれ以外とでは異なることから，高 IgE 症候群においては上皮細胞特異的黄色ブドウ球菌感染症が発症する[6)]．

　また，高 IgE 症候群においては，カンジダ，アスペルギルスなどの真菌感染症に対して易感染性を呈する．カンジダは健常人の皮膚・粘膜の常在菌で健常人においても口内炎，爪囲炎，腟炎などの症状を呈するが，複合免疫不全症などにおける日和見感染症の起炎菌としても重要である．カンジダに対する易感染性は，IL-17，そのレセプター，IL-17 を産生する細胞の障害，IL-17 に対する自己抗体の産生などのメカニズムで発症することが明らかとなったことから[7)]，高 IgE 症候群では，STAT3 機能低下による Th17 細胞の分化障害が原因と考えられる．

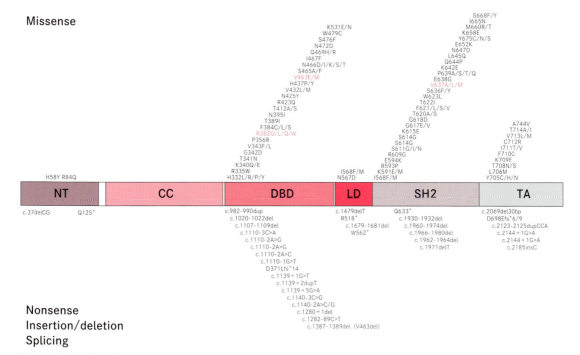

図1 高 IgE 症候群の原因となる STAT3 の遺伝子変異
STAT3 は N-terminal(NT)，Coiled-coil(CC)，DNA-binding(DBD)，Linker(LD)，SH2，Transactivation(TA) の6個の domain で構成され，上側に missense 変異の原因遺伝子変異，下側に nonsense, ins/del, splicing 変異による原因遺伝子変異を示す．色字が3か所の hot spot．
(Asano T, Khourieh J, Zhang P, et al. Human STAT3 variants underlie autosomal dominant hyper-IgE syndrome by negative dominance. *J Exp Med* 2021；218：e20202592.)

2. 疫学

発症頻度は，出生10万人から100万人に1人程度と考えられている．常染色体顕性（優性）遺伝しうる疾患であるが，日本人では，その約90%が *STAT3* 遺伝子の *de novo* 変異により孤発例として発症している[3]．

3. 診断基準，診断の手引き

1）臨床症状

典型的な症状の一つに炎症所見の明らかでない細菌性膿瘍（cold abscess）があるが，抗菌薬の投与により皮膚細菌感染症の管理が改善したこともあり，最近の症例ではその頻度が低下している．特徴的顔貌，肺囊胞，病的骨折，乳歯の脱落遅延を呈する典型的症例では，臨床症状のみから確定的な診断が可能である．

2）検査所見

診断に重要な臨床検査は高 IgE 血症で，ほぼすべての症例で 2,000 IU/mL 以上の高 IgE 血症を認める．出生直後は認めないこともあり，経過中に大きく変動することはあるが，本症において高 IgE 血症はほぼ必発である．起炎菌である黄色ブドウ球菌とカンジダに対する特異的 IgE も上昇していることから，本症においては抗原特異的 IgE 産生が亢進していると考えられる．また，約90%の症例で末梢血中の好酸球数が 700/μL 以上に増加している．確定診断は遺伝子検査により行われる．

3）特殊検査

研究室レベルの検査であるが，IL-6，IL-10，IL-23 などのサイトカインに対するシグナル伝達が障害を，本症の診断に利用することも可能である．

4）診断基準

高 IgE 症候群は，米国立衛生研究所（National

表 1 高 IgE 症候群の診断基準

- 2,000 IU/mL 以上の高 IgE 血症に，易感染性を合併し，末梢血中のリンパ球数，T 細胞数，B 細胞数，リンパ球幼弱化反応が正常で，高 IgE 症候群に特徴的な，
    - ①肺嚢胞
    - ②4 回以上の肺炎の罹患
    - ③病的骨折
    - ④4 本以上の乳歯の脱落遅延
    - ⑤カンジダ症

  のうち，2 項目以上を満たすもの．
- 遺伝子異常が同定されれば，高 IgE 症候群と確定診断する．
- ただし，2 歳以下の年少児では，高 IgE 症候群に特徴的な臨床症状がそろわないことがあるため，この診断基準を満たさない場合でも，STAT3 の遺伝子診断が必要な場合があることに留意する．

(厚生労働科学研究費補助金 原発性免疫不全症候群の診療ガイドライン改訂，診療提供体制・移行医療体制構築，データベースの確立に関する研究班(研究代表者 森尾友宏)．研究報告書．令和 2 (2020) 年度～令和 4 (2022) 年度．より作成)

Institutes of Health：NIH) の診断スコア（NIH score）により臨床診断されることが多かった．血清 IgE 値や好酸球数，肺炎・皮膚膿瘍・上気道炎の罹患回数，アトピー性皮膚炎の程度，肺の器質的病変，新生児期の皮疹，カンジダ症，脊椎側彎症，病的骨折，乳歯の脱落遅延，特徴的顔貌，関節過伸展，悪性リンパ腫，高口蓋の有無などの臨床診断基準の有無を得点化し，高得点のものを高 IgE 症候群と診断する方法である．これを簡便化し，かつ感度と特異度を上げる検討が最近の原発性免疫不全症候群の診断基準・重症度分類および診療ガイドラインの確立に関する研究が国内症例に対して実施され，表 1 の診断基準が提唱されている．少なくとも日本人症例においては，①肺嚢胞，②4 回以上の肺炎，③病的骨折，④4 本以上の乳歯の脱落遅延，⑤カンジダ症の 5 項目の検討で 20 項目の NIH スコア以上の感度と特異度で臨床診断が可能である．

4. 合併症

1）肺嚢胞

約 2/3 の成人症例においては，肺炎罹患後に気管支拡張症や肺嚢胞などの肺の器質的病変を合併する．肺嚢胞は，肺炎に罹患した部位に発症し，肺炎の治癒機転に異常があることが原因と考えられている．肺嚢胞は，多剤耐性緑膿菌やアスペルギルスの感染巣となり，この感染が肺の器質的変化を増悪させる悪循環が患児の QOL を著しく低下させる．アスペルギルス感染は本症の最大の予後不良因子で高 IgE 症候群の死亡原因の 20％ 以上を占める．特にコンプライアンスが悪い症例で，肺嚢胞内にアスペルギルスの菌球（Aspergilloma；fungus ball）を発症し，侵襲性のアスペルギルス症に進展，その浸潤による肺出血や菌球の脳転移により不幸な転帰をとることがある．このため，肺嚢胞を合併した症例では，後述の予防的治療が重要である．

2）帯状疱疹

STAT3 遺伝子異常による高 IgE 症候群においては，水痘・帯状疱疹ウイルスの再活性化による帯状疱疹の罹患率が高いことが報告されている[8]．患児では，全体の約 1/3 が帯状疱疹に罹患しており，この罹患率は正常人と比較して 6～20 倍高い．その原因は，末梢血中のセントラルメモリーT 細胞の減少であり，それに一致して末梢血中の EB ウイルスの DNA 量も高いことが示された．一部の潜伏感染するウイルスに対する防御機能が低下している可能性が示唆されている．

5. 重症度分類

- 軽症：抗菌薬の予防投与，ステロイドの外用，免疫グロブリン補充療法などの治療を必要としないもの．
- 重症：上記以外のもの．

6. 管理方法

　新生児期からの重症アトピー性皮膚炎，黄色ブドウ球菌感染症，高 IgE 血症などの症状より本症を疑い，早期確定診断・早期治療開始により肺の器質的変化を予防できる可能性がある．

　高 IgE 症候群の症例においては，ほとんどすべての症例において抗菌薬の予防投与が行われている．半数以上の症例で抗真菌薬の予防投与も行われている．黄色ブドウ球菌に対する抗菌薬としては，一般には ST 合剤（バクタ®，バクトラミン®）が用いられている．長期的に使用しても比較的薬剤耐性を誘導しにくいと考えられている．これ以外にペニシリナーゼ耐性のペニシリン系抗菌薬（日本では未承認のナフシリンや薬価削除されたクロキサシリン〈メトシリン S〉）やマクロライド系のアジスロマイシン（ジスロマック®）が投与されることがある．皮膚に高率で黄色ブドウ球菌が常在するので，その菌量をブリーチバス等により減少させると，皮膚炎所見の改善がみられることがある．肺囊胞を有する症例では，アスペルギルス感染症を合併すると患児の生活の質に大きな悪影響を及ぼすので，アスペルギルスに感受性を有するイトラコナゾール（イトリゾール®），ボリコナゾール（ブイフェンド®），ポサコナゾール（ノクサフィル®）等の抗真菌薬の予防投与が推奨される．予防投薬にもかかわらずアスペルギルス症を発症する症例がある．感染巣となる肺囊胞を外科的に摘出することも考えられるが，その際の合併症の頻度が高いとの報告があり，手術適応については慎重に検討する必要がある．本症の患児には，特異抗体の産生不全を認めることがあることから，免疫グロブリンの補充療法を提唱しているグループもあるが，現時点では十分なエビデンスは得られていない．

　根治療法としては，高 IgE 症候群には非造血系組織の症状がみられるため，造血細胞移植はあまり実施されてこなかったが，Th17 細胞の分化障害が細菌・真菌感染症の発症に関与していることが明らかになってきたので[6]，感染症のコントロールが困難な症例では造血細胞移植の実施が増加することが考えられる．ただし，その適応時期や前処置に関しては今後の検討が必要である．

7. 予後，成人期の課題

1）耳鼻科領域の感染症

　高 IgE 症候群患児においては，小児期だけでなく成人になっても，慢性の中耳炎や副鼻腔炎に罹患する．約半数の症例で慢性副鼻腔炎がみられ，咽頭炎，扁桃炎，咽頭膿瘍，乳突蜂巣炎などがそれぞれ 10% 以上の頻度でみられる．起炎菌は緑膿菌が多く，それに次いで黄色ブドウ球菌である．肺炎球菌，大腸菌，クレブシエラ，インフルエンザ桿菌などを起炎菌とするものもある[9]．これには，前述の特異抗体の産生不全が関与している可能性が示唆されている．

2）悪性腫瘍

　高 IgE 症候群の 5～10% において悪性腫瘍の合併がみられる．悪性リンパ腫の頻度が高く，組織型は非 Hodgkin と Hodgkin リンパ腫の両方がみられる．本症における悪性リンパ腫は，原発性免疫不全症に合併する悪性リンパ腫でよくみられる EB ウイルスとの関係はみられない．治療に対する応答性は比較的良好で，CHOP（シクロホスファミド，ドキソルビシン，ビンクリスチン，プレドニゾロン）を中心とした化学療法に反応し，造血細胞移植を併用することによりコントロールは可能と考えられている．*STAT3* はよく知られているようにがん遺伝子であり，さらに最近 *STAT3* の活性化型の遺伝子異常で発症する若年型の自己免疫疾患に各種の悪性腫瘍が合併することが報告されており[10]，STAT3 の機能低下で発症する高 IgE 症候群に悪性腫瘍が合併する原因は現在も不明である．

8. 診療上注意すべき点

　STAT3 の機能低下により肝臓における IL-6 のシグナル伝達が障害されているため CRP 等の急性期反応の上昇が障害される．そのため，感染初期における重症度マーカーとして，IL-6 などより早期のマーカーを用いることが望ましい．また，患児が感染症に罹患した際，重症感が乏しいことが特徴的で，検査所見・画像所見ではすでに重症感染症の所見がみられるのに，全く重症感がないことがある．感染初期の経過観察等に細心の注意

が必要であるため，免疫不全症の専門医による経過観察が望まれる．

文献

1) Davis SD, Schaller J, Wedgwood RJ. Job's Syndrome. Recurrent, 'cold', staphylococcal abscesses. *Lancet* 1966；1：1013-1015.
2) Minegishi Y. Hyper-IgE syndrome. *Curr Opin Immunol* 2009；21：487-492.
3) Minegishi Y, Saito M, Tsuchiya S, et al. Dominant-negative mutations in the DNA-binding domain of STAT3 cause hyper-IgE syndrome. *Nature* 2007；448：1058-1062.
4) Holland SM, DeLeo FR, Elloumi, HZ et al. STAT3 mutations in the hyper-IgE syndrome. *N Eng J Med* 2007；357：1608-1619.
5) Asano T, Khourieh J, Zhang P, et al. Human STAT3 variants underlie autosomal dominant hyper-IgE syndrome by negative dominance. *J Exp Med* 2021；218：e20202592.
6) Minegishi Y, Saito M, Nagasawa M, et al. Molecular explanation for the contradiction between systemic Th17 defect and localized bacterial infection in hyper-IgE syndrome. *J Exp Med* 2009；206：1291-1301.
7) Puel A, Cypowyj S, Bustamante J, et al. Chronic mucocutaneous candidiasis in humans with inborn errors of interleukin-17 immunity. *Science* 2011；332：65-68.
8) Siegel AM, Heimall J, Freeman AF, et al. A critical role for STAT3 transcription factor signaling in the development and maintenance of human T cell memory. *Immunity* 2011；35：806-818.
9) Chandesris MO, Melki I, Natividad A, et al. Autosomal dominant STAT3 deficiency and hyper-IgE syndrome：molecular, cellular, and clinical features from a French national survey. *Medicine*（*Baltimore*）2012；91：e1-e19.
10) Flanagan SE, Haapaniemi E, Russell MA, et al. Activating germline mutations in STAT3 cause early-onset multiorgan autoimmune disease. *Nat Genet* 2014；46：812-814.

II 各論

第3章 抗体産生不全症

第3章 抗体産生不全症

A X連鎖無ガンマグロブリン血症（XLA）

東京医科歯科大学大学院医歯学総合研究科 発生発達病態学分野　谷田けい
東京医科歯科大学大学院医歯学総合研究科 小児地域成育医療学講座　金兼弘和

1. 疾患概要

　X連鎖無ガンマグロブリン血症（X-linked agammaglobulinemia：XLA）は1952年に米国の小児科医Brutonによって報告された原発性免疫不全症である．Brutonは，細菌感染症を反復する8歳男児について蛋白電気泳動法を行い，血清のγグロブリン分画が消失していることを発見した．さらにγグロブリン分画を多く含む血漿成分を補充することによって感染頻度が著明に減少することを報告した．ヒトの感染防御を司る蛋白（抗体）がγグロブリン分画に存在することを明らかにし，治療法として免疫グロブリン補充療法を行った，原発性免疫不全症の歴史的発見である．その後1993年にXLAの原因遺伝子が発見され，BrutonにちなんでBruton tyrosine kinase（BTK）と命名された．

　B細胞は骨髄において，抗原非依存性に造血幹細胞から遺伝子再構成をしながら，プロB細胞，プレB細胞，未熟B細胞へと分化する．末梢血においてはtransitional B細胞を経て，成熟B細胞へと分化する．ナイーブB細胞は，胚中心内で抗原依存性に分化しメモリーB細胞となり，最終的に免疫グロブリンを産生しうる形質細胞へと分化する．一方，ナイーブB細胞から辺縁帯B細胞を経て形質細胞に分化する経路もある．BTKはプレB細胞レセプター（B-cell receptor：BCR）およびBCRの下流に存在するシグナル伝達分子であり，骨髄における前駆B細胞分化に必須である．したがって，XLAではプレB細胞以降の分化障害を認め，免疫グロブリン値が著しく低下する．

2. 疫学

　XLAはその名のとおりX連鎖潜性（劣性）遺伝形式をとり，基本的には男子にのみ発症するが，X染色体不活化の異常による女児例も1例のみ報告されている[1]．発症頻度は出生10〜20万人に1人程度とされる[2]．Global Variome shared LOVD BTK（https://databases.lovd.nl/shared/genes/BTK）には2023年1月段階で2,000を超えるバリアントが報告されている．わが国でも300人以上の患者が存在すると考えられている．

3. 診断基準，診断の手引き

　胎盤を通じて母親から獲得した移行抗体が消失する生後3か月頃より中耳炎や肺炎などの細菌感染症を反復するようになり，血清免疫グロブリン値の低値によって気づかれる．血清免疫グロブリン値は典型的にはIgG 200 mg/dL以下，IgAおよびIgMは感度以下であるが，IgGが300 mg/dL以上の症例もまれではない．末梢血B細胞のリンパ球に占める割合は抗CD19またはCD20モノクローナル抗体による評価を行い，通常2%を超えることはない．細胞性免疫能は正常である．約20%の症例で診断前に好中球減少症を合併し，感染症の重症化にかかわっている[3]．

　学童期または思春期に突然の重症細菌感染症を契機に診断されることもあり，成人になって初めて診断される例も少なくない．家族歴（兄弟，母方従兄弟またはおじ）があれば，臨床診断は容易であるが，わが国では家族歴を有するのは約1/3に過ぎない[4]．

　身体診察においてみられる所見としては，扁桃，リンパ節が痕跡程度にしか認められない．

易感染性を伴った低または無ガンマグロブリン血症の患者における診断のフローチャートを図1に示す．臨床的にXLAと区別しがたい臨床表現型をとりながら，*BTK*遺伝子変異の見つからない症例では常染色体潜性（劣性）無ガンマグロブリン血症（*IGHM, IGLL1, CD79A, BLNK, PIK3CD, TCF3, PIK3R1, SLC39A7*）ならびに常染色体顕性（優性）無ガンマグロブリン血症（*TCF3, TOP2B, SPI1*）を考える[5]．

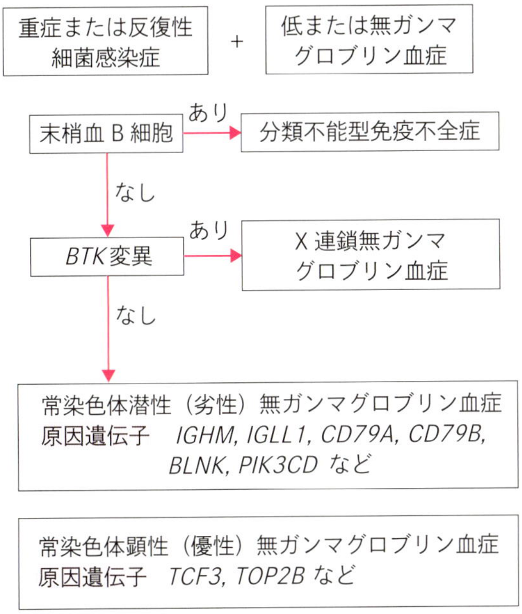

確定診断は*BTK*遺伝子解析によるが，BTKを発現する単球をフローサイトメトリーで調べることによって，XLAの患者・保因者診断を行うことができる（図2）[6]．

4. 合併症

思春期以降になると様々な合併症を伴うことがある．気管支拡張症，副鼻腔炎，慢性気管支炎といった慢性呼吸器感染症が比較的多いが，胃癌や大腸癌などの上皮系悪性腫瘍，慢性脳炎，蛋白漏出性胃腸症などの合併症も少なからず認められ，患者QOLを妨げ，ときに致死的合併症となる．最近 non-*Helicobacter pylori Helicobacter* 感染症の報告が増えており，診断や治療が困難な症例があるため，留意すべきである[7]．一般にウイルス感染に対して易感受性はないが，エコーウイルス等のエンテロウイルス感染に対しては易感受性を示し，慢性脳炎の原因として最も多いとされる[8]．

5. 重症度分類

一生涯にわたり免疫グロブリン補充療法の適応であり，全例重症とする．

図1 液性免疫不全症における診断フローチャート

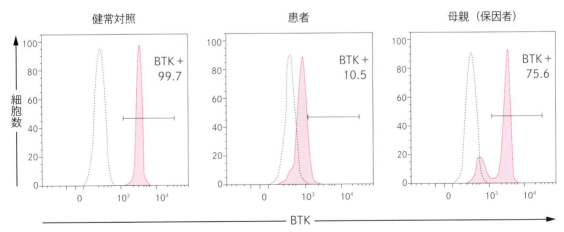

図2 フローサイトメトリーによる単球内BTK蛋白の発現
健常者ではBTK蛋白が正常に発現しているためピークのシフトがみられるが，患者ではこれがみられない．保因者では一部の細胞で発現が欠損しており二峰性のシフトが観察される．

表1 静注用ならびに皮下注用免疫グロブリン製剤の違い

		IVIG	SCIG
投与	場所	医療機関	自宅など
	実施者	医療従事者	患者,家族など
	頻度	3〜4週に1回	1〜2週に1回
	時間	1回3時間程度	1回30〜60分
	静脈路確保	必要	不要
	1回投与量	400〜600 mg/kg	50〜200 mg/kg
薬物動態	血清IgG値	急に上昇	緩徐に上昇
	トラフとピークの差	大きい	小さい
有害事象	全身性の副反応	まれではない	ほとんどない
	局所反応	ほとんどない	多いが徐々に消失

IVIG:intravenous immunoglobulin(静注用製剤),SCIG:subcutaneous immunoglobulin(皮下注用製剤)

6. 管理方法(フォローアップ)

　XLAに対する治療の基本は,感染症に対する抗菌薬治療と免疫グロブリン定期補充療法である.補充前に血清IgG値(IgGトラフ値)を700 mg/dL以上に保つべきであるが,合併する感染症などによっては必要とされるIgGトラフ値(生物学的IgGトラフ値)は症例ごとに異なる[9].健常人と同程度に肺炎の発症率を低下させるためには1,000 mg/dL以上が必要とされる[10].一方,別のメタアナリシスではIgGトラフ値960 mg/dLまでは有意に感染症発生率を減少させるが,それ以上にIgGトラフ値を上げても効果は定かではないとの報告がある[11].3〜4週間ごとに病院で静注用製剤を点滴投与する方法に加えて,1〜2週ごとに在宅で皮下注製剤を投与する方法も保険適用となっており,患者QOLの向上が期待される[12)13].感染予防効果は血清IgGトラフ値によって決定されるため,製剤の選択は個人に委ねられる.両者の違いについて表1に示す.皮下には細胞外マトリックス成分があるために,投与量の制限がある.そこで皮下注投与前にその成分を融解するヒアルロニダーゼを投与してから,皮下注用製剤を投与する方法もある.この方法により大量投与が可能になり,場合によってはSCIGが月1回で済む.将来わが国でも投与可能となることが望ましい.

　全例に対する予防的抗菌薬投与については賛否両論あるが,慢性感染症を合併している場合には行う.XLAを含めた55例の抗体産生不全症の約半数で耳鼻科的合併症を認め,予防的抗菌薬投与によって聴覚障害や滲出性中耳炎の発症率を下げるとの報告がある[14].慢性副鼻腔炎や慢性気管支炎などの呼吸器感染症にはマクロライド系抗菌薬,その他の感染症ではST合剤による予防的抗菌薬投与が適応となる.全例で予防的抗菌薬投与が必要かは議論の余地がある.

　免疫グロブリン定期補充療法を続ける限りは他の原発性免疫不全症と比べると比較的予後良好とされているが,気管支拡張症などの慢性呼吸器感染症や上皮系悪性腫瘍の合併により,決して予後良好とはいえない[15].XLAに対する造血細胞移植はまだエビデンスは少ないが,リンパ系腫瘍の合併あるいは免疫グロブリン補充療法のみで治療困難な合併症を伴い,かつHLA一致ドナーがみつかれば,造血細胞移植を治療の選択肢として考慮してもよい.ただしまだ症例数が少ないので,適応については専門医と相談しながら慎重に判断すべきである.

　XLAに対してBCGを除く生ワクチンは禁忌である.BCGワクチンによる有害事象の報告はなく,専門医と相談のうえ,BCGは接種してもよい.一方不活化ワクチンは接種してもよいが,効果は明らかではない.XLA患者はワクチン接種による抗体産生は認められないと考えられており,ワクチン接種は効果がないとされる.しかしT細胞機能は正常であることから,T細胞を介する免疫反応を期待して,不活化ワクチン(特にインフ

ルエンザワクチン）を接種している臨床医もいる．なおインフルエンザや新型コロナウイルスに対するワクチンについてはグロブリン製剤中に抗体が存在しないため，その接種を推奨する．

社会保障については，小児慢性指定疾病および指定難病の対象となっている．

- 小児慢性特定疾病：10 免疫疾患／大分類 3 液性免疫不全を主とする疾患／細分類 23
- 指定難病：原発性免疫不全症候群（告知番号 65）

7. 予後，成人期の課題

合併症がなく一見健常人と変わらない成人 XLA 症例もあるが，思春期以降は合併症（特に呼吸器合併症）に留意したフォローが必要である．特に問題となる慢性呼吸器感染症の早期診断のためには胸部 X 線，胸部 CT，呼吸機能検査の定期的検査が重要と思われる．そのほかに *Helicobacter* 感染症，慢性神経疾患，消化器癌といった難治性合併症も少なからずみられるため，漫然と免疫グロブリン補充療法を続けることなく，様々な合併症に留意しながらフォローすべきである．一人の患者がいくつもの合併症を抱えることもまれではなく，管理に難渋することもある．

8. 診療上注意すべき点

家族歴がなくても易感染性を示す男児で，血清免疫グロブリン低値かつ末梢血 B 細胞欠損を伴う場合には積極的に XLA を疑う．

文献

1) Takada H, Kanegane H, Nomura A, et al. Female agammaglobulinemia due to the Bruton tyrosine kinase deficiency caused by extremely skewed X-chromosome inactivation. *Blood* 2004；103：185-187.
2) El-Sayed ZA, Abramova I, Aldave JC, et al. X-linked agammaglobulinemia（XLA）：Phenotype, diagnosis, and therapeutic challenges around the world. *World Allergy Organ J* 2019；12：100018.
3) Kanegane H, Taneichi H, Nomura K, et al. Severe neutropenia in Japanese patients with X-linked agammaglobulinemia. *J Clin Immunol* 2005；25：491-495.
4) Kanegane H, Futatani T, Wang Y, et al. Clinical and mutational characteristics of X-linked agammaglobulinemia and its carrier identified by flow cytometric assessment combined with genetic analysis. *J Allergy Clin Immunol* 2001；108：1012-1020.
5) Tangye SG, Al-Herz W, Bousfiha A, et al. Human Inborn Errors of Immunity：2022 Update on the Classification from the International Union of Immunological Societies Expert Committee. *J Clin Immunol* 2020；40：24-64.
6) Futatani T, Miyawaki T, Tsukada S, et al. Deficient expression of Bruton's tyrosine kinase in monocytes from X-linked agammaglobulinemia as evaluated by a flow cytometric analysis and its clinical application to carrier detection. *Blood* 1998；91：595-602.
7) Inoue K, Sasaki S, Yasumi T, et al. Helicobacter cinaedi-Associated Refractory Cellulitis in Patients with X-Linked Agammaglobulinemia. *J Clin Immunol* 2020；40：1132-1137.
8) Rudge P, Webster AD, Revesz T, et al. Encephalomyelitis in primary hypogammaglobulinaemia. *Brain* 1996；119：1-15.
9) Bonagura VR, Marchlewski R, Cox A, et al. Biologic IgG level in primary immunodeficiency disease：the IgG level that protects against recurrent infection. *J Allergy Clin Immunol* 2008；122：210-212.
10) Orange JS, Grossman WJ, Navickis RJ, et al. Impact of trough IgG on pneumonia incidence in primary immunodeficiency：A meta-analysis of clinical studies. *Clin Immunol* 2010；137：21-30.
11) Lee JL, Mohamed Shah N, Makmor-Bakry M, et al. A Systematic Review and Meta-regression Analysis on the Impact of Increasing IgG Trough Level on Infection Rates in Primary Immunodeficiency Patients on Intravenous IgG Therapy. *J Clin Immunol* 2020；40：682-698.
12) Kanegane H, Imai K, Yamada M, et al. Efficacy and safety of IgPro20, a subcutaneous immunoglobulin, in Japanese patients with primary immunodeficiency diseases. *J Clin Immunol* 2014；34：204-211.
13) Igarashi A, Kanegane H, Kobayashi M, et al. Cost-minimization analysis of IgPro20, a subcutaneous immunoglobulin, in Japanese patients with primary immunodeficiency. *Clin Ther* 2014；36：1616-1624.
14) Tavakol M, Kouhi A, Abolhassani H, et al. Otological findings in pediatric patients with hypogammaglobulinemia. *Iran J Allergy Asthma Immunol* 2014；13：166-173.
15) Ikegame K, Imai K, Yamashita M, et al. Allogeneic stem cell transplantation for X-linked agammaglobulinemia using reduced intensity conditioning as a model of the reconstitution of humoral immunity. *J Hematol Oncol* 2016；9：9.

第3章 抗体産生不全症

B 分類不能型免疫不全症（CVID）

東京医科歯科大学大学院医歯学総合研究科 小児地域成育医療学講座　金兼弘和
防衛医科大学校小児科　今井耕輔

1. 疾患概要

分類不能型免疫不全症（common variable immunodeficiency：CVID）は，1970年代に発生数が多く（common），多彩な臨床症状をとり（variable），分類不能な疾患であるために暫定的につけられた名称が現在も使用されている．近年，CVIDの病態は徐々に明らかになってきており，一部では原因遺伝子も判明している．一方，CVIDと暫定的に診断されているなかに，複合免疫不全症，B細胞欠損症，免疫グロブリンクラススイッチ異常症（高IgM症候群）などの疾患が含まれることがあり，注意が必要である．「分類不能型」の暫定診断のために，正確な診断と適切な治療が妨げられている可能性があり，疾患の正確な理解が必要である．

現時点での定義は，欧州免疫不全症学会（European Society for Immunodeficiencies：ESID）が2019年に発表したもの[1]と，小児慢性特定疾病診断の手引きによるもの[2]が参考になる．基本的には，「成熟Bリンパ球，特に記憶B細胞，および抗体産生細胞である形質細胞への分化障害による低ガンマグロブリン血症のため，易感染性を呈する原発性免疫不全症候群」と考えられている[1]．

2. 疫学

正確な患者数は不明だが，CVIDは，自己炎症性疾患を除いた原発性免疫不全症の1/3程度を占めることがわかっており，原発性免疫不全症を1/10,000人（全国で約1万人）と考えると，2,500人程度と考えられる．個々の遺伝子異常症については，かなりまれで，例えばICOS欠損症は全国に2家系のみで，CD19欠損症は1家系，CTLA4ハプロ不全症やIKZF1欠損症は10家系程度である．欧米で比較的多いとされるTACI欠損症も日本では数家系にとどまる．

3. 診断基準，診断の手引き

以下の①，かつ②，かつ③または④または⑤，かつ⑥を満たすものをCVIDと診断する．
① 下記の臨床症状のうち少なくとも一つを有する
・易感染性
・自己免疫症状
・リンパ増殖症（扁桃腫大，肝腫大，脾腫，表在・深部リンパ節腫大，腸内リンパ組織腫大など）
・肉芽腫様病変
・抗体産生不全症の家族歴
② IgG低値を示し，IgMかIgA，あるいは両者が低値を示すこと（年齢を考慮し−2SD以下）
③ 予防接種あるいは罹患病原体に対する抗体反応の欠損または低下を示すこと
④ クラススイッチ記憶B細胞（IgD$^-$CD27$^+$ CD19$^+$またはCD20$^+$）の減少
⑤ CD27$^+$ 24$^-$ 38$^+$ CD19$^+$形質細胞の減少[3]
⑥ 続発性抗体産生不全症ではないこと（感染症，蛋白喪失，薬剤性，悪性腫瘍など）

＜参考所見＞
① 2歳以降の発症であること．2歳までは，乳児一過性低ガンマグロブリン血症の可能性，逆に軽症SCIDなどの遅発発症複合免疫不全症の可能性もあるため注意する．
② 末梢血B細胞1％以上であること（進行性に1％以下になりB細胞欠損になる場合もある）
③ 遅発型複合免疫不全症（late-onset combined immunodeficiency：LOCID）（TREC低値，PHA

表1 CVIDの原因遺伝子

疾患	遺伝子	遺伝形式	OMIM	免疫グロブリン
活性化PI3Kδ症候群	*PIK3CD* GOF	AD	615513 (APDS1)	IgM正常〜高値，IgG，IgA低値
	PIK3R1	AD	616005 (APDS2)	
PTEN欠損症（LOF）	*PTEN*	AD	158350	正常または低値
CD19欠損症	*CD19*	AR	107265	IgG，IgA，IgM低値
CD81欠損症	*CD81*	AR	186845	IgG低値，IgA，IgM低値〜正常
CD20欠損症	*CD20*	AR	112210	IgG低値，IgA，IgM正常〜高値
CD21欠損症	*CD21*	AR	120650	IgG低値 肺炎球菌に対する抗体反応低下
TACI欠損症	*TNFRSF13B*	AR or AD	604907	IgG，IgA，IgM低値
BAFF receptor欠損症	*TNFRSF13C*	AR	606269	IgG，IgM低値
TWEAK欠損症	*TNFSF12*	AD	602695	IgM，IgA低値 肺炎球菌に対する抗体反応低下
TRNT1欠損症	*TRNT1*	AR	612907	B細胞欠損，低ガンマグロブリン血症
NFKB1欠損症	*NFKB1*	AD	164011	IgG，IgA，IgM正常〜低値 B細胞低値〜正常，メモリーB細胞低値
NFKB2欠損症	*NFKB2*	AD	615577	IgG，IgA，IgM低値 B細胞低値
IKAROS欠損症	*IKZF1*	AD (haploinsufficiency)	603023	IgG，IgA，IgM低値 B細胞低値〜正常 年齢とともにIg低下
IRF2BP2欠損症	*IRF2BP2*	AD	615332	低ガンマグロブリン血症，IgA欠損
ATP6AP1欠損症	*ATP6AP1*	XL	300972	免疫グロブリン値さまざま
ARHGEF1欠損症	*ARHGEF1*	AR	618459	低ガンマグロブリン血症，抗体欠如
SH3KBP1（CIN85）欠損症	*SH3KBP1*	XL	300310	IgM，IgG欠損，抗体欠如
SEC61A1欠損症	*SEC61A1*	AD	609213	低ガンマグロブリン血症
RAC2欠損症	*RAC2*	AR	602049	IgG，IgA，IgM低値 B細胞低値〜正常 ワクチン後の抗体反応低下
Mannosyl-oligosaccharide glucosidase欠損症	*MOGS*	AR	601336	IgG，IgA，IgM低値 B細胞増加 ワクチン後の抗体反応低下
PIK3CG欠損症（2 patients）	*PIK3CG*	AR	619802	メモリーB細胞減少，低ガンマグロブリン血症
BOB1欠損症（1 patient）	*POU2AF1*	AR	NA	メモリーB細胞減少，無ガンマグロブリン血症

(Tangye SG, Al-Herz W, Bousfiha A, et al. Human Inborn Errors of Immunity: 2022 Update on the Classification from the International Union of Immunological Societies Expert Committee. *J Clin Immunol* 2022；42：1473-1507. より作成)

芽球化反応低値）であることもあるので注意する．
④ IgA欠損症の経過中にCVIDに移行することがあり，また逆の可能性もある
⑤ CVIDの既知の原因遺伝子には以下のものがあるが，不明な場合がほとんどである（表1）[4]．
(1) CD19複合体分子異常：*CD19*, *CD21*, *CD81*
(2) 副刺激分子異常：*CD20*, *ICOS*, *ICOSL*, *TACI*, *BAFFR*, *TWEAK*, *APRIL*, *IL21*, *IL21R*
(3) NF-κB異常：*NFKB1*, *NFKB2*

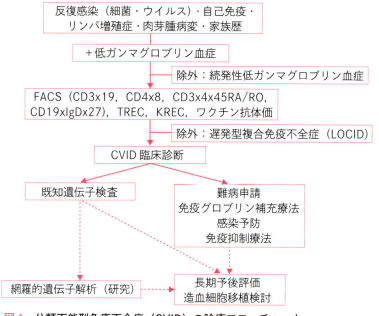

図1 分類不能型免疫不全症（CVID）の診療フローチャート
LOCID：late-onset combined immunodeficiency

(4) PI3K 異常：*PIK3CD*, *PIK3R1*, *PTEN*, *PIK3CG* など
(5) 転写因子異常：*IKZF1*（IKAROS），*IKZF3*（AIOLOS），*TCF3*（E2A, E47）など
(6) その他：*MOGS*, *TRNT1*, *IRFBP2*, *ATP6AP1*, *ARHGEF1*, *SH3KBP1/CIN85*, *SEC61A1*, *CTNNBL1* など

　診断基準に従ったCVIDの診療フローチャートを図1に示す．反復感染（細菌，ウイルス），自己免疫，リンパ増殖症，肉芽腫病変，家族歴のいずれかを認める患者で，低ガンマグロブリン血症を伴っている場合（年齢基準値に気をつける），続発性低ガンマグロブリン血症となる原因がないか検討し，ある場合は除外する．続発性低ガンマグロブリン血症になる原因としては，感染症，蛋白喪失，薬剤，悪性腫瘍などがあげられる．次にワクチン抗体価の低下あるいは，フローサイトメトリーによりメモリーB細胞減少を確認できれば，CVIDの臨床診断となる．TREC低値やPHA芽球化反応の低下，CD45RA⁺ CD4⁺ CD3⁺ T細胞の減少がある場合は，LOCIDの可能性があるため注意する．
　CVIDとの鑑別が必要な免疫不全症としては下記のものがある．

①複合免疫不全症（SCIDを含む）
②胸腺低形成
③DNA修復異常症
④ICF症候群
⑤骨異形成を伴う免疫不全症
⑥NF-κB経路異常症
⑦B細胞欠損症
⑧免疫グロブリンクラススイッチ異常症（高IgM症候群）
⑨リンパ増殖性疾患
⑩自己免疫性リンパ増殖性疾患
⑪胸腺腫を伴う免疫不全症
⑫その他の症候群

4. 合併症

①自己免疫疾患・自己炎症性疾患：自己免疫性溶血性貧血，血小板減少，乾癬，炎症性腸疾患，インスリン依存性糖尿病，自己免疫性甲状腺炎，関節炎などを10〜20％で合併する．
②10〜20％で悪性リンパ腫などの悪性腫瘍を合併する．
③気道感染症を繰り返す例では，気管支拡張症を

呈することも多い．

5. 重症度分類

免疫グロブリン補充療法が生涯にわたり必要であり，全例重症とする．

6. 管理方法（フォローアップ指針），治療

小児期（特に年少児）診断例では，常に複合免疫不全症の可能性を考え，定期的にTREC，ナイーブT細胞の測定を行う．逆にメモリーB細胞が回復してくる例もあるため，IgAの推移に気をつける．成人科への移行についても15歳以後には積極的に検討する．

下記に示す治療を症例に応じて行う．

a 免疫グロブリン補充療法

抗体産生不全による易感染性は，免疫グロブリン製剤（静注および皮下注）の定期補充により改善が得られることが多い．IgG 700〜1,000 mg/dLを目安とするが，患者の易感染状態に応じて適宜増減する．

b 感染予防

一部の患者でみられるT細胞機能不全に対しては免疫グロブリン補充療法のみでは，易感染性を解決できない．感染予防が重要であり，ST合剤の予防内服のほか，必要に応じて抗真菌薬，抗ウイルス薬の予防投与を検討する．また，呼吸器感染症の予防にはマクロライド系抗菌薬の予防投薬も有用である．

c 各種感染症罹患時の治療

細菌・真菌・ウイルス感染症罹患時は適切な抗菌薬・抗真菌薬・抗ウイルス薬による早期治療介入が必要である．免疫グロブリンの追加投与も必要となる．

d 免疫抑制療法

自己免疫疾患や自己炎症性疾患の合併例では，様々な免疫抑制薬が必要となることも多い．シクロスポリン，タクロリムス，ミコフェノール酸モフェチル，メトトレキサート，ロイケリン，シロリムスなどに加え，生物学的製剤や分子標的薬などが必要になることもある．

e 造血細胞移植

CVIDの一部はT細胞機能不全を呈する予後不良な疾患であり，HLA一致の血縁者がいる場合には造血細胞移植が検討される．現在のところその成績は50％程度と必ずしもよくはないが，原因遺伝子の解明とともに，向上することが期待される[2]．非血縁者間移植や臍帯血移植も検討の必要はある．

7. 予後，成人期の課題

CVIDの一部，特に合併症がない群，およびTREC，KRECが正常な群は，免疫グロブリン補充，予防的抗菌薬を用いることで長期予後は良好であるが，合併症を有する群あるいはTREC，KREC陰性群，T細胞機能不全を呈するCVIDの予後は不良である[5]〜[7]．こうした患者については，根治療法は造血細胞移植のみであるが，成人例では移植後合併症が問題になるケースが多く，臓器障害のため移植を断念せざるをえないこともある．一方で，造血細胞移植を施行し長期生存を得ている症例も，晩期合併症のフォローアップが必須である．成人で発見された患者の場合，その移植適応については血液内科を中心とした内科医と連携した検討が必要である．

8. 診療上注意すべき点

CVIDは成人期移行例や成人発症例が多く，内科（リウマチ・膠原病内科，血液内科，消化器内科，神経内科など）との連携が不可欠である．

文献

1) European Society for Immunodeficiencies. ESID Registry - Working definitions for clinical diagnosis of PID. 2019. http://esid.org/Working-Parties/Registry-Working-Party/Diagnosis-criteria
2) 小児慢性特定疾病情報センター．分類不能型免疫不全症．2014．https://www.shouman.jp/disease/de-

tails/10_03_024/

3) Ding Y, Zhou L, Xia Y, et al. Reference values for peripheral blood lymphocyte subsets of healthy children in China. *J Allergy Clin Immunol* 2018 ; 142 : 970-973. e8.

4) Tangye SG, Al-Herz W, Bousfiha A, et al. Human Inborn Errors of Immunity: 2022 Update on the Classification from the International Union of Immunological Societies Expert Committee. *J Clin Immunol* 2022 ; 42 : 1473-1507.

5) Yong PFK, Thaventhiran JED, Grimbacher B. "A rose is a rose is a rose," but CVID is Not CVID common variable immune deficiency (CVID), what do we know in 2011? *Adv Immunol* 2011 ; 111 : 47-107.

6) Wehr C, Gennery AR, Lindemans C, et al. Multicenter experience in hematopoietic stem cell transplantation for serious complications of common variable immunodeficiency. *J Allergy Clin Immunol* 2015 ; 135 : 988-997. e6.

7) Kamae C, Nakagawa N, Sato H, et al. Common variable immunodeficiency classification by quantifying T-cell receptor and immunoglobulin κ-deleting recombination excision circles. *J Allergy Clin Immunol* 2013 ; 131 : 1437-1440. e5.

第3章 抗体産生不全症

C 高 IgM 症候群（免疫グロブリンクラススイッチ異常症）

防衛医科大学校小児科　**森谷邦彦　今井耕輔**

1. 疾患概要

高 IgM 症候群（hyper IgM syndrome：HIGM）は，免疫グロブリンクラススイッチ再構成（immunoglobulin class-switch recombination：IgCSR）障害により，血清 IgG，IgA，IgE の低下を伴うが，血清 IgM は正常〜高値であることを特徴とする原発性免疫不全症である．1993 年に CD40L 欠損症（1 型＝ HIGM1）がその原因の一つであることが明らかになり，現在までに HIGM1 型から 8 型まで報告されている（図1）．その病型は，抗体産生不全もしくは複合免疫不全である．原因遺伝子は 12 種類あるが，原因不明のものも少なくない（表1）．

2. 疫学

まれな疾患であり，正確な有病率は不明である．わが国では，CD40L 欠損症が 60 例前後で最多であり[1]，AID 欠損症が 25 例[2]，UNG 欠損症が 1 例[3]同定されており，NEMO 異常症は 20 例前後[4]，原因不明の例が 50 例前後存在する．フランスでは 63 例が登録されている[5]．米国では，83 例の CD40L 欠損症の報告がある[6]．

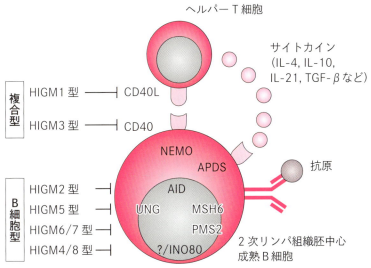

図1　クラススイッチに必要な刺激とその障害による高 IgM 症候群（HIGM）の分類

T-B 細胞表面分子の異常による 1 型と 3 型は，T 細胞機能不全症と同様な日和見感染症を伴うため，複合型クラススイッチ障害に分類される．一方，B 細胞内の異常による 2 型（AID 異常）と 5 型（UNG 異常）は，B 細胞型クラススイッチ障害とよばれ，日和見感染を伴わない．4 型は，メモリーB 細胞が正常な M 型と，減少している N 型（naive 型）が存在する．HIGM4N はクラススイッチ特異的 DNA 修復異常によると考えられるが原因は不明である．

表1 高IgM症候群（免疫グロブリンクラススイッチ異常症）の原因遺伝子

サブタイプ	原因遺伝子	遺伝形式	HIGM中の症例頻度※1	OMIM※2	日和見感染	合併症	CD27陽性B細胞
HIGM1	CD40LG	X連鎖	約50%	#308230	あり	好中球減少・自己免疫疾患	低下
HIGM2-AR	AICDA	常染色体潜性（劣性）	約20%	#605258	なし	リンパ組織腫大・自己免疫疾患	正常
HIGM2-AD	AICDA	常染色体顕性（優性）	10例前後	#605258	なし	リンパ組織腫大	正常
HIGM3	CD40	常染色体潜性（劣性）	7例	#606843	あり	好中球減少・自己免疫疾患	低下
HIGM4	不明	不明	約20%	608184	なし	リンパ組織腫大・自己免疫疾患	正常(M)／低下(N)
HIGM5	UNG	常染色体潜性（劣性）	5例	#608106	なし	リンパ組織腫大・自己免疫疾患	正常
HIGM6	PMS2	常染色体潜性（劣性）	3例	600259	なし	カフェオレ斑・悪性腫瘍	低下〜正常
HIGM7	MSH6	常染色体潜性（劣性）	8例	600678	なし	自己免疫疾患・悪性腫瘍	正常
HIGM8	INO80	常染色体潜性（劣性）	2例	*610169	あり	なし	低下
EDA-ID-XL	IKBKG (NEMO)	X連鎖	国内20例前後	#300291	あり	外胚葉異形成症	低下
EDA-ID-AD	NFKBIA (IκBa)	de novo	5例	#612132	あり	外胚葉異形成症・自己炎症性疾患	低下
APDS1	PIK3CD	常染色体顕性（優性），de novo	国内20例以上	#615513	あり	リンパ組織腫大・下痢・悪性リンパ腫	低下
APDS2	PIK3R1	常染色体顕性（優性），de novo	4例	#616005	あり	リンパ組織腫大・成長障害・悪性腫瘍	低下

※1：国内と断らない限り全世界での症例数
※2：OMIM=online Mendelian inheritance in man (http://www.omim.org)

3. 病因[7]〜[9]

HIGMは，1961年にFred Rosenら，および東北大学の多田啓也らによって，反復性気道感染症とウイルス感染症を呈するdysgammaglobulinemiaとして報告されたのが最初の例であり，1966年にFred Rosenにより高IgM症候群の名がつけられた．IgMは高値を示すが，他のクラスの免疫グロブリンは低値を示すことから，IgCSR異常であることがわかる．1993年にCD40L欠損症（1型）がその原因の一つであることが明らかになった．以後，AID欠損症（2型）が2000年に，CD40欠損症（3型）が2001年に，UNG欠損症（5型）が2003年に発見された．2003年には，原因不明のHIGMで，CD40シグナル正常のものとして，4型が報告され[10]，そのうちの一部は放射線感受性を呈することが示された．また，メモリーB細胞欠損を伴うCD40シグナル異常症はメモリーB細胞を欠損しており，NF-κBシグナル異常症などが含まれる．HIGMのなかからactivated PI3Kδ syndrome（活性化PI3キナーゼδ症候群：APDS）が2013年（PIK3CD異常症），2014年（PIK3R1異常症）に報告された．さらに，INO80異常症，MSH6異常症がHIGMとして報告されている．

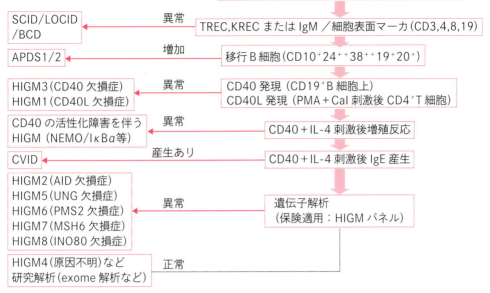

図2 高IgM症候群（HIGM）の病型診断と他疾患の除外に必要な検査

SCID：severe combined immunodeficiency 重症複合免疫不全症，LOCID：late onset combined immunodeficiency 遅発型複合免疫不全症，BCD：B cell deficiency B細胞欠損症，APDS：activated PI3Kδ syndrome 活性化PI3キナーゼδ症候群，HIGM：hyper-IgM syndrome 高IgM症候群，CVID：common variable immunodeficiency 分類不能型免疫不全症

4. 診 断

a 臨床症状[7][8]

1) 繰り返す細菌とウイルス感染症（おもに呼吸器感染症や消化器感染症）を呈する．

2) 1型およびNEMO異常症は男児に発症し，家族歴（兄弟，母方従兄弟または叔父，祖父など）を有することがある（X連鎖遺伝形式）．NEMO異常症の母で色素失調症を呈することがある．IκBα異常症は重症であり，今のところ de novo（新生突然変異）での経験しかない．APDSでは，両親のどちらかに悪性腫瘍の病歴があることがある．

3) 1型はしばしばニューモシスチス肺炎（Pneumocystis pneumonia：PCP），深部真菌感染症，クリプトスポリジウム感染などの日和見感染症を発症する．多くの病型で，自己免疫疾患（特に溶血性貧血，免疫性血小板減少性紫斑病）を呈し，一部の症例では，悪性腫瘍（特に悪性リンパ腫）を合併する．

b 検査所見[1]〜[14]（図2）

1) 血清IgG，IgA，IgEの低下を伴う．APDSではIgG2欠損は共通しているが，IgG，IgAは正常〜高値を示す例もある．

2) T細胞およびB細胞新生能（TREC値，KREC値）は正常．

3) 血清IgMは正常または高値．

4) IgD⁻CD27⁺CD19⁺クラススイッチメモリーB細胞の著明な減少を認める．

5) HIGM1はしばしば好中球減少を伴う．

6) HIGM1では，PMAとイオノマイシンで活性化したT細胞上でのCD40L発現が欠損していることが多い．

7) in vitroで免疫グロブリンのクラススイッチ異常がある．

c 診断の進め方（図2）

感染症を反復し，血清IgG, IgA, IgEの低下を伴うが，血清IgMは正常〜高値を示し，そのほかの免疫不全症が否定的な場合には，本症を疑う

必要がある．*CD40LG*, *AICDA*, *CD40*, *UNG* 変異があるか，*in vitro* で免疫グロブリンのクラススイッチ異常が証明されれば，本症と確定診断される．遺伝子検査が保険適用となっているので，その前後で適切な遺伝カウンセリングを行った後に施行する．

5. 合併症

HIGM1 の約半数の患者で，好中球減少を伴うほか，自己免疫疾患や悪性腫瘍の合併も報告されている．B 細胞特異的 HIGM（2, 4, 5, 7 型）でも，自己免疫疾患の合併がみられる．HIGM1, 3 および EDA-ID では，CD40L シグナル異常のため，リンパ節腫大はみられないが，それ以外の病型ではみられる．

6. 治療 [12)〜15)]

a 免疫グロブリン補充療法

初発時，非常に低値を示す場合，1 g/kg ほどの補充が必要となる．IgG, IgA 完全欠損かつ IgM 高値の場合，生体内にある IgM 型の抗 IgG あるいは抗 IgA 抗体と補体活性化によるアナフィラキシーを呈することがあるので，注意を要する．一度 IgG 値を 700〜1,000 mg/dL まで上げたら，以後，3〜4 週ごとの静注（目安は 400 mg/kg/ 月）か，週 1 回の皮下注による定期補充（目安は 100 mg/kg/ 週）に移行する．

b 感染予防

T 細胞および，樹状細胞，マクロファージの機能不全を呈する HIGM1, HIGM3 では，スルファメトキサゾール・トリメトプリム（ST）合剤を好中球減少，肝障害，皮疹に注意して経口投与する．必要に応じて，抗真菌薬，抗ウイルス薬の予防投与も検討する．HIGM1 患者の好中球減少に対して，顆粒球コロニー刺激因子（granulocyte colony-stimulating factor：G-CSF）製剤の投与を行うことがある．IgA 欠損に伴う，慢性副鼻腔炎に対しては，マクロライド系抗菌薬の少量投与の併用も行われる．

c 造血細胞移植，その他治療

日和見感染症を合併しうる CD40L 欠損症，CD40 欠損症，NEMO 異常症などでは，造血細胞移植の適応となる．APDS の自己免疫疾患，腸炎，リンパ増殖症に対しては，海外では mTOR 阻害薬であるシロリムスや p110δ 阻害薬などが使われているが，日本では適用外であり，医師主導治験が行われている．日本では，造血細胞移植が行われている例が半数程度であるが，移植後の合併症（血球貪食性リンパ組織球症，生着不全など）の問題があり，その施行は容易ではない．他の病型については，免疫グロブリン補充で予後は悪くないが，自己免疫疾患の合併や，悪性腫瘍の合併がみられる例もあり，それぞれステロイド薬，抗腫瘍薬などを用いて治療を行う．遺伝子治療は，海外では臨床研究や治験が行われ始めているが，効果や安全性に関して十分なエビデンスは得られていない．

7. 予後 [1)16)]

短期予後として，HIGM1, HIGM3 や NF-κB シグナル異常では，重症感染症に罹患するリスクが高い．特に，ニューモシスチス肺炎やウイルス感染の重症化を認めた場合には，致死的である．感染症の罹患頻度を可能な限り減らすことが，予後の改善につながる．

長期予後として，HIGM2 は免疫グロブリン補充を継続することで予後は良好であるが，T 細胞機能不全を呈する HIGM1, HIGM3 の予後は不良である．国内 HIGM1 患者 56 例において，生存年齢の中央値は 23 歳で，30 歳での全生存率は 42.1%，40 歳では 31.6% であった．死因は感染症が最多で，次いで肝不全や悪性腫瘍となっており，注意が必要である．

文献

1) Mitsui-Sekinaka K, Imai K, Sato H, et al. Clinical features and hematopoietic stem cell transplantations for CD40 ligand deficiency in Japan. *J Allergy Clin Immunol* 2015；136：1018-1024.
2) Zhu Y, Nonoyama S, Morio T, et al. Type two hyper-IgM syndrome caused by mutation in activation-induced cytidine deaminase. *J Med Dent Sci* 2003；50：41-46.
3) Imai K, Slupphaug G, Lee WI, et al. Human uracil-DNA

glycosylase deficiency associated with profoundly impaired immunoglobulin class-switch recombination. *Nat Immunol* 2003；4：1023-1028.
4) Hanson EP, Monaco-Shawver L, Solt LA, et al. Hypomorphic nuclear factor-kappaB essential modulator mutation database and reconstitution system identifies phenotypic and immunologic diversity. *J Allergy Clin Immunol* 2008；122：1169-1177. e16.
5) CEREDIH：The French PID study group. The French national registry of primary immunodeficiency diseases. *Clin Immunol* 2010；135：264-272.
6) Leven EA, Maffucci P, Ochs HD, et al. Hyper IgM Syndrome：a Report from the USIDNET Registry. *J Clin Immunol* 2016；36：490-501.
7) Notarangelo LD, Giliani S, Plebani A. CD40 and CD40 Ligand Deficiencies. In：Ochs HD, Smith CIE, Puck JM（eds）：Primary Immunodeficiency Diseases：A Molecular and Genetic Approach. 3rd ed, Oxford University Press, Oxford, 2014；324-365.
8) Durandy A, Kracker S, Fischer A. Autosomal Ig CSR Deficiencies Caused by an Intrinsic B-Cell Defect. In：Ochs HD, Smith CIE, Puck JM（eds）：Primary Immunodeficiency Diseases：A Molecular and Genetic Approach. 3rd ed, Oxford University Press, Oxford, 2014；356-365.
9) Tangye SG, Al-Herz W, Bousfiha A, et al. Human Inborn Errors of Immunity：2022 Update on the Classification from the International Union of Immunological Societies Expert Committee. *J Clin Immunol* 2022；42：1473-1507.
10) Imai K, Catalan N, Plebani A, et al. Hyper-IgM syndrome type 4 with a B lymphocyte-intrinsic selective deficiency in Ig class-switch recombination. *J Clin Invest* 2003；112：136-142.
11) Bousfiha A, Jeddane L, Picard C, et al. The 2017 IUIS Phenotypic Classification for Primary Immunodeficiencies. *J Clin Immunol* 2018；38：129-143.
12) 厚生労働科学研究費補助金 難治性疾患等政策研究事業 原発性免疫不全症候群の診断基準・重症度分類および診療ガイドラインの確立に関する研究（研究代表者・野々山恵章，分担研究者・森尾友宏，研究協力者・今井耕輔）．平成 30（2018）年度 総括・分担研究報告書 診療ガイドライン 分類不能型免疫不全症．
13) 難病情報センター．診断・治療指針（医療従事者向け）．原発性免疫不全症候群（指定難病 65）．2022. https://www.nanbyou.or.jp/entry/254
14) 小児慢性特定疾病情報センター．24. 分類不能型免疫不全症．2014. https://www.shouman.jp/disease/instructions/10_03_024/
15) Bonilla FA, Barlan I, Chapel H, et al. International Consensus Document（ICON）：Common Variable Immunodeficiency Disorders. *J Allergy Clin Immunol Pract* 2016；4：38-59.
16) Yazdani R, Fekrvand S, Shahkarami S, et al. The hyper IgM syndromes：epidemiology, pathogenesis, clinical manifestations, diagnosis and management. *Clin Immunol* 2019；198：19-30.

第 3 章　抗体産生不全症

D　活性化 PI3Kδ 症候群

防衛医科大学校小児科　關中佳奈子

1. 疾患概要

a 疾患背景

活性化 PI3Kδ 症候群（activated PI3 kinase-delta syndrome：APDS）は，2013 年に原因遺伝子が明らかになった原発性免疫不全症で，クラス I A PI3K（phosphatidylinositol 3-kinase）の触媒サブユニット p110δ（責任遺伝子 *PIK3CD*）の機能獲得型変異により発症する疾患として報告された[1)2)]．小児期早期から始まる反復性気道感染，進行性気道破壊，気管支拡張症を特徴とし，多くの患者でリンパ節腫大を呈し，免疫学的には，抗体産生不全（高 IgM 血症，低 IgG 血症など）を認めるほか，EBV（Epstein-Barr virus），CMV（cytomegalovirus）に対する易感染性を認める．末梢血リンパ球 FACS（fluorescence-activated cell sorting）解析では，CD4 陽性 T リンパ球の減少，CD45RA 陽性ナイーブ T リンパ球の減少などの T 細胞機能異常のほか，CD27 陽性メモリー B 細胞の減少などの所見を示すことが報告された[1)2)]．

さらに，2014 年に p110δ の制御サブユニットである p85α（責任遺伝子 *PIK3R1*）の機能喪失型変異が，APDS に類似した症状を呈する患者で同定された[3)4)]ことから，*PIK3CD* の機能獲得型変異によるものを APDS type 1（APDS 1），*PIK3R1* の機能喪失型変異によるものを APDS type 2（APDS 2）と分類するようになった．また，2016 年には，APDS に類似した症状を呈する小児例において，*PTEN* 機能喪失型変異が同定されたことから，*PTEN* 機能喪失型変異による免疫不全症を APDS-L（APDS-like immunodeficiency）ともよぶ[5)]．

b 病因・病態（図 1）

APDS の病因は，クラス IA PI3K の恒常的な活

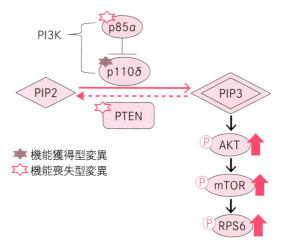

図 1　APDS, APDS-L における AKT/mTOR/S6 リン酸化亢進

APDS：activated PI3 kinase-delta syndrome 活性化 PI3Kδ 症候群，PI3K：phosphatidylinositol 3-kinase ホスファチジルイノシトール 3-キナーゼ，PIP2：phosphatidylinositol diphosphate ホスファチジルイノシトール二リン酸，PIP3：phosphatidylinositol triphosphate ホスファチジルイノシトール三リン酸

性化による PI3K シグナル経路の過剰活性化，およびその下流の分子である AKT，mTOR，S6 の過リン酸化とされている[1)〜4)]．AKT は細胞の増殖や分化，成長，代謝を制御する重要な分子であり，過リン酸化の結果，リンパ球の異常活性化やリンパ組織腫大を引き起こす．PTEN は PI3K を抑制する働きがあるため，*PTEN* 遺伝子変異によりその機能が損なわれると，PI3K が優位に働き，結果的に APDS と同様の病態を引き起こすとされている[5)]．

2. 疫　学

正確な頻度は明らかではないが，国内外で約

250例の症例が報告されている[6]．

3. 診断基準，診断の手引き

a 疾患背景
1) 小児期早期から始まる反復性下気道感染，副鼻腔炎，中耳炎や気管支拡張症．
2) 全身リンパ節腫大，リンパ組織過形成（肝脾腫や腸管リンパ濾胞過形成など）．
3) EBV，CMVに対する易感染性（持続感染，重症感染）．

b 検査所見
1) 血清免疫グロブリン値は低IgG，低IgA，正常～高IgMを呈することが多い．
2) 末梢血B細胞数正常～減少，CD27陽性メモリーB細胞減少，CD19陽性CD38陽性IgM陽性transitional B細胞分画の増加．
3) CD4陽性T細胞数減少，CD45RA陽性ナイーブT細胞減少，CD8陽性effector memory T細胞増加，濾胞ヘルパーT細胞（Tfh）増加，CD57陽性CD8陽性T細胞増加．
4) 遺伝子解析
   a) PIK3CD遺伝子機能獲得型変異（特定の部位に変異集積）．
   b) PIK3R1遺伝子機能喪失型変異（エクソンスキッピングを引き起こすsplice-site variantが多い）．
   c) PTEN遺伝子機能喪失型変異．
5) 患者活性化Tリンパ球におけるAKTおよびS6蛋白のリン酸化亢進．

c 鑑別診断
原因遺伝子の特定されていない高IgM症候群患者や分類不能型免疫不全症（common variable immunodeficiency：CVID）では本疾患である可能性を考慮する必要がある．

d 診断
反復性副鼻腔炎，下気道感染症と肝脾腫，リンパ組織の過形成を認める患者では，低ガンマグロブリン血症や高IgM血症の有無，末梢血リンパ球FACSでの免疫学的な評価を組み合わせることでAPDSを疑うことが可能である．大頭症や精神発達遅滞の合併にも注意する．

確定診断は，遺伝子診断や患者活性化Tリンパ球におけるAKTおよびS6蛋白のリン酸化亢進の証明による．後者の検査は一部の研究機関でのみ検討可能であり，必須の検査ではない．診断フローチャートを図2に示した．

4. 合併症

肝脾腫，リンパ組織過形成，気管支拡張症は共通して認められる合併症である[7,8]．APDS 2では約半数に成長障害や軽度の精神発達遅滞の合併が報告されている．そのほか，悪性腫瘍（特にB細胞性リンパ腫），自己免疫疾患（血球減少など），気管支拡張症，慢性下痢の合併を認める[8]．APDS-Lでは，軽度の精神発達遅滞や大頭症の合併を認める[5]．

5. 重症度分類

抗体産生不全による易感染性を認める場合は，免疫グロブリン製剤の定期補充や予防的抗菌薬が必須であり，重症と判定する．合併症に対する治療や定期観察が必要な症例も重症と判定する．

6. 管理方法（フォローアップ指針），治療

a フォローアップ指針

1) 免疫学的評価
白血球数，リンパ球数，リンパ球サブセット解析，血清IgG/IgA/IgM，TREC/KRECなど．

2) EBV・CMV感染症のモニタリング
EBウイルス関連抗体価，CMV抗原血症検査，血中EBV/CMVウイルス量定量検査など．

3) 呼吸機能評価
下気道感染症の反復による気管支拡張症の合併に注意する．胸部X線，胸部CT検査も必要に応じて評価する．

4) リンパ組織過形成の評価
表在リンパ節腫大や肝脾腫の有無の確認に加え，画像評価（CT/MRI検査，FDG-PETなど）

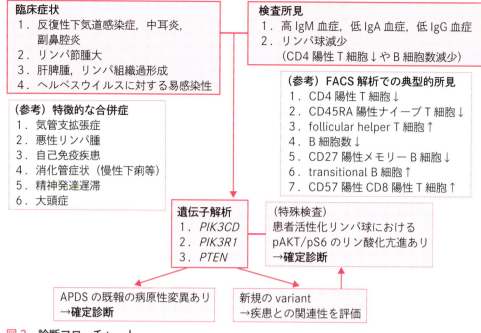

図2 診断フローチャート
FACS：fluorescence-activated cell sorting 蛍光活性化セルソーティング

も考慮する．

5）悪性腫瘍のサーベイランス

リンパ腫の発生に注意する．

6）そのほかの合併症に対する評価

前述した合併症に注意が必要である．

b 治療

抗体産生不全による易感染性に対しては免疫グロブリン製剤の定期補充，予防的抗菌薬投与（ST合剤やアジスロマイシン等）を行う．EBV・CMV 感染症に関する定期的なモニタリングを行い，必要に応じ，抗ヘルペス薬による治療を行う．T 細胞機能不全を合併する症例や，悪性リンパ腫を合併した症例では造血細胞移植の適応となりうる．自己免疫疾患に対する免疫抑制療法（ステロイド，リツキシマブなど）が必要になる症例もある[7)～12)]．近年，APDS 患者のリンパ組織過形成に対して，mTOR 阻害薬や選択的 p110δ 阻害薬が有効であった症例が報告されており，将来的に治療の選択肢の一つとなりうる可能性がある[13)14)]（わが国では保険適用外）．

7. 予後，成人期の課題

APDS における悪性腫瘍の発生率は APDS 1 で 13％，APDS 2 では 28％とも報告されており，特に B 細胞性リンパ腫の発症が多い．APDS 患者の 16％がリンパ腫関連の合併症により死亡しているとの報告もあり，適切な経過観察と治療が予後の改善に直結する[12)]．

岡野ら[10)]の報告では，APDS 1 患者の 30 歳時点での全生存率は 86.1％であり，小児・思春期から合併症（感染症・リンパ組織腫大など）の発症を多く認めている．特にリンパ組織腫大に関しては有効な治療法が限られていることが大きな課題である．また，Elkaim ら[8)]の報告では，APDS 2 患者（36 症例）の生存年齢中央値は 18 歳（3～56 歳）で，死亡例 5 名のうち 4 名は悪性リンパ腫による死亡である．

8. 診療上注意すべき点

遺伝形式は常染色体顕性（優性）遺伝であるが，同一家系内でも多彩な臨床症状や検査所見を呈する．特に APDS 2 患者では，悪性腫瘍（特に B 細

胞性リンパ腫）を高率に合併することから適切な経過観察や画像評価が必要である．

文献

1) Angulo I, Vadas O, Garçon F, et al. Phosphoinositide 3-kinase δ gene mutation predisposes to respiratory infection and airway damage. *Science* 2013；342：866-871.
2) Lucas CL, Kuehn HS, Zhao F, et al. Dominant-activating germline mutations in the gene encoding the PI (3) K catalytic subunit p110δ result in T cell senescence and human immunodeficiency. *Nat Immunol* 2014；15：88-97.
3) Deau MC, Heurtier L, Frange P, et al. A human immunodeficiency caused by mutations in the PIK3R1 gene. *J Clin Invest* 2014；124：3923-3928.
4) Lucas CL, Zhang Y, Venida A et al. Heterozygous splice mutation in PIK3R1 causes human immunodeficiency with lymphoproliferation due to dominant activation of PI3K. *J Exp Med* 2014；211：2537-2547.
5) Tsujita Y, Mitsui-Sekinaka K, Imai K, et al. Phosphatase and tensin homolog（PTEN）mutation can cause activated phosphatidylinositol 3-kinase δ syndrome-like immunodeficiency. *J Allergy Clin Immunol* 2016；138：1672-1680.
6) Jamee M, Moniri S, Zaki-Dizaji M, et al. Clinical, Immunological, and Genetic Features in Patients with Activated PI3Kδ Syndrome（APDS）：a Systematic Review. *Clin Rev Allergy Immunol* 2020；59：323-333.
7) Coulter TI, Chandra A, Bacon CM, et al. Clinical spectrum and features of activated phosphoinositide 3-kinase δ syndrome：A large patient cohort study. *J Allergy Clin Immunol* 2017；139：597-606. e4.
8) Elkaim E, Neven B, Bruneau J, et al. Clinical and immunologic phenotype associated with activated phosphoinositide 3-kinase δ syndrome 2：A cohort study. *J Allergy Clin Immunol* 2016；138：210-218. e9.
9) Nademi Z, Slatter MA, Dvorak CC, et al. Hematopoietic stem cell transplant in patients with activated PI3K delta syndrome. *J Allergy Clin Immunol* 2017；139：1046-1049.
10) Okano T, Imai K, Tsujita Y, et al. Hematopoietic stem cell transplantation for progressive combined immunodeficiency and lymphoproliferation in patients with activated phosphatidylinositol-3-OH kinase δ syndrome type 1. *J Allergy Clin Immunol* 2019；143：266-275.
11) Coulter TI, Cant AJ. The Treatment of Activated PI3Kδ Syndrome. *Front Immunol* 2018；9：2043.
12) Durandy A, Kracker S. Increased activation of PI3 kinase-δ predisposes to B-cell lymphoma. *Blood* 2020；135：638-643.
13) Maccari ME, Abolhassani H, Aghamohammadi A, et al. Disease Evolution and Response to Rapamycin in Activated Phosphoinositide 3-Kinase δ Syndrome：The European Society for Immunodeficiencies-Activated Phosphoinositide 3-Kinase δ Syndrome Registry. *Front Immunol* 2018；9：543.
14) Rao VK, Webster S, Dalm V, et al. Effective "activated PI3Kδ syndrome"-targeted therapy with the PI3Kδ inhibitor leniolisib. *Blood* 2017；130：2307-2316.

第3章 抗体産生不全症

E　IKAROS 異常症

理化学研究所生命医科学研究センター　免疫転写制御研究チーム　山下　基

1. 疾患概要

　IKAROS 異常症はリンパ球分化を司るマスター転写因子の一つである IKAROS をコードする *IKZF1* 遺伝子のヘテロ接合性バリアントにより起きる常染色体顕性（優性）遺伝形式をとる先天性免疫異常症である．IKAROS の DNA 結合能や転写活性が障害される機能喪失型バリアントが大半を占めるが，IKAROS の DNA 結合能が増強する機能獲得型バリアントも先天性免疫異常症の原因となることが最近報告された[1)〜6)]（図1）．機能喪失型バリアントによる IKAROS 異常症は B 細胞欠損症や抗体産生不全症を主徴とするが，複合免疫不全症を呈するバリアントも知られている．また，自己免疫疾患や造血器腫瘍を合併することがあり，これらが初発症状となることもある．機能獲得型バリアントによる IKAROS 異常症はアレルギーを発症することが特徴である．IKAROS 異常症は不完全浸透を呈し，同じ疾患原性バリアントを有していても異なる表現型を示すことがある．

2. 疫　学

　疾患頻度はまれであり正確な有病率はわかって

***IKZF1* 機能喪失型バリアント**

B 細胞欠損症・抗体産生不全症
・B 細胞欠損〜低下
・低ガンマグロブリン血症
・自己免疫疾患やリンパ系腫瘍の合併あり

　　　＋　　**優性阻害**：N159 のミセンスバリアント
　　　　　　複合免疫不全症
　　　　　　・T 細胞はナイーブ表現型に偏倚
　　　　　　・ニューモシスチス肺炎などの日和見感染

　　　＋　　**二量体化障害**：DNA 結合ドメインが保たれるナンセンスバリアント
　　　　　　　　　　　　二量体化ドメインのミセンスバリアント
　　　　　　自己免疫疾患
　　　　　　・易感染性より自己免疫疾患が目立つ

***IKZF1* 機能獲得型バリアント**

免疫調節障害
・アレルギー，多発自己免疫疾患，リンパ増殖症（形質細胞増多症）
・B 細胞は存在し，免疫グロブリンは正常〜高値
・T 細胞はメモリー表現型に偏倚
　ヘルパー T 細胞は Th2 に偏倚，制御性 T 細胞は著減

図1　IKAROS 異常症の概略

いない．これまで，論文中に報告されているのは全世界で100例ほどである[7]．しかし，わが国でもすでに10例以上報告されており，IKAROS異常症患者は報告されているより多く存在すると考えられる．

3. 診断基準，診断の手引き

a 臨床症状

1）免疫不全

免疫不全としては，他の抗体産生不全症と同様に細菌性の呼吸器感染症が半数以上の患者に認められる一方で，ウイルス，寄生虫，抗酸菌感染症も知られている[8]．159番目のアスパラギン（N159）のミスセンスバリアントは野生型のIKAROSの機能を優性阻害し，複合免疫不全症をきたす．この優性阻害バリアントによるIKAROS異常症患者は，高率にニューモシスチス肺炎を発症し，細菌感染，ウイルス感染症，真菌感染症も重症化する傾向がある．IKAROS異常症の易感染性の発症年齢は小児期から成人期まで様々であるが，優性阻害バリアント例は全例乳児期から重症感染症をきたす．

2）自己免疫疾患，アレルギー

IKAROS異常症には自己免疫疾患の合併が多く，免疫性血小板減少性紫斑病や，全身性エリテマトーデスが比較的多くみられる．二量体化障害や機能獲得型バリアント（183番目のアルギニン〈R183〉のミスセンスバリアント）によるIKAROS異常症では易感染性より自己免疫疾患の頻度が高い．複数の自己免疫疾患の合併やアレルギー，形質細胞増多症の合併は機能獲得型バリアント例に特徴的な徴候である．

b 検査所見

機能喪失型バリアントによるIKAROS異常症では多くの患者が低ガンマグロブリン血症を呈する．すべてのアイソタイプが低下することが多いが，IgGのみ低値の場合もある．特異抗体産生も障害されている．機能獲得型バリアントによるIKAROS異常症では低ガンマグロブリン血症は呈さず，むしろIgEは高値となる．

機能喪失型バリアントによるIKAROS異常症では，リンパ球サブセット解析ではB細胞が著減ないし欠損する．B細胞が存在する症例でもメモリーB細胞や形質芽細胞分画が減少することが多く，分類不能型免疫不全症（common variable immunodeficiency: CVID）表現型をとる．IKAROS異常症に特徴的なT細胞のサブセット異常は知られていないが，CD4/CD8比の逆転がしばしばみられ，優性阻害バリアント例ではナイーブT細胞への偏倚がみられる．*IKZF1*機能獲得型バリアント例では，対照的にメモリーT細胞への偏倚がみられ，ヘルパーT細胞サブセットのTh2への偏倚と制御性T細胞は著減も特徴である．また，B細胞数は正常から軽度低下にとどまる．

そのほか，機能喪失型バリアントや優性阻害バリアントによるIKAROS異常症では汎血球減少や好中球減少がみられることがあり，能獲得型バリアント例では好酸球増多がみられる．

c 鑑別診断，診断のポイント

IKAROS異常症の鑑別診断としては，X連鎖無ガンマグロブリン血症を代表としたB細胞欠損症やCVIDが含まれる．自己免疫疾患や造血器腫瘍の合併はIKAROS異常症の特徴の一つであるが，これらはIKAROS異常症以外のCVIDでもみられるため臨床所見，検査所見からIKAROS異常症と診断するのは困難である．複合免疫不全症をきたすN159ミスセンスバリアント例は，臨床徴候からは重症複合免疫不全症（severe combined immunodeficiency: SCID）の非典型例やCD40L欠損症などの複合免疫不全症が鑑別診断となるが，末梢血リンパ球サブセットの違いにより鑑別が可能である．機能喪失型バリアント例のなかには，T cell receptor excision circles（TRECs）を用いたSCIDの新生児スクリーニングで，TRECs低値を示しそれを契機に診断された例も報告されている．*IKZF1*機能獲得型バリアントの鑑別疾患はIPEX症候群などの免疫調節障害である．

下記のような症例ではIKAROS異常症を鑑別として考慮すべきである．

- ニューモシスチス肺炎とB細胞欠損症の合併：優性阻害バリアントによるIKAROS異常症

図2 IKAROS異常症の診断フローチャート

- B細胞欠損症とリンパ腫や急性リンパ性白血病などのリンパ系腫瘍の合併：機能喪失型バリアントによるIKAROS異常症
- 自己免疫疾患，アレルギー，形質細胞増多：機能獲得型バリアントによるIKAROS異常症

確定診断は遺伝子診断による（図2）．*IKZF1* の既報告がない変異の場合は *in silico* での機能予測や，他のIKAROS欠損症患者との表現型の比較が有用であり，場合によっては機能解析が必要になる．IKAROS異常症は不完全浸透を呈し，明らかな免疫不全症状のない家族の免疫学的・遺伝学的解析も重要である．

4. 合併症

機能喪失型バリアントによるIKAROS異常症の合併症としてはリンパ系腫瘍が知られる．頻度としてはB細胞性の急性リンパ性白血病が多いが，T細胞性の急性リンパ性白血病や成熟B細胞リンパ腫など合併する腫瘍は多岐にわたり，発症年齢は幼児期から若年成人と幅広い．全体の症例数は少ないもののT細胞性の急性リンパ性白血病の割合が比較的多い傾向にある．

機能獲得型バリアントによるIKAROS異常症においては白血病の報告はないが，形質細胞増多によるリンパ組織増殖症を半数の患者で認めている．また，未発表ではあるものの多発性骨髄腫やリンパ腫発症例もみられているようであり，造血器腫瘍発症素因はあると考えられる[7]．

5. 重症度分類

易感染性，自己免疫疾患，造血器腫瘍などの合併症の表現型は多彩であり，その重症度は幅が広い．易感染性に関しては，B細胞欠損症，抗体産生不全症を主徴とする症例においては免疫グロブリン定期補充療法で十分な感染予防効果が得られている．また，二量体化障害をきたすバリアントでは易感染性はそれほど目立たない．一方で，優性阻害バリアント例はニューモシスチス肺炎を代表とする日和見感染を繰り返し重症度が高い．

機能獲得型バリアントによるIKAROS異常症も易感染性は目立たないものの，自己免疫疾患やアレルギーに関しても濃厚な免疫抑制療法を必要としており，重症と考えられる．

6. 管理方法（フォローアップ指針），治療

IKAROS異常症の管理の基本は低ガンマグロブ

リン血症に対する免疫グロブリン定期補充療法である．目標IgGトラフは他の抗体産生不全症と同様で，IgGトラフを700 mg/dL以上に保つことを基本とするが，個々の患者により十分な感染予防効果が得られるIgGトラフを維持するようにする．合併する感染症によっては予防的抗菌薬治療を行うことも検討される．

複合免疫不全症を呈し，重症感染を繰り返す場合には根治的治療として造血細胞移植が施行されている[9]．同様に重度の骨髄不全（汎血球減少）を呈する症例に対して造血細胞移植が施行された例もある[1]．これらの免疫異常，骨髄不全は自然回復する例もあり[3]，適応には注意が必要である．

機能獲得型バリアントによる免疫調節障害に対してはリツキシマブ，ステロイド，シロリムスなどの免疫抑制療法が有効であったと報告されている[6]．また，造血細胞移植を必要とする患者も報告されている．多発性骨髄腫の治療にも用いられるレナリドミドはIKAROSの分解を誘導し，*in vitro*の検討では機能獲得型バリアント例の患者T細胞機能異常を改善しており，治療応用への期待がされる．

7. 予後，成人期の課題

報告数が少なく長期予後は不明であるが，成人患者も報告されており優性阻害バリアント以外のIKAROS異常症の生命予後は他のCVIDと大きくは変わらないと考えられる．優性阻害バリアントによるIKAROS異常症は乳児期に重症感染症を繰り返しており，根治的治療としての造血細胞移植が行われなければ予後は不良と考えられる．

IKAROS異常症患者においては造血器腫瘍合併が報告されている．また，生殖細胞系列の*IKZF1*遺伝子の機能喪失型バリアントは，小児急性リンパ性白血病患者の約1％に報告されており，IKAROSの機能異常はリンパ系腫瘍の遺伝的素因になっていると考えられる．IKAROS異常症の患者ではリンパ系腫瘍の発生については注意深いモニタリングが必要である．

8. 診療上注意すべき点

・機能喪失型バリアントによるIKAROS異常症は，B細胞欠損や抗体産生不全症を主徴とし，優性阻害バリアント例は複合免疫不全症を呈する．

・機能獲得型バリアントによるIKAROS異常症は，免疫調節障害（アレルギーや自己免疫疾患）が主徴となる．

・不完全浸透を示す疾患で，同じ疾患原性バリアントを有しながら症状は異なることがあり，健常家族の免疫学的・遺伝学的評価は重要である．

文献

1) Goldman FD, Gurel Z, Al-Zubeidi D, et al. Congenital pancytopenia and absence of B lymphocytes in a neonate with a mutation in the Ikaros gene. *Pediatr Blood Cancer* 2012；58：591-597.
2) Kuehn HS, Boisson B, Cunningham-Rundles C, et al. Loss of B Cells in Patients with Heterozygous Mutations in IKAROS. *N Engl J Med* 2016；374：1032-1043.
3) Hoshino A, Okada S, Yoshida K, et al. Abnormal hematopoiesis and autoimmunity in human subjects with germline IKZF1 mutations. *J Allergy Clin Immunol* 2017；140：223-231.
4) Boutboul D, Kuehn HS, Van de Wyngaert Z, et al. Dominant-negative IKZF1 mutations cause a T, B, and myeloid cell combined immunodeficiency. *J Clin Invest* 2018；128：3071-3087.
5) Kuehn HS, Niemela JE, Stoddard J, et al. Germline IKAROS dimerization haploinsufficiency causes hematologic cytopenias and malignancies. *Blood* 2021；137：349-363.
6) Hoshino A, Boutboul D, Zhang Y, et al. Gain-of-function IKZF1 variants in humans cause immune dysregulation associated with abnormal T/B cell late differentiation. *Sci Immunol* 2022；7：eabi7160.
7) Kuehn HS, Boast B, Rosenzweig SD. Inborn errors of human IKAROS：LOF and GOF variants associated with primary immunodeficiency. *Clin Exp Immunol* 2022；26：uxac109.
8) Yamashita M, Morio T. Inborn errors of IKAROS and AIOLOS. *Curr Opin Immunol* 2021；72：239-248.
9) Kellner ES, Krupski C, Kuehn HS, et al. Allogeneic hematopoietic stem cell transplant outcomes for patients with dominant negative IKZF1/IKAROS mutations. *J Allergy Clin Immunol* 2019；144：339-342.

第3章 抗体産生不全症

F NFKB1欠損症

東京医科歯科大学大学院医歯学総合研究科 発生発達病態学分野　井上健斗
東京医科歯科大学大学院医歯学総合研究科 小児地域成育医療学講座　金兼弘和

1. 疾患概要

NF-κBはRelA（p65），RelB，C-Rel，NF-κB1（前駆体p105/活性体p50），NF-κB2（前駆体p100/活性体p52）からなる転写因子である．これらの分子は共通のRel homology domainをもち，この部位の結合によりホモないしヘテロ二量体を形成し，500以上の標的遺伝子を調整，細胞分化やその生存，炎症反応や免疫抑制など様々なシグナル伝達にかかわっている．NF-κBの過度な活性化や恒常的な活性化は固形腫瘍，白血病，そしてT，B細胞性のリンパ腫にかかわることが知られていた．また，NFKBA，IKBKB，IKBKG（NEMO），CARD9，CARD11，NOD2，NLRP3など，NF-κB関連のシグナル欠損は免疫不全症を引き起こすことが知られていた．NF-κB1のプロモーター領域の遺伝子多型は，炎症性腸疾患や潰瘍性大腸炎の疾患感受性との関連が示されている．B細胞の成熟，維持，分化や，T細胞非依存の抗体クラススイッチにもNF-κBが関与し，分類不能型免疫不全症（common variable immunodeficiency：CVID）の関連遺伝子として，NF-κB経路の下流に位置するTNFRSF13B，TNFRSF13C異常症が報告され，NF-κB経路自体の変異によるCVID発症が予想された．その後非古典的経路を司るNFKB2変異によるCVIDが報告され，2015年にFliegaufら[1]が古典的経路を司るNF-κB1のハプロ不全によるCVIDの家系を報告した．

古典的経路において，NF-κB1（p105）はプロテアソームでp50へとプロセシングされる．TLRからの刺激により，IKKα，IKKβのヘテロ二量体がIκBαをリン酸化し，それに伴いIκBαがプロテアソームで分解される．IκBαが分解されると，それと結合していたRelA-p50ヘテロ二量体の核内移行シグナルが露出して核内へ移行し，成熟型転写因子となる．病的意義をもつNFKB1変異は大きく4つのグループ，（1）N末端部分のナンセンスもしくはフレームシフト変異による無機能な蛋白ができる場合，（2）変異により前駆体であるp105が生じず，p50類似変異蛋白が発現する場合，（3）N末端側のミスセンス変異がp105にもp50にも影響を及ぼす場合，（4）C末端側のミスセンス変異がp105にのみ影響を及ぼす場合に分けられる．これらの変異が様々な形でp50の半量不全を起こし，核内転写因子としての作用が欠損すると考えられる[2)3)]．

2. 疫学

平均発症年齢は12歳である．発症年齢は生後間もなくから69歳までと幅広い[4]．

NFKB1遺伝子は単一遺伝子異常によるCVIDのなかでは最も多い原因遺伝子といわれている．欧州の希少疾患コホートでは390名のCVIDの4％を占め[5]，ドイツの270名のCVIDのコホートのなかでも5家系でNFKB1の病的変異を認め[6]，それぞれのコホートのなかで最も多い．わが国においてもNFKB1変異を認めるCVID患者が数家系確認されている．現在NFKB1変異としてはホモ接合体変異による複合免疫不全症の報告もなされている[7]．

3. 診断基準，診断の手引き

診断フローチャートを図1に示す．European Society for Immunodeficiencies（ESID）のCVIDの診断基準（https://esid.org/Education/Common-Variable-Immunodeficiency-CVI-diagnosis-criteria）に

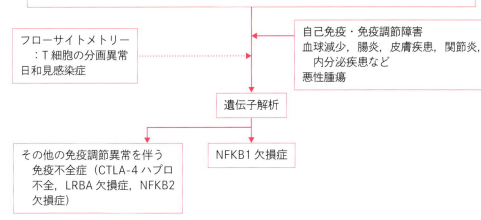

図1 NFKB1欠損症の診断フローチャート

あげられている．1）反復難治性の細菌感染症やウイルス感染症（特に上・下気道感染症），2）血清免疫学的検査において低ガンマグロブリン血症（IgGおよびIgMまたはIgAの2系統以上の低下），3）フローサイトメトリーにてB細胞＞2％を満たす場合に，抗体産生不全症として本疾患を考慮する．10％の症例では抗体産生に異常を認めず，その他T細胞の分画異常，日和見感染症を示す場合もあるため，CVIDの診断基準をすべて満たさない場合でも，臨床症状から本症を念頭に検索を要する．*NFKB1*遺伝子変異が検出された場合にNFKB1欠損症の診断となる．既報告変異でない場合は，NF-κB1蛋白発現の解析を行うことを必要とする場合もある．

4. 合併症

症状は多岐にわたり，65例のまとめによる合併症の割合を図2に示す[8]．抗体産生不全に伴う繰り返す呼吸器感染症が主症状である．続いてリンパ増殖症，炎症性腸疾患症状や感染症などの消化管疾患，血球減少をはじめとした自己免疫疾患，アフタ性潰瘍や非感染性発熱などの免疫調節障害，悪性腫瘍がみられる．身体所見上は気道感染症による上気道・下気道症状，肝脾腫，リンパ腫大，皮膚炎症状を認める．検査所見上は多くの症例で低ガンマグロブリン血症を認める．自己免疫性血球減少を反映して白血球減少や貧血，血小板減少を呈することもある[4]．

5. 重症度分類

NFKB1欠損症の主症状は，抗体産生不全による低ガンマグロブリン血症であるが，定期的な免疫グロブリン製剤の補充や予防的抗微生物薬投与なしでは易感染性を示し，重症感染症をきたす疾患である．また自己免疫疾患や内分泌学的な異常を合併する場合は免疫抑制薬などの追加治療を要するため，NFKB1欠損症はすべて重症と考えられる．

6. 管理方法（フォローアップ指針），治療

少なくともCVIDに準じたフォローアップが必要である．例えば，気管支拡張症や間質性肺炎の評価のための定期的な胸部CT撮影や，消化管疾患やリンパ増殖性疾患のスクリーニングを行う[9]．

治療に関しては，低ガンマグロブリン血症に対して，免疫グロブリン製剤（静注および皮下注）の定期補充が必要である．血清IgG 700～1,000 mg/dLを目安とするが，患者の易感染状態

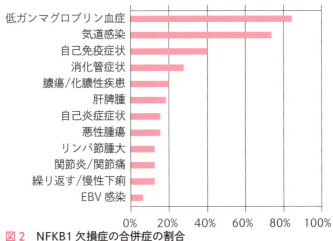

図2 NFKB1欠損症の合併症の割合

(Dieli-Crimi R, Martínez-Gallo M, Franco-Jarava C, et al. Th1-skewed profile and excessive production of proinflammatory cytokines in a NFKB1-deficient patient with CVID and severe gastrointestinal manifestations. *Clin Immunol* 2018；195：49-58. より改変)

に応じて生物学的トラフを目指して適宜増減する．一部の患者ではT細胞機能不全による日和見感染症などが認められるため，ST合剤の予防内服のほか，必要に応じて抗真菌薬，抗ウイルス薬の予防投与を検討する．細菌・真菌・ウイルス感染症罹患時は，適切な抗菌薬・抗真菌薬・抗ウイルス薬による早期治療介入と，免疫グロブリンの追加投与が必要となる．

自己免疫疾患の合併例では，様々な免疫抑制薬が必要となることも多い．ステロイド，シクロスポリン，タクロリムス，ミコフェノール酸モフェチルなどに加え，抗CD20モノクローナル抗体（リツキシマブ）や抗TNF製剤などの生物学的製剤が必要となることもある．NFKB1欠損症157例の患者のまとめ[4]では，免疫グロブリン補充療法単独で治療が奏功しているのは14.5%であり，抗微生物薬による予防は抗菌薬を44.8%，抗真菌薬を12.5%，抗ウイルス薬を12.4%の患者が必要としていた．また自己免疫性血球減少に対して60%の患者がステロイドを投与されている．再発難治な症例においては17.4%で抗CD20モノクローナル抗体，15.2%で脾臓摘出，8.7%でミコフェノール酸モフェチルの投与がなされている．そのほか自己免疫疾患の合併に対して何らかの免疫抑制薬を追加で必要とすることが多く，免疫グロブリン補充療法だけでは管理に難渋する．造血細胞移植はEBウイルス関連リンパ増殖疾患を合併した2例，リンパ増殖症を伴う難治性血球減少を合併した1例，非定型抗酸菌感染症を合併した1例で施行されているが，詳細は不明である．今後の研究によっては造血細胞移植の適応となる可能性がある．

社会保障については下記の対象となる．
・小児慢性特定疾病（細分類24／告示番号7）分類不能型免疫不全症
・指定難病（65番）原発性免疫不全症候群

7. 予後，成人期の課題

大規模なコホート解析によると，平均52歳で慢性疾患を伴う感染症や悪性腫瘍による合併症で死亡している[4]．浸透率は70%程度のため[4]，遺伝子変異を有する無症状のキャリアを同定した場合でも，免疫学的検査の施行や定期的な受診などが必要と考えられる．成人期での悪性腫瘍発症なども考慮すると内科医と連携していくことが望ましい．

8. 診療上注意すべき点

NFKB1欠損症では免疫グロブリン補充療法だけでは感染がコントロールできない可能性があ

り，抗微生物薬の予防投薬を慎重に検討する必要がある．また，自己免疫疾患の合併例は免疫抑制薬による介入を必要とすることが多く，病態・病勢の正確な評価と適切な治療介入が必要である．

文献

1) Fliegauf M, Bryant LV, Frede N, et al. Haploinsufficiency of the NF-κB1 Subunit p50 in Common Variable Immunodeficiency. *Am J Hum Genet* 2015；97：389-403.
2) Fliegauf M, Grimbacher B. Nuclear factor κB mutations in human subjects：The devil is in the details. *J Allergy Clin Immunol* 2018；142：1062-1065.
3) Fluegauf M, Kinnunen M, Posadas-Cantera S, et al. Detrimental *NFKB1* missense variants affecting the Rel-homology domain of p105/p50. *Front Immunol* 2022；13：965326.
4) Lorenzini T, Fliegauf M, Klammer N, et al. Characterization of the clinical and immunologic phenotype and management of 157 individuals with 56 distinct heterozygous NFKB1 mutations. *J Allergy Clin Immunol* 2020；146：901-911.
5) Tuijnenburg P, Allen HL, Burns SO, et al. Loss-of-function nuclear factor κB subunit 1（NFKB1）variants are the most common monogenic cause of common variable immunodeficiency in Europeans. *J Allergy Clin Immunol* 2018；142：1285-1296.
6) Schröder C, Sogkas G, Fliegauf M, et al. Late-Onset Antibody Deficiency Due to Monoallelic Alterations in *NFKB1*. *Front Immunol* 2019；10：2618.
7) Mandola AB, Sharfe N, Nagdi Z, et al. Combined immunodeficiency caused by a novel homozygous NFKB1 mutation. *J Allergy Clin Immunol* 2021；147：727-733.e2.
8) Dieli-Crimi R, Martínez-Gallo M, Franco-Jarava C, et al. Th1-skewed profile and excessive production of proinflammatory cytokines in a NFKB1-deficient patient with CVID and severe gastrointestinal manifestations. *Clin Immunol* 2018；195：49-58.
9) Yong, FKP, Thaventhiran EDJ, Grimbacher, B. "A rose is a rose is a rose," but CVID is Not CVID common variable immune deficiency（CVID），what do we know in 2011? *Adv Immunol* 2011；111：47-107.

第3章 抗体産生不全症

G NFKB2 欠損症

東北大学大学院医学系研究科 発生・発達医学講座 小児病態学分野　笹原洋二

1. 疾患概要

NFKB2欠損症は2013年に分類不能型免疫不全症（common variable immunodeficiency：CVID）の原因遺伝子の一つとして報告された．CVIDは成熟Bリンパ球，特に記憶B細胞，および抗体産生を行う形質細胞への分化障害による低ガンマグロブリン血症を特徴とする抗体産生不全症であり，易感染性だけでなく自己免疫疾患を合併することが多いことでも知られている[1]．このCVIDのなかで，NF-κB2をコードするNFKB2遺伝子変異を原因とする病型が2013年に初めて報告され[2]，その後も同症の報告がなされている[3〜14]．なお本症はそれまでに知られていたDAVID（deficient anterior pituitary with variable immune deficiency）症候群と同一疾患である[13]．

2. 疫学

これまで世界で50例以上の報告がなされている[2〜14]．わが国においても少なくとも5家系以上存在することが知られている．

3. 診断基準，診断の手引き

a 病因と分子病態

NF-κBは免疫応答にかかわる重要な蛋白であり，NF-κBシグナルは免疫応答や免疫制御における重要なシグナル伝達経路である．NFKB2遺伝子はそのNF-κBシグナルにかかわるp100をコードする．p100蛋白の活性化はp52へのプロセシングに重要であり，このp52が核内での遺伝子発現調節に重要である[14]．NF-κBシグナルのなかで，NF-κB2は非古典的経路において重要な役割を果たし，B細胞の成熟，末梢リンパ組織の発達，骨代謝，胸腺の発達に関与している．

NFKB2欠損症はヒト10番染色体上（10q24）に存在するNFKB2遺伝子のヘテロ接合性変異により生じる常染色体顕性（優性）遺伝形式をとる疾患である．

b 臨床症状

多くは小児期に発症すると報告され，平均発症年齢5.9歳で，60%程度は5歳より前に発症する．呼吸器感染症などの免疫不全の病態により発症する感染症による症状が主である．下気道感染を反復している場合は気管支拡張症を合併する場合，脾腫やリンパ節腫大を認める場合がある．そのほか，再発難治性のヘルペスウイルス感染症やカンジダ感染症，ニューモシスチス肺炎などの日和見感染症を合併する症例も存在する．

特徴的な症状は脱毛症であり，ほかに特異的な皮疹，下痢，関節炎による症状，汎血球減少（自己免疫性溶血性貧血，免疫性血小板減少性紫斑病）に伴う貧血や出血傾向などの自己免疫疾患に起因する症状である．

ほかに，ACTH欠損症による副腎不全を合併している場合は，副腎クリーゼ症状や低血糖・電解質異常に伴う症状を呈する．成長ホルモン分泌不全を合併している場合は低身長を呈する[14]．

c 検査所見

多くの症例ではB細胞減少，低ガンマグロブリン血症（IgG, IgM, IgA, IgEの全系統）を呈する．特異抗体産生は部分的に可能な症例もみられる．自己免疫性血球減少を反映して白血球減少や貧血，血小板減少を呈することもある．一方で自己抗体は検出されないことも多い．一部の症例

図1 NFKB2欠損症の診断フローチャート

では，NK細胞活性低下を認める[10)11)]．

内分泌学的検査においてACTH分泌不全による副腎不全の際には低血糖や電解質異常を認め，成長ホルモン分泌不全を認める症例も存在する[14)]．

d 鑑別診断

図1に診断フローチャートを図示する．
European Society for Immunodeficiencies（ESID）のCVIDの診断基準にあげられている，
①反復難治性の細菌感染症やウイルス感染症（上・下気道感染，皮膚感染）を発症した場合，
②血清免疫学的検査において低ガンマグロブリン血症（IgG，IgA，IgMの2系統以上で低下）やワクチン接種後の抗体産生能低下を認める場合，
③フローサイトメトリーにてB細胞が2%以上である場合，

に準じて，CVIDの一つとして本疾患を考慮する．経過中にB細胞数の低下やT細胞の分画異常や日和見感染症を示す場合もあるため，CVIDの診断基準をすべて満たさない場合でも本症を念頭に検索を要する．さらに脱毛症やリンパ球の臓器浸潤，関節炎，腸炎などの自己免疫疾患，副腎不全や成長ホルモン分泌不全など内分泌学的疾患を伴う場合には本症を疑って*NFKB2*遺伝子検索を行い，ヘテロ接合性の病的変異を同定する．

これまでの遺伝子変異報告の総括では，NFKB2欠損症における*NFKB2*遺伝子変異はC末端に集中していることが明らかとなっており，フレームシフト変異とミスセンス変異である（図2）[14)]．既報告変異でない場合は，NF-κB2蛋白発現の解析や機能解析を行うことが必要である[6)]．

NFKB2欠損症と鑑別が必要な免疫不全症として，CVIDの原因として知られている他の疾患があげられる．NFKB2欠損症では，経過中にB細胞欠損を呈する場合もあり，B細胞欠損を特徴とする疾患群も鑑別する必要がある．

e 診断基準

*NFKB2*遺伝子に有意な遺伝子変異が同定されることにより確定診断される．保険収載となっている．かずさDNA研究所によるCVIDの既知遺伝子パネル解析が有用である．

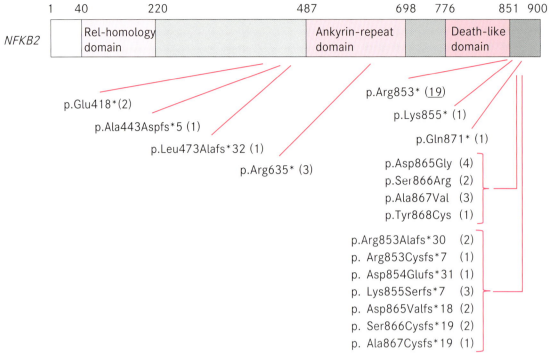

図2 NFKB2欠損症におけるNFKB2遺伝子変異(症例数)

4. 合併症

大規模コホートのまとめによると，20～30代で悪性腫瘍を発症し，白血病やリンパ腫などの血液腫瘍や固形腫瘍の発症例がある[14]．

5. 重症度分類

NFKB2欠損症の主症状は，抗体産生不全による低ガンマグロブリン血症であるが，定期的な免疫グロブリン製剤の補充なしでは易感染性を示し，重症感染症をきたす疾患である．また自己免疫疾患や内分泌学的な異常を合併する場合は免疫抑制薬などの追加治療を要するため，重症と考えられる．

6. 管理方法（フォローアップ指針），治療

a 治療

抗体産生不全による易感染性が主症状であり，低ガンマグロブリン血症に対して免疫グロブリン製剤（静注および皮下注）の定期補充が必要である．血清IgG値700～1,000 mg/dLを目安とするが患者の易感染状態に応じて適宜増減する．一部の患者ではT細胞機能不全による日和見感染症などが認められるため，ST合剤の予防内服のほか，必要に応じて抗真菌薬，抗ウイルス薬の予防投与を検討する．感染症罹患時は，適切な抗菌薬・抗真菌薬・抗ウイルス薬による早期治療介入と，免疫グロブリン製剤の追加投与が必要となる．

内分泌疾患でACTH分泌不全による副腎不全を合併している場合は副腎皮質ホルモン補充療法が必須であり，成長ホルモン分泌不全を合併している症例では成長ホルモン補充療法を検討する．

自己免疫疾患の合併例では，様々な免疫抑制薬が必要となることも多い．ステロイド，シクロスポリン，タクロリムス，ミコフェノール酸モフェチルなどに加え，抗CD20モノクローナル抗体（リツキシマブ）や抗TNF製剤などの生物学的製剤が必要になることもある[14]．免疫抑制薬の開始により易感染性を助長する可能性もあり，病態の正確な評価と適切な治療介入が重要である．

NFKB2欠損症50例の報告では，免疫グロブ

リン補充療法を66％の症例が，抗菌薬の予防投与を6％の症例が，免疫抑制療法を28％の症例が受けていた[14]．

これまでのところNFKB2欠損症に対する造血細胞移植は1例の報告があるが，治療関連合併症にて早期死亡している[7]．現時点では症例数が少なく標準治療としては確立していないため議論の余地がある．

b フォローアップ指針

CVIDに準じたフォローアップが必要である．例えば，気管支拡張症や間質性肺炎の評価のための胸部CT検査や呼吸機能検査を行う．自己免疫疾患・内分泌疾患の合併や，悪性腫瘍やリンパ増殖性疾患の合併については長期的なフォローアップを行う．

7. 予後，成人期の課題

大規模なコホート解析によると，感染症や自己免疫疾患がコントロールできれば予後は比較的良好と考えられるが，悪性腫瘍や造血細胞移植後の死亡例も報告されており，今後長期的な評価を行う必要がある[14]．家族内で無症状の段階で本遺伝子変異を同定した場合にも，免疫学的検査の施行や定期的な受診などが必要である．成人期での合併症発症なども考慮すると内科医と移行期医療について連携していくことが望ましい．

8. 診療上注意すべき点

NFKB2欠損症では，皮疹や脱毛症，低血糖や電解質異常などの副腎不全を疑う徴候を見逃さず，易感染性があり低ガンマグロブリン血症やB細胞数低下を認める場合にはCVIDの一つとして鑑別する必要がある．

診療上のコツ：臨床症例から

12歳男児で，幼少時に反復性中耳炎に罹患していた．下腿の結節性紅斑様の皮疹があり皮膚科を受診し，皮膚生検で好中球浸潤を伴っていた．ステロイド治療が開始されたが，その際に低ガンマグロブリン血症（血清IgG値300 mg/dL）を伴っていた．ステロイド依存性で呼吸器感染症を合併したため，特異的な皮疹と低ガンマグロブリン血症からCVIDを疑って遺伝子パネル解析を施行したところ，NFKB2遺伝子にヘテロ接合性ナンセンス変異を認め，NFKB2欠損症と診断された[12]．

Pitfall

全例ではないものの，脱毛症や特異的な皮疹を認めることや，副腎不全の症候を認めることが本疾患の特徴的である．さらに易感染性があり，免疫学的検査で低ガンマグロブリン血症やB細胞減少を認める場合には，全身性疾患としてCVIDのなかでNFKB2欠損症を鑑別する必要がある．

文献

1) Warnatz K, Voll RE. Pathogenesis of autoimmunity in common variable immunodeficiency. *Front Immunol* 2012；3：210-215.
2) Chen K, Coonrod EM, Kumánovics A, et al. Germline mutations in NFKB2 implicate the noncanonical NF-kappaB pathway in the pathogenesis of common variable immunodeficiency. *Am J Hum Genet* 2013；93：812-824.
3) Lindsley AW, Qian Y, Valencia A, et al. Combined immune deficiency in a patient with a novel NFKB2 mutation. *J Clin Immunol* 2014；34：910-915.
4) Lee CE, Fulcher DA, Whittle B, et al. Autosomal-dominant B-cell deficiency with alopesia due to a mutation in NFKB2 that results in nonprocessable p100. *Blood* 2014；124：2964-2972.
5) Liu Y, Hanson S, Gurugama P, et al. Novel NFKB2 mutations in early-onset CVID. *J Clin Immunol* 2014；34：686-690.
6) Kuehn HS, Niemela JE, Sreedhara K, et al. Novel nonsense gain-of-function NFKB2 mutations associated with a combined immunodeficiency phenotype. *Blood* 2017；130：1553-1564.
7) Bader-Meunier B, Rieux-Laucat F, Touzot F, et al. Inherited immunodeficiency：A new association with early-onset childhood panniculitis. *Pediatrics* 2018；141：S496-500.
8) Tuijnenburg P, Allen HL, de Bree GJ, et al. Pathogenic NFKB2 variant in the ankyrin repeat domain（R635X）causes a variable antibody deficiency. *Clin Immunol* 2019；203：23-27.

9) Slade CA, McLean C, Scerri T, et al. Fatal enteroviral encephalitis in a patient with common variable immunodeficiency harbouring a novel mutation in NFKB2. *J Clin Immunol* 2019；39：324-335.
10) Lougaris V, Tabellini G, Vitali M, et al. Defective natural killer-cell cytotoxicity activity in NFKB2-mutated CVID-like disease. *J Allergy Clin Immunol* 2015；1641-1643.
11) Montin D, Licciardi F, Giorgio E, et al. Functional evaluation of natural killer cell cytotoxic activity in NFKB2-mutated patients. *Immunol Lett* 2018；194：40-43.
12) Okamura K, Uchida T, Hayashi M, et al. Neutrophilic dermatitis associated with an NFKB2 mutation. *Clin Exp Dermatol* 2019；44：350-352.
13) Brue T, Quentien M, Khetchoumian K, et al. Mutations in NFKB2 and potential genetic heterogeneity in patients with DAVID syndrome, having variable endocrine and immune deficiencies. *BMC Med Genet* 2014；15：139-146.
14) Klemann C, Camacho-Ordonez N, Yang L, et al. Clinical and immunological phenotype of patients with primary immunodeficiency due to damaging mutations in NFKB2. *Front Immunol* 2019；10：297-313.

II 各論

第4章 免疫調節障害

第4章 免疫調節障害

A チェディアック・東（Chédiak-Higashi）症候群（CHS）

金沢大学医薬保健研究域医学系 小児科　宮澤英恵　和田泰三

1. 疾患概要

　チェディアック・東症候群（Chédiak-Higashi syndrome：CHS）は，細胞内蛋白輸送にかかわる LYST 遺伝子の異常により引き起こされる原発性免疫不全症である．常染色体潜性（劣性）遺伝の疾患で，2022年に発表された原発性免疫不全症の国際分類では，免疫調節障害のなかの，色素脱失を伴う家族性血球貪食性リンパ組織球（familial hemophagocytic lymphohistiocytosis：FHL）症候群の一つに分類されている[1]．LYST 蛋白は，ライソゾームの細胞内生成や輸送にかかわり，細胞内顆粒輸送や微小管機能調節に重要な役割を果たしている[2]．このため，CHS 患者では，顆粒をもつすべての細胞で巨大顆粒を形成し，分泌顆粒の放出が障害される．その結果，NK 細胞や細胞傷害性 T 細胞（cytotoxic T lymphocyte：CTL）の細胞傷害活性低下や脱顆粒の異常を認めるほか，食細胞，特に好中球の減少や機能異常を示す．また，メラニン細胞では色素顆粒異常をきたすことで，眼皮膚白皮症が引き起こされる．

2. 疫学

　世界で500例以下，わが国では15例程度の報告にとどまるまれな疾患である[3)4)]．

3. 診断基準，診断の手引き

a 臨床症状

1）眼皮膚白皮症

　典型的な CHS 症例においては，皮膚の色素脱失を認める．毛髪は銀色の特異な光沢を示し，光学顕微鏡下でメラニン色素の特徴的な分布異常が観察される[5]．虹彩ならびに網膜色素上皮でも色素脱失が認められ，視力障害を引き起こす場合がある．

2）一般化膿菌に対する易感染性

　乳児期から頻繁に重症感染症を合併する．なかでも，ブドウ球菌や連鎖球菌などの細菌感染症が多く，皮膚や呼吸器が標的となる．頻度は少ないが，ウイルス感染症や真菌感染症の合併も知られている．さらに，歯周囲炎の合併もしばしば認められ，診断のきっかけとなる場合がある．一方で，易感染性が目立たない症例も存在する．

3）神経症状

　知能障害，けいれん，小脳失調，末梢神経障害等の進行性の神経症状を認める．造血細胞移植を施行された患者においても，進行性の神経症状を呈することが知られており，これらの異常は血球系の機能異常によるものではなく，神経細胞自体の機能障害によるものであることが推測されている[6]．

4）出血傾向

　血小板機能異常により，鼻出血，歯肉・粘膜出血，紫斑など，様々な程度の出血傾向を認めることが知られている．しかし，重篤な出血傾向を伴うことはまれである．

b 検査所見

1）白血球内の巨大顆粒

　白血球細胞質内にミエロペルオキシダーゼや酸ホスファターゼ陽性の巨大顆粒を認め，CHS の診断において重要な根拠となる．主として顆粒球で認められるが，リンパ球でも観察される[7]（図1）．急性白血病や骨髄異形成症候群などでも，CHS に類似した細胞内顆粒を認めることがあり，pseudo Chédiak-Higashi 顆粒とよばれている．

2）NK細胞，CTLの機能障害

LYST蛋白は多様な局面でNK細胞やCTL機能と深くかかわっていることが明らかとされており，この異常であるCHSではNK細胞活性の著明な低下が生じる[8]．また，NK細胞活性と同様にCTLの細胞傷害活性も低下している．NK細胞活性の一般的な評価法として^{51}Cr遊離試験が知られているが，二次性血球貪食性リンパ組織球症でも低下を認める場合がある点に注意が必要である．脱顆粒機能のスクリーニングとして，顆粒膜抗原であるCD107a（Lamp-1）の細胞表面への発現をフローサイトメトリーにより評価する方法が，CHSをはじめとするFHL症候群のスクリーニングに用いられている[2]．

3）毛髪の顕微鏡所見

光学顕微鏡では，比較的小さなメラニン色素の集塊（pigment clumping）が，毛皮質に均一に分布する像が観察される．一方，色素脱失を呈するFHL症候群に分類され，CHS同様の特徴的な毛髪を呈するGriscelli症候群2型（Griscelli syndrome type 2：GS2）では，大きく粗なメラニン顆粒が，髄質付近に分布する像が観察される[5]．

4）LYST遺伝子変異

LYST遺伝子はCHSの責任遺伝子であり，変異部位は遺伝子内に幅広く存在し，多くの症例では両アレルに変異を認める．一方で，変異部位を特定できない症例も報告されている．わが国では原発性免疫不全症候群遺伝子検査が保険適用となっており，家族性血球貪食性リンパ組織球症パネル〔*PRF1, UNC13D, STX11, STXBP2, FAAP24, SLC7A7, LYST, RAB27A, AP3B1, AP3D1, SH2D1A, XIAP（BIRC4）*〕に*LYST*遺伝子が含まれており（2023年7月現在），CHSの確定診断，ならびに他のFHL症候群との鑑別に有用である．

C 鑑別診断

鑑別疾患として，眼皮膚白皮症を呈する症候群である，Hermansky-Pudlak症候群（Hermansky-Pudlak syndrome：HPS），Griscelli症候群（GS）があげられる[1]（表1）．特にHPS2型（HPS2），HPS10型（HPS10），GS2は，NK細胞機能低下などの免疫異常を伴う疾患であり，CHSの鑑別疾患として重要である．

HPS2は，adaptor-related protein complex 3（AP-3）

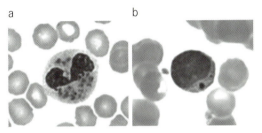

図1　CHS患者の末梢血白血球内の巨大顆粒

a：好中球，b：リンパ球．Chédiak-Higashi syndrome（CHS）患者では，末梢血の顆粒球やリンパ球において，巨大な細胞内顆粒が認められ，診断の根拠となる．

(De Azambuja AP, Balduini CL. Images from the Haematologica atlas of hematologic cytology：Chediak-Higashi syndrome. *Haematologica* 2021；106：655.)

表1　色素脱失を伴うFHL症候群

疾患名	責任遺伝子	遺伝形式	臨床的特徴
CHS	*LYST*	AR	眼皮膚白皮症，反復感染，肝脾腫，HLH，白血球内の巨大顆粒，好中球減少，血球減少，出血傾向，進行性神経症状
GS2	*RAB27A*	AR	眼皮膚白皮症，肝脾腫，HLH，血球減少
HPS2	*AP3B1*	AR	眼皮膚白皮症，反復感染，肺線維症，出血傾向，好中球減少，HLH
HPS10	*AP3D1*	AR	眼皮膚白皮症，重症好中球減少，反復感染，けいれん，難聴，神経発達障害

FHL：familial hemophagocytic lymphohistiocytosis 家族性血球貪食性リンパ組織球症，CHS：Chédiak-Higashi syndrome，GS：Griscelli syndrome，HPS：Hermansky-Pudlak syndrome，AR：autosomal recessive 常染色体潜性（劣性）遺伝，HLH：hemophagocytic lymphohistiocytosis 血球貪食性リンパ組織球症

(Tangye SG, Al-Herz W, Bousfiha A, et al. Human Inborn Errors of Immunity：2022 Update on the Classification from the International Union of Immunological Societies Expert Committee. *J Clin Immunol* 2022；42：1473-1507. をもとに作成)

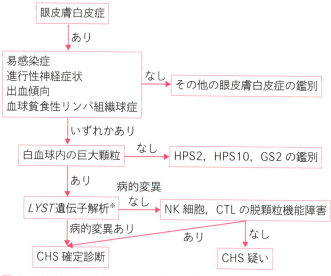

図2 CHS 診断のためのフローチャート
※：*LYST* 遺伝子解析は保険収載されている原発性免疫不全症候群遺伝子検査の家族性血球貪食性リンパ組織球症パネルに含まれる．
CHS：Chédiak-Higashi syndrome, HPS：Hermansky-Pudlak syndrome, GS：Griscelli syndrome, CTL：cytotoxic T lymphocyte 細胞傷害性 T 細胞

の β3A サブユニットをコードする *AP3B1* 遺伝子異常による常染色体潜性（劣性）遺伝の疾患である．世界で 33 例，わが国からも 2 例の報告がある[9)10)]．AP-3 は細胞内顆粒の輸送を担う構成分子であり，この異常によって分泌顆粒の輸送に障害を認め，CHS 同様に眼皮膚白皮症，出血傾向，易感染性，好中球減少，血球貪食性リンパ組織球症（hemophagocytic lymphohistiocytosis：HLH）を呈する．肺線維症の合併も報告されている．白血球細胞質内の巨大顆粒は認めず，CHS との鑑別に有用である．

AP-3 の δ サブユニットをコードする *AP3D1* 遺伝子の異常による HPS10 は，世界でも数例の報告にとどまる非常にまれな疾患である．HPS2 同様に，眼皮膚白皮症や易感染性，好中球減少などの免疫異常を認める一方で，てんかん，精神発達遅滞，聴力障害などの臨床症状を呈することが報告されている[11)]．

GS2 は，細胞内顆粒の融合，移送に関連する *RAB27A* 遺伝子の異常によって発症する常染色体潜性（劣性）遺伝の疾患であり，眼皮膚白皮症に加えて，易感染性と HLH の合併を認める．

d 診断フローチャート

図2のフローチャートを参考に診断を進める．眼皮膚白皮症に加えて，CHS に特徴的な臨床像（易感染性，進行性神経症状，出血傾向，HLH など）を認める場合，末梢血で白血球内の巨大顆粒の有無を評価する．巨大顆粒を認める場合，CHS の可能性が高く，*LYST* 遺伝子検査にて確定診断する．ただし，*LYST* 遺伝子の変異部位を特定できない CHS 症例も存在し，そのような症例では他の眼皮膚白皮症を呈する症候群を鑑別するとともに，NK 細胞や CTL の脱顆粒機能解析などの免疫学的評価を行い，総合的に診断する．

4. 合併症

CHS では NK 細胞数は正常であるが，NK 細胞機能ならびに CTL 機能は低下しているため，およそ 85％ の症例で，発熱，リンパ節腫大，肝脾腫，血球減少などを伴う "accelerated phase" とよばれる HLH を経験する[2)4)]．様々な感染症が HLH の契機となることが知られており，特に EB ウイルス（EBV）感染症はしばしばその要因となる．

HLHの合併はCHSにおける最も重要な死亡原因となる．

5. 重症度分類

感染症や神経症状が認められれば重症である．LYST遺伝子の機能喪失型変異の場合，重症型を示すことが多い．一方，ミスセンス変異で機能が一部残存するような場合には，臨床症状が比較的軽微となる．しかし，易感染性が目立たず，HLHを合併しない症例においても，思春期以降に神経症状が進行することが多く，CHSと診断されれば基本的に重症として経過観察が必要と考えられる．

6. 管理方法（フォローアップ指針），治療

造血細胞移植が唯一の根治療法であり，易感染性を呈する症例は基本的に造血細胞移植の適応となる．造血細胞移植を受けた35例の海外の成績では，5年生存率は62％と報告されている[4]．移植の方法については，強度減弱前処置を用いた移植が骨髄破壊的前処置を用いた移植と同様に有効であり，移植関連合併症を軽減できる可能性が報告されている[12]．また，移植後，シクロホスファミドを使用したハプロ移植の報告も散見される[13]．accelerated phaseに移行するまでに，造血細胞移植を施行することが望ましいが，すでに移行した症例では，症状が改善した段階で移植を行うことが推奨される．近年，先制的造血細胞移植の有効性が報告されているが，その適応や適切なタイミングについては慎重な判断が必要である[14]．造血細胞移植により血液あるいは免疫学的な症状は改善されるが，神経学的予後の改善は見込めないとされる．一方，移植後に神経系異常の増悪がみられなくなり，頭部MRI所見が改善したとの報告があり，今後のさらなる検討が望まれる[12]．

accelerated phaseに対してはHLHに準じた治療を行う．他のFHL症候群と同様に，デキサメタゾン，エトポシド，シクロスポンを中心としたHLH-94やHLH-2004プロトコルによる治療が有効であると報告されている[4]．HLH-2004プロトコルではHLH-94と異なり，治療開始時からシクロスポリンが併用されているが，高血圧や可逆性後頭葉白質脳症（posterior reversible encephalopathy syndrome：PRES）の発症リスクが懸念されることから，最近ではHLH-94が推奨されている[15]．また，EBV感染症は，しばしばaccelerated phase発症の契機になることが知られているが，その場合にリツキシマブを併用することで治療効果を高める可能性が報告されている[4]．

感染症に対しては適切な抗菌薬・抗真菌薬・抗ウイルス薬治療を行う．また，反復感染を予防するための抗菌薬予防投与や，歯科治療や侵襲的処置の前の抗菌薬予防投与を検討する．

眼皮膚白皮症に対しては，日焼けと皮膚癌を予防するため紫外線対策を行う．眼を守るためサングラスを使用する．必要に応じて，皮膚科，眼科との連携を進める．神経症状は進行性であり，リハビリテーションを早期から開始することが望まれる．侵襲的処置を行う前の出血傾向のコントロールに，デスモプレシンの経静脈的投与が有効とされる．

免疫学的異常を認めない，あるいは軽微な非典型例でも神経症状の進行や悪性腫瘍の合併を認めることがあり，長期的な診療および支援が必要である．

7. 予後，成人期の課題

典型的なCHSでは，造血細胞移植を施行しなければその予後は不良である．一方で，眼皮膚白皮症や易感染性，出血傾向などの症状が目立たず，accelerated phaseに移行しない非典型例も存在する．そのような例では思春期，成人期に神経症状などから診断される場合もある．近年，わが国における遺伝性対麻痺患者387例の遺伝子解析によって，6例のCHS患者が見出されており，CHS非典型例が潜在していることが示唆されている[3]．

8. 診療上注意すべき点

アジア系民族を含む有色人種のCHS症例において，露光部の色素増強が報告されており，他疾患を疑われ診断が遅れる場合があることが指摘されている．また，CHSをはじめとする色素脱失を

伴う FHL 症候群では，症例ごとに眼皮膚白皮症の程度が異なり，白皮症がない，もしくは目立たない症例が存在するため，皮膚色のみでの判断がむずかしい場合があることを認識する必要がある[4)11)16)]．

CHS が疑われ，*LYST* 遺伝子変異を認めない症例では，臨床症状や検査所見（白血球内の巨大顆粒や脱顆粒機能障害など）から総合的に判断する必要がある．非ステロイド性抗炎症薬は出血傾向を助長する可能性があり，使用は避ける．典型例では，細胞性免疫不全を伴うため，生ワクチンは基本的には推奨されない．不活化ワクチンも疾患活動性に影響する可能性が否定できないため，患者の免疫能などをもとにして症例ごとに決定する必要がある．

文献 ——————

1) Tangye SG, Al-Herz W, Bousfiha A, et al. Human Inborn Errors of Immunity：2022 Update on the Classification from the International Union of Immunological Societies Expert Committee. *J Clin Immunol* 2022；42：1473-1507.
2) Sieni E, Cetica V, Hackmann Y, et al. Familial hemophagocytic lymphohistiocytosis：when rare diseases shed light on immune system functioning. *Front Immunol* 2014；5：167.
3) Koh K, Tsuchiya M, Ishiura H, et al. Chédiak-Higashi syndrome presenting as a hereditary spastic paraplegia. *J Hum Genet* 2022；67：119-121.
4) Lozano ML, Rivera J, Sanchez-Guiu I, et al. Towards the targeted management of Chédiak-Higashi syndrome. *Orphanet J Rare Dis* 2014；9：132.
5) Bhattarai D, Banday AZ, Sadanand R, et al. Hair microscopy：an easy adjunct to diagnosis of systemic diseases in children. *Appl Microsc* 2021；51：18.
6) Tardieu M, Lacroix C, Neven B, et al. Progressive neurologic dysfunctions 20 years after allogeneic bone marrow transplantation for Chédiak-Higashi syndrome. *Blood* 2005；106：40-42.
7) De Azambuja AP, Balduini CL. Images from the Haematologica atlas of hematologic cytology：Chédiak-Higashi syndrome. *Haematologica* 2021；106：655.
8) Gil-Krzewska A, Wood SM, Murakami Y, et al. Chédiak-Higashi syndrome：Lysosomal trafficking regulator domains regulate exocytosis of lytic granules but not cytokine secretion by natural killer cells. *J Allergy Clin Immunol* 2016；137：1165-1177.
9) Nishikawa T, Okamura K, Moriyama M, et al. Novel AP3B1 compound heterozygous mutations in a Japanese patient with Hermansky-Pudlak syndrome type 2. *J Dermatol* 2020；47：185-189.
10) Matsuyuki K, Ide M, Houjou K, et al. Novel AP3B1 mutations in a Hermansky-Pudlak syndrome type2 with neonatal interstitial lung disease. *Pediatr Allergy Immunol* 2022；33：e13748.
11) Frohne A, Koenighofer M, Cetin H, et al. A homozygous AP3D1 missense variant in patients with sensorineural hearing loss as the leading manifestation. *Hum Genet* 2023；142：1077-1089.
12) Umeda K, Adachi S, Horikoshi Y, et al. Allogeneic hematopoietic stem cell transplantation for Chédiak-Higashi syndrome. *Pediatr Transplant* 2016；20：271-275.
13) Uppuluri R, Sivasankaran M, Patel S, et al. Haploidentical Stem Cell Transplantation with Post-Transplant Cyclophosphamide for Primary Immune Deficiency Disorders in Children：Challenges and Outcome from a Tertiary Care Center in South India. *J Clin Immunol* 2019；39：182-187.
14) Lucchini G, Marsh R, Gilmour K, et al. Treatment dilemmas in asymptomatic children with primary hemophagocytic lymphohistiocytosis. *Blood* 2018；132：2088-2096.
15) Ehl S, Astigarraga I, von Bahr Greenwood T, et al. Recommendations for the Use of Etoposide-Based Therapy and Bone Marrow Transplantation for the Treatment of HLH：Consensus Statements by the HLH Steering Committee of the Histiocyte Society. *J Allergy Clin Immunol Pract* 2018；6：1508-1517.
16) Ohishi Y, Ammann S, Ziaee V, et al. Griscelli Syndrome Type 2 Sine Albinism：Unraveling Differential RAB27A Effector Engagement. *Front Immunol* 2020；11：612977.

第4章 免疫調節障害

B X連鎖リンパ増殖症候群（XLP）

東京医科歯科大学大学院医歯学総合研究科 小児地域成育医療学講座　星野顕宏　金兼弘和

1. 疾患概要

X連鎖リンパ増殖症候群（X-linked lymphoproliferative syndrome：XLP）はEpstein-Barrウイルス（EBV）に対する選択的免疫応答の欠陥を有する先天性免疫異常症である[1]。現在二つの原因遺伝子が知られ，SLAM-associated protein（SAP）をコードする *SH2D1A* 遺伝子変異によるSAP欠損症をXLP1[2)3)]，X-linked inhibitor of apoptosis（XIAP）をコードする *XIAP/BIRC4* 遺伝子変異を有するXIAP欠損症をXLP2と称する[4]。*SH2D1A* ならびに *XIAP/BIRC4* 遺伝子はいずれもX染色体長腕Xq25に局在し，XLPはその名のとおりX連鎖潜性（劣性）遺伝形式をとる．

2. 疫学

XLPはまれな疾患で，男児100万人に1～2人程度の頻度で発症する．XLPの約8割がXLP1，約2割がXLP2とされているが，わが国ではこれまでにXLP1，XLP2はそれぞれ50名程度が診断されており，諸外国と比べてXLP2の比率が高い[5]．

3. 診断基準，診断の手引き

a 臨床症状

原則として男児のみに発症するが，X染色体不活化の異常による女児例が複数報告されている[6]．臨床症状は多彩であり，EBVによる致死的伝染性単核症，血球貪食性リンパ組織球症（hemophagocytic lymphohistiocytosis：HLH），異常ガンマグロブリン血症が特徴である．XLP1では，そのほかにリンパ腫，再生不良性貧血，血管炎などが認められ，XLP2に特徴的な症状として，脾腫や炎症性腸疾患（inflammatory bowel disease：IBD）があげられる（表1）．HLHはEBV以外に，サイトメガロウイルスやHHV6（human herpesvirus 6）感染を契機に発症する場合や，原因微生物が同定されない場合もあり，XLP2ではEBV以外の原因で反復して発症することが多い．XLP2におけるIBDはHLHを発症する以前に初発症状として現れることがあり，しばしば難治である．

表1　XLP1とXLP2の症状

症状	XLP1（SAP欠損症）	XLP2（XIAP欠損症）
EBV関連HLH	45%	49%
EBV以外によるHLH	7%	24%
リンパ腫	26%	0%
低または異常ガンマグロブリン血症	38%	28%
脾腫（HLH非罹患時）	7%	88%
炎症性腸疾患	0%	19%

XLP：X-linked lymphoproliferative syndrome X連鎖リンパ増殖症候群，EBV：Epstein-Barr virus，HLH：hemophagocytic lymphohistiocytosis 血球貪食性リンパ組織球症

(Schuster V, Latour S. X-linked lymphoproliferative diseases. In：Ochs HD, Smith CIE, Puck JM (eds), Primary Immunodeficiency Diseases. 3rd ed, Oxford University Press, New York, 2014；557-579.)

b 身体所見

HLH を発症すると，高熱，肝脾腫が認められる．XLP2 では HLH に罹患していない場合にも脾腫が認められることがある．

c 検査所見

HLH を発症すると，汎血球減少，肝障害，凝固障害，骨髄での血球貪食像が認められる．XLP1 では EBV-HLH の急性期には高 IgA/M 血症が認められ，回復期以降に低ガンマグロブリン血症が認められる．XLP1 では EBV 感染の既往が明らかでなく，低ガンマグロブリン血症を呈することがある．

d 特殊検査

確定診断は *SH2D1A* または *XIAP/BIRC4* 遺伝子解析による（図1，表2）．フローサイトメトリーによるスクリーニングも有用であり，XLP1 では

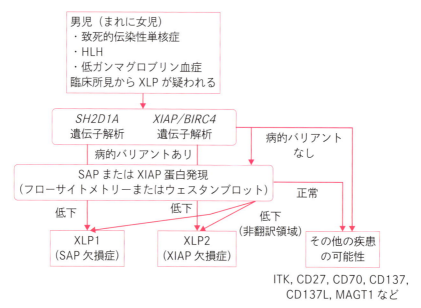

図1　診断フローチャート

HLH：hemophagocytic lymphohistiocytosis 血球貪食性リンパ組織球症，XLP：X-linked lymphoproliferative syndrome X 連鎖リンパ増殖症候群

表2　診断基準

A. 臨床症状	1. EBV による致死的伝染性単核症 2. 血球貪食性リンパ組織球症（HLH） 3. 低ガンマグロブリン血症 4. XLP1 ではリンパ腫，再生不良性貧血，血管炎 5. XLP2 では脾腫，炎症性腸疾患
B. 検査所見	*SH2D1A* または *XIAP/BIRC4* 遺伝子の病的バリアント リンパ球における SAP または XIAP 蛋白の発現低下
C. 補助事項	XLP1 における invariant NKT 細胞数の減少 XLP2 における NOD2 刺激系での TNF-α などのサイトカイン産生低下
D. 診断の進め方	原則として男児に発症する．重症の EBV 感染症を発症または HLH を繰り返す場合には本症を疑う．臨床症状ならびに検査所見を調べ，*SH2D1A* または *XIAP/BIRC4* 遺伝子に変異があれば確定診断できる．
E. 診断基準	*SH2D1A* または *XIAP/BIRC4* 遺伝子に病的バリアントがある場合に XLP と診断する．ただし，まれに非翻訳領域の欠失が原因となっていることがあるので注意が必要である．

EBV：Epstein-Barr virus，XLP：X-linked lymphoproliferative syndrome X 連鎖リンパ増殖症候群

CD8⁺T細胞ならびにNK細胞におけるSAP蛋白の発現低下，XLP2ではリンパ球ならびに単球におけるXIAP蛋白の発現低下が認められる．Vα24⁺Vβ11⁺CD3⁺T細胞であるinvariant NKT（iNKT）細胞はXLPで著減するとされているが，XLP2では正常な場合もある．XLP2ではリンパ球のアポトーシス亢進ならびにNOD2刺激でのTNF-αなどのサイトカイン産生低下が認められる．

近年では次世代シークエンサーを用いて遺伝子解析が行われることが多いが，ターゲットシークエンス解析やエクソーム解析では非翻訳領域は評価されていない場合がある．非翻訳領域の欠失がXLPの原因になることも知られているため，遺伝子解析で病的バリアントが同定されなかった場合は蛋白発現を評価することも有用である[7]．

e 鑑別診断

XLP1とXLP2はお互い鑑別が必要であるが，家族性HLH（familial HLH：FHL）も鑑別すべきである．ただし典型的FHLはXLPより発症年齢が早く，EBV感染を契機に発症することは少ない．また近年EBVに選択的に易感染性をきたしリンパ増殖症を発症する先天性免疫異常症が次々と明らかにされている．ITK欠損症，CD27欠損症，CD70欠損症，CD137欠損症，CD137L欠損症，CTPS1欠損症，RASGRP1欠損症，MAGT1欠損症などがある（図2）[8]．HLH，リンパ腫，異常ガンマグロブリン血症といった臨床的特徴に加えて慢性EBV血症ならびにiNKT細胞の低下を伴うことがある．ほとんどが常染色体潜性（劣性）遺伝形式をとるため，まれな疾患であるが，今後はこれらの疾患も含めた網羅的診断が必要となってくる．XLP1では低ガンマグロブリン血症のみを呈し，分類不能型免疫不全症（common variable immunodeficiency：CVID）との鑑別がむずかしい場合がある．

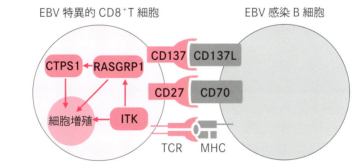

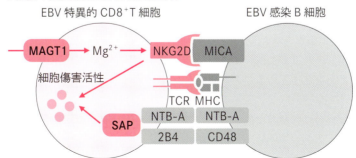

図2　EBVに易感染性をきたしリンパ増殖症を呈する先天性免疫異常症
太字で書かれた分子のバリアントによって発症する．
TCR：T cell receptor T細胞受容体，MHC：major histocompatibility complex 主要組織適合遺伝子複合体

4. 合併症

XLP1に伴うリンパ腫は病理学的にはBurkittリンパ腫やびまん性大細胞性B細胞リンパ腫でEBV関連のものがほとんどであるが，まれにEBV非関連のものもある．XLP2に伴うIBDは免疫抑制薬や生物学的製剤による治療にしばしば抵抗性である．

5. 重症度分類

XLP1ならびにXLP2のいずれの病型でも長期生存例はまれである．免疫グロブリン補充療法や化学療法を行っている患者や造血細胞移植の適応となる患者は重症とする．

6. 管理方法（フォローアップ指針），治療

臨床病型に応じた治療が必要とされる．致死的伝染性単核症あるいは重症HLHに対しては，診断後は速やかにシクロスポリンAやエトポシドを中心とした免疫化学療法を行う．特にXLP1では死亡率が高いので，早急な対応が必要である．XLP2でしばしば経験する軽症HLHに対してはステロイド投与にて対応可能である．XLPに生じるEBV関連HLHにおけるEBV感染細胞はB細胞と考えられており，抗CD20モノクローナル抗体（リツキシマブ）の有効性が報告されている[9]．リンパ腫に対しては通常の化学療法が奏効する．低ガンマグロブリン血症に対しては免疫グロブリン補充療法を定期的に行う．XLP2におけるIBDはステロイドやアザチオプリンなどの免疫抑制薬やTNF-α阻害薬などの生物学的製剤が必要なことが多いが，それでも抵抗性で腸瘻や腸切除などの外科的介入を必要とすることもまれではない．

唯一の根治療法は造血細胞移植である．治療強度を弱めた前処置による造血細胞移植のほうが成績良好である．XLP1はHLHを発症すると致死的になることがあるので，無症状でも適切なドナーがいれば造血細胞移植を考慮する．造血細胞移植によって，XLP2に合併したIBDも治癒が望める[10]．XLP2ではHLHやIBDの有無によって生命予後は変わらないとされているものの[11]，国内のガイドラインでは治療困難な合併症がある場合には生活の質改善のために造血細胞移植の適応としている．

7. 予後，成人期の課題

一見XLP1に比べてXLP2のほうが軽症だが，長期予後は変わらないとされている[12]．XLP1においては造血細胞移植を行った場合と行わなかった場合の生存率はそれぞれ81.4%と62.5%とされる[13]．わが国では造血細胞移植を行わなかったXLP1患者における長期生存例はない[5)14]．

8. 診療上注意すべき点

重症EBV関連HLH，EBV陽性リンパ腫，EBV感染後の低ガンマグロブリン血症ではXLP1の可能性があり，反復性HLH，小児期発症の難治性IBDで特にHLHを合併する場合にはXLP2の可能性があるため，XLPのスクリーニングを行うべきである．家族歴から早期診断が可能な場合には，発症前に造血細胞移植を行うことで良好な臨床経過が期待できる[15]．

文献

1) Schuster V, Latour S. X-linked lymphoproliferative diseases. In：Ochs HD, Smith CIE, Puck JM (eds), Primary Immunodeficiency Diseases. 3rd ed, Oxford University Press, New York, 2014；557-579.
2) Coffey AJ, Brooksbank RA, Brandau O, et al. Host response to EBV infection in X-linked lymphoproliferative disease results from mutations in an SH2-domain encoding gene. *Nat Genet* 1998；20：129-135.
3) Sayos J, Wu C, Morra M, et al. The X-linked lymphoproliferative-disease gene product SAP regulates signals induced through co-receptor SLAM. *Nature* 1998；395：462-469.
4) Rigaud S, Fondanèche MC, Lambert N, et al. XIAP deficiency in human causes an X-linked lymphoproliferative syndrome. *Nature* 2006；444：110-114.
5) Yang X, Miyawaki T, Kanegane H. SAP and XIAP deficiency in hemophagocytic lymphohistiocytosis. *Pediatr Int* 2012；54：447-454.
6) Yang X, Hoshino A, Taga T, et al. A female patient with incomplete hemophagocytic lymphohistiocytosis caused by a heterozygous XIAP mutation associated with non-

random X-chromosome inactivation skewed towards the wild-type XIAP allele. *J Clin Immunol* 2015 ; 35 : 244-248.
7) Sbihi Z, Tanita K, Bachelet C, et al. Identification of Germline Non-coding Deletions in XIAP Gene Causing XIAP Deficiency Reveals a Key Promoter Sequence. *J Clin Immunol* 2022 ; 42 : 559-571.
8) Tangye SG, Latour S. Primary immunodeficiencies reveal the molecular requirements for effective host defense against EBV infection. *Blood* 2020 ; 135 : 644-655.
9) Milone MC, Tsai DE, Hodinka RL, et al. Treatment of primary Epstein-Barr virus infection in patients with X-linked lymphoproliferative disease using B-cell-directed therapy. *Blood* 2005 ; 105 : 994-996.
10) Ono S, Takeshita K, Kiridoshi Y, et al. Hematopoietic Cell Transplantation Rescues Inflammatory Bowel Disease and Dysbiosis of Gut Microbiota in XIAP Deficiency. *J Allergy Clin Immunol Pract.* 2021 ; 9 : 3767-3780.
11) Yang L, Booth C, Speckmann C, et al. Phenotype, genotype, treatment, and survival outcomes in patients with X-linked inhibitor of apoptosis deficiency. *J Allergy Clin Immunol* 2022 ; 150 : 456-466.
12) Pachlopnik Schmid J, Canioni D, Moshous D, et al. Clinical similarities and differences of patients with X-linked lymphoproliferative syndrome type 1（XLP-1/SAP deficiency）versus type 2（XLP-2/XIAP deficiency）. *Blood* 2011 ; 117 : 1522-1529.
13) Booth C, Gilmour KC, Veys P, et al. X-linked lymphoproliferative disease due to SAP/SH2D1A deficiency : a multicenter study on the manifestations, management and outcome of the disease. *Blood* 2011 ; 117 : 53-62.
14) Kanegane H, Yang X, Zhao M, et al. Clinical features and outcome of X-linked lymphoproliferative syndrome type 1（SAP deficiency）in Japan identified by the combination of flow cytometric assay and genetic analysis. *Pediatr Allergy Immunol* 2012 ; 23 : 488-493.
15) Tomomasa D, Booth C, Bleesing JJ, et al. Preemptive hematopoietic cell transplantation for asymptomatic patients with X-linked lymphoproliferative syndrome type 1. *Clin Immunol* 2022 ; 237 : 108993.

第4章 免疫調節障害

C 自己免疫性リンパ増殖症候群（ALPS）

金沢大学医薬保健研究域医学系 小児科　**松田裕介　和田泰三**

1. 疾患概要

　自己免疫性リンパ増殖症候群（autoimmune lymphoproliferative syndrome：ALPS）は，免疫系の制御機構の一つであるアポトーシス機構の障害により起こる疾患である．自己反応性T細胞，あるいは自己抗体産生B細胞の増殖により，リンパ組織の増殖（リンパ節腫大，肝脾腫）や多様な自己免疫疾患（溶血性貧血や血小板減少などの血球減少症など）を合併することを特徴とする．さらに，Hodgkinリンパ腫や非Hodgkinリンパ腫などの悪性腫瘍の発症頻度が高いことも知られている[1]．

　ALPSのなかで最も基本となる疾患は，*FAS*（*TNFRSF6*）の生殖細胞系列の変異によるALPS（ALPS-FAS）である．ALPS-FASは，基本的に常染色体顕性（優性）遺伝形式を示し，ALPS全体の70％以上と最も頻度が高い[2]．その多くが細胞内ドメインのドミナントネガティブ変異であるが，FAS蛋白の細胞表面への発現が障害される変異ではハプロ不全によって発症する例も報告されている．なお，ハプロ不全のホモ接合性変異例では重症となる．ALPS-FASに次いで頻度の高いものは，*FAS*の体細胞変異によるALPS（ALPS-SFAS）であり，ALPSの15〜20％程度にみられる[2]．2022年にInternational Union of Immunological Societies（IUIS）から発表されたinborn errors of immunity（IEI）の疾患分類では，*FAS*以外に*FASLG*（*TNFSF6*），*CASP10*，*CASP8*，*FADD*がALPSの責任遺伝子として記載されている[3]．しかし，ALPS-FAS以外の疾患はまれである．

　ALPSに類似した臨床症状を呈するIEI（ALPS類縁疾患）として，CTLA4ハプロ不全症（ALPS-V）や*NRAS*，*KRAS*の体細胞変異によるALPS類縁疾患（RAS associated ALPS like disease：RALD）が知られている．ほかにも，LRBA欠損症やSTAT3機能獲得型変異による免疫異常症などのALPS類縁疾患の責任遺伝子が新しく発見され，これまで遺伝子変異が同定されていなかったALPS症例（ALPS-U）に潜在しているものと考えられる．

2. 疫　学

　ALPSの患者数は全世界で300家系，500例程度と推測されている[4]．わが国での正確な疾患頻度は明らかとなっていないが，20例以上の患者が存在し，未診断の症例も数多く存在していると考えられている．

3. 診断基準，診断の手引き

a 診断基準・診断フローチャート

　2009年のALPS国際ワークショップで示されたALPS診断基準（表1）[4]，ならびに2019年に欧州免疫不全症学会（European Society for Immunodeficiencies：ESID）から発表されたALPS臨床診断基準（表2）[5]を示す．これらの診断基準や後述する診断フローチャート（図1）[6]を参考にALPSの診断をすすめる．持続的なリンパ節腫大，脾腫または肝腫大，自己免疫疾患などのALPSに特徴的な臨床症状を認める場合，末梢血におけるCD3$^+$CD4$^-$CD8$^-$TCRαβ$^+$T細胞，いわゆるdouble negative T細胞（DNT細胞）の評価を行う．DNT細胞の増加を認め，ALPS関連遺伝子の病的変異，あるいはFAS誘導性アポトーシス障害を認める場合にALPSと診断する．

表1 ALPS 診断基準（2009 年 ALPS 国際ワークショップ）

必須項目
1) 6 か月以上続く慢性の非悪性・非感染性のリンパ節腫大または脾腫，もしくはその両方
2) CD3$^+$ TCRαβ$^+$ CD4$^-$ CD8$^-$ T 細胞（DNT 細胞）の増加 （末梢血リンパ球数が正常または増加している場合で，リンパ球全体の 1.5% 以上または CD3$^+$ T 細胞の 2.5% 以上）

補助項目
<一次項目> ① リンパ球の FAS 誘導性アポトーシスの障害 ② FAS, FASLG, CASP10 のいずれかの遺伝子における体細胞もしくは生殖細胞系列での変異 <二次項目> ① 血漿可溶性 FAS リガンドの増加（>200 pg/mL） ② 血漿 IL-10 の増加（> 20 pg/mL） ③ 血清または血漿ビタミン B$_{12}$ の増加（>1,500 pg/mL） ④ 典型的な免疫組織学的所見（傍皮質 T 細胞過形成） ⑤ 自己免疫性血球減少（溶血性貧血，血小板減少または好中球減少） ⑥ 多クローン性 IgG 増加 ⑦ 自己免疫の有無にかかわらず非悪性 / 非感染性のリンパ増殖症の家族歴がある ・必須項目 2 つと補助項目の一次項目 1 つ以上を満たした場合に ALPS と診断する ・必須項目 2 つと補助項目の二次項目 1 つ以上を満たした場合に ALPS が疑われる

(Oliveira JB, Bleesing JJ, Dianzani U, et al. Revised diagnostic criteria and classification for the autoimmune lymphoproliferative syndrome (ALPS): report from the 2009 NIH International Workshop. *Blood* 2010；116：e35-40.)

表2 ALPS 臨床診断基準（ESID による）

項目 A
・脾腫 ・リンパ節腫大（3 か所以上，3 か月以上持続，非感染性，非悪性） ・自己免疫性血球減少症（2 系統以上） ・悪性リンパ腫の既往 ・家族歴

項目 B

・TCRαβ$^+$CD3$^+$ T 細胞中の TCRαβ$^+$CD3$^+$CD4$^-$CD8$^-$ 細胞 > 6%
・下記のバイオマーカーの異常が 2 項目以上
  1. 可溶性 FASL > 200 pg/mL
  2. ビタミン B$_{12}$ > 1,500 pg/mL
  3. IL-10 > 20 pg/mL
  4. FAS 依存性アポトーシス低下

項目 A，項目 B をそれぞれ 1 項目以上満たす場合，臨床的に ALPS と診断する

(Abinun M, Albert M, Beaussant Cohen S, et al. ESID Registry-Working definitions for clinical diagnosis of PID. 2019. より改変)

b 臨床症状

　ALPS に特徴的な臨床症状の一つとして，非感染性・非悪性のリンパ節腫大，脾腫などの慢性的なリンパ増殖症がある．脾腫は ALPS-FAS 症例に高頻度に認めるとされるが，脾破裂に至る症例はまれである．もう一つの重要な症状は，自己反応性リンパ球の増殖による自己免疫疾患の合併である．特に，自己免疫性溶血性貧血や免疫性血小板減少性紫斑病などの自己免疫性血球減少症の合併が多い．頻度は低いが，腎炎，肝炎，ぶどう膜炎，関節炎など，他の臓器においても自己免疫性の炎症を合併することが知られている（表3）[7]．自己免疫病態は主として乳児期に目立ち，成長とともに軽快するものが多いとされるが，一部の症例では成人してからも多様な自己免疫疾患の合併が認められる．

c 身体所見

　ALPS 患者では，リンパ増殖症に伴い肝脾腫やリンパ節腫大などが確認される．

d 検査所見

　ALPS 患者にもっとも特徴的な検査所見の一つが，末梢血での DNT 細胞の増加である（図2）．ただし，リンパ球に占める DNT 細胞の割合は 2～70% と症例によってばらつきがあるため診断の際には注意が必要である．多クローン性の高ガンマグロブリン血症や血清 IL-10，IL-18，ビタミン B$_{12}$ の上昇も ALPS に特徴的な所見である．血清中の可溶性 FAS リガンドが上昇している場合には ALPS-FAS が疑われる．

　ALPS の特徴的な症状や DNT 細胞の増加を認めた際には，*FAS* 遺伝子をはじめとする ALPS 関連遺伝子解析を行う．FAS 経路の異常による ALPS に加えて，ALPS 類縁疾患を含めた遺伝子パネル検査（検索遺伝子：*FAS*, *FASLG*, *CASP8*, *CASP10*, *NRAS*, *KRAS*, *AIRE*, *FOXP3*, *IL2RA*, *CTLA4*, *LRBA*, *STAT3*, *2H2D1A*, *IKZF1*, *P1K3CD*,

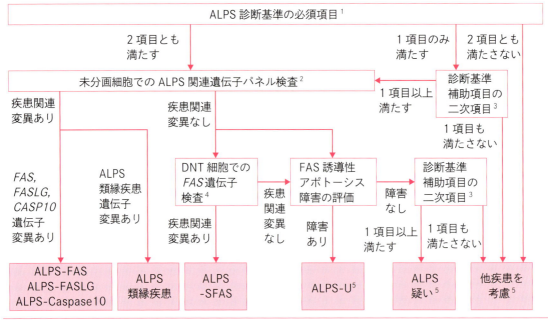

1. ALPS 診断基準における必須項目
   ① 6 か月以上続く慢性の非悪性・非感染性のリンパ節腫大または脾腫，もしくはその両方
   ② CD3⁺TCRαβ⁺CD4⁻CD8⁻T 細胞（ダブルネガティブ T 細胞）の増加（末梢血リンパ球数が正常または増加している場合で，リンパ球全体の 1.5% 以上または CD3⁺T 細胞の 2.5% 以上）

2. ALPS 関連遺伝子パネル検査に含まれる遺伝子：*FAS, FASLG, CASP8, CASP10, NRAS, KRAS, AIRE, FOXP3, IL2RA, CTLA4, LRBA, STAT3, SH2D1A, IKZF1, PIK3CD, PIK3R1, PRKCD, TNFAIP3*（2023 年 8 月現在）

3. ALPS 診断基準における補助項目の二次項目
   ①血漿 sFASL の増加（> 200 pg/mL）
   ②血漿 IL-10 の増加（> 20 pg/mL）
   ③血清または血漿ビタミン B_{12} の増加（> 1,500 pg/mL）
   ④典型的な免疫組織学的所見（傍皮質 T 細胞過形成）
   ⑤自己免疫性血球減少（溶血性貧血，血小板減少または好中球減少）
   ⑥多クローン性 IgG 増加
   ⑦自己免疫の有無にかかわらず非悪性／非感染性のリンパ球増殖症の家族歴がある

4. DNT 細胞を選択的に濃縮した検体で遺伝子解析を行う必要がある

5. FAS-FASL を介したアポトーシス障害以外の原因によって引き起こされる ALPS 類縁疾患の鑑別を含む

図1 **ALPS 診断フローチャート**
（厚生労働科学研究費補助金 難治性疾患政策研究事業 原発性免疫不全症候群の診療ガイドライン改訂・診療提供体制・移行医療体制構築・データベースの確立に関する研究（研究代表者・森尾友宏）．原発性免疫不全症診療ガイドライン改訂版．2023．）

表3 ALPSの臨床症状

症状・所見	頻度（%）
リンパ節腫大	96
脾腫	95
肝腫大	72
自己免疫性溶血性貧血	29
免疫性血小板減少症	23
好中球減少	19
糸球体腎炎	1
肝障害	5
浸潤性肺病変	4
眼病変	0.7

(Rao VK, Oliveira JB. How I treat autoimmune lymphoproliferative syndrome. *Blood* 2011；118：5741-5751.)

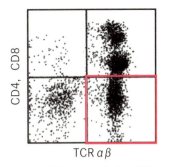

図2 末梢血DNT細胞の増加

ALPS患者末梢血中にみられる，TCR$\alpha\beta^+$CD3$^+$ CD4$^-$ CD8$^-$（double negative）T細胞（DNT細胞）の増加．FCMで簡便に検出できる．

PIK3R1，*PRKCD*，*TNFAIP3*）が保険適用となっている．また，ALPS-SFASの診断にはDNT細胞をセルソーターなどで単離し，選択的に濃縮して*FAS*遺伝子解析を行う必要がある．

また，特徴的な症状やDNT細胞の増加を認めるにもかかわらず，ALPS関連遺伝子に病的変異を認めない症例も存在する．そのような症例ではリンパ球のFAS誘導性アポトーシスの障害を確認する．FAS誘導性アポトーシスの評価が可能な施設は限定されるが，ALPSの病態の本質にかかわる有用な検査である．一方で，RALDではFAS誘導性アポトーシスの障害が認められず，IL-2依存性アポトーシスの評価を検討する必要がある．

e 鑑別診断

リンパ節腫大や脾腫は，急性感染症，悪性腫瘍などでしばしば認められる所見であり，これらの疾患を厳密に除外することが重要である．また，Gaucher病は肝脾腫や血球減少症を呈するライソゾーム病であり，DNT細胞の増加やFAS誘導性アポトーシスの障害を認める場合もあるため，ALPSの鑑別疾患として重要である[8]．

FAS経路の異常によるALPSのほかに自己免疫疾患やリンパ増殖症を呈する先天性免疫異常症として，IPEX症候群，CD25欠損症，CTLA4ハプロ不全症，LRBA欠損症，STAT3機能獲得型変異，カンジダ感染と外胚葉異形成を伴う自己免疫性多腺性内分泌不全症（autoimmune polyendocrinopathy-candidosis-ectodermal dystrophy：APECED）などが知られている．RALDもALPS類似の症状を呈するため，鑑別疾患として重要である．ほかにも複合免疫不全症（IKAROS欠損症など），抗体産生不全症〔活性化PI3Kδ症候群（APDS）など〕や自己炎症疾患（A20ハプロ不全症など）に分類される疾患のなかにもALPS様症状を呈する疾患が報告されている[9]．

また，Evans症候群の小児例の解析では，80例中32例（40%）と高率に先天性免疫異常症の疾患関連変異を認めたと報告されている．そのなかには，ALPS-FAS 6例，ALPS-SFAS 1例，RALD 2例，CTLA4ハプロ不全症8例，STAT3機能獲得型変異による免疫異常症6例などが含まれており，Evans症候群とされる症例ではALPSおよびALPS類縁疾患の可能性を考慮する必要がある[10]．

4. 合併症

ALPS患者において，生命予後に関与する最も重要な合併症は悪性腫瘍である．Hodgkinリンパ腫や非Hodgkinリンパ腫などの悪性リンパ腫の合併が最も多く，ALPS患者における正常対照と比較した発症リスクは，Hodgkinリンパ腫で51倍，非Hodgkinリンパ腫で14倍と非常に高リスクであることが知られており[1]，その発症年齢の中央

値は18歳（5～60歳）と報告されている[11]．また，白血病や固形腫瘍の合併例も報告されている．

5. 重症度分類

臨床症状を有するALPS患者は長期管理を要する例が多く，基本的に重症と考えられる．一方で，同一家系内で患者と同じ*FAS*遺伝子変異を有し，FAS誘導性アポトーシスの障害が認められるにもかかわらず，臨床症状を示さない症例が存在する．そのような症例は軽症と考えられるが，後に悪性腫瘍が発生した症例も報告されており，慎重な経過観察が必要と考えられる．

6. 管理方法（フォローアップ指針），治療

ALPSの治療目標は，リンパ増殖症および自己免疫性血球減少症のコントロールが中心となる．いずれに対しても，副腎皮質ステロイドは有効な治療法であり，自己免疫性血球減少症に対して90％の症例に有効であったと報告されている[12]．副腎皮質ステロイドは初期治療としてまず試みられるが，長期の免疫抑制療法が必要となり，ミコフェノール酸モフェチルやリツキシマブなどの免疫抑制薬が併用される場合も多い．また，わが国では保険適用外であるが，mTOR阻害薬であるシロリムスの自己免疫性血球減少症に対する高い有効性，忍容性が報告されている[13]．リンパ増殖症は治療対象になることは少ないが，気道閉塞や高度の脾機能亢進を認める症例で副腎皮質ステロイドによる治療が考慮される．最重症例では脾摘も治療選択肢の一つとなりうるが，ALPS-FAS患者ではメモリーB細胞やIgMの低下によって肺炎球菌など莢膜を有する細菌に対する易感染性を示し，脾摘によって敗血症のリスクが高まるため，可能な限り回避することが望ましい．

唯一の根治療法は造血細胞移植であり，悪性腫瘍合併例やFAS蛋白完全欠損例などに対して施行した報告がある．しかし，ALPSは基本的には予後不良な疾患ではなく移植の適応は限定的である．

7. 予後，成人期の課題

治療によってリンパ増殖症や自己免疫疾患などの臨床症状がコントロールされている場合には，ALPS患者の生命予後は比較的良好である．ALPS-FASの50歳までの生存率は約85％と報告されている[11]．一方で，長期的な悪性腫瘍のモニタリングが必要となるため，成人期においては内科との連携を行うことが望ましい．

8. 診療上注意すべき点

ALPS患者の死因として，脾摘後の敗血症と悪性腫瘍の合併が多いことが報告されている[11]．ALPS患者において，脾腫や血球減少症のコントロールが不十分な場合に脾摘が検討されるが，脾摘後の敗血症のリスクを鑑み，その適応については十分に検討する必要がある．

文献

1) Straus SE, Jaffe ES, Puck JM, et al. The development of lymphomas in families with autoimmune lymphoproliferative syndrome with germline Fas mutations and defective lymphocyte apoptosis. *Blood* 2001；98：194-200.
2) Lenardo MJ, Oliveira JB, Zheng L, et al. ALPS - ten lessons from an International Workshop on a genetic disease of apoptosis. *Immunity* 2010；32：291-295.
3) Tangye SG, Al-Herz W, Bousfiha A, et al. Human Inborn Errors of Immunity：2022 Update on the Classification from the International Union of Immunological Societies Expert Committee. *J Clin Immunol* 2022；42：1473-1507.
4) Oliveira JB, Bleesing JJ, Dianzani U, et al. Revised diagnostic criteria and classification for the autoimmune lymphoproliferative syndrome（ALPS）：report from the 2009 NIH International Workshop. *Blood* 2010；116：e35-40.
5) Abinun M, Albert M, Beaussant Cohen S, et al. ESID Registry – Working definitions for clinical diagnosis of PID. 2019.
6) 厚生労働科学研究費補助金 難治性疾患政策研究事業 原発性免疫不全症候群の診療ガイドライン改訂・診療提供体制・移行医療体制構築・データベースの確立に関する研究（研究代表者・森尾友宏）．原発性免疫不全症診療ガイドライン改訂版．2023.
7) Rao VK, Oliveira JB. How I treat autoimmune lymphoproliferative syndrome. *Blood* 2011；118：5741-5751.
8) Miano M, Madeo A, Cappeli E, et al. Defective FAS-Mediated Apoptosis and Immune Dysregulation in Gau-

cher Disease. *J Allergy Clin Immunol Pract* 2020；8：3535-3542.
9) Takagi M, Hoshino A, Yoshida K, et al. Genetic heterogeneity of uncharacterized childhood autoimmune diseases with lymphoproliferation. *Pediatr Blood Cancer* 2018；65：e26831.
10) Hadjadj J, Aladjidi N, Fernandes H, et al. Pediatric Evans syndrome is associated with a high frequency of potentially damaging variants in immune genes. *Blood* 2019；134：9-21.
11) Price S, Shaw PA, Seitz A, et al. Natural history of autoimmune lymphoproliferative syndrome associated with FAS gene mutations. *Blood* 2014；123：1989-1999.
12) Rao VK. Approaches to Managing Autoimmune Cytopenias in Novel Immunological Disorders with Genetic Underpinnings Like Autoimmune Lymphoproliferative Syndrome. *Front Pediatr* 2015；3：65.
13) Klemann C, Esquivel M, Magerus-Chatinet A, et al. Evolution of disease activity and biomarkers on and off rapamycin in 28 patients with autoimmune lymphoproliferative syndrome. *Haematologica* 2017；102：e52-e56.

第4章 免疫調節障害

D 家族性血球貪食性リンパ組織球症

京都大学大学院医学研究科 発達小児科学　八角高裕

1. 疾患概要

血球貪食性リンパ組織球症（hemophagocytic lymphohistiocytosis：HLH）は，細胞傷害性T細胞（cytotoxic T lymphocyte：CTL）とマクロファージの異常な活性化と，それにより引き起こされる炎症性サイトカインの過剰産生（サイトカインストーム）によって引き起こされる致死的な炎症病態である．遺伝的素因を背景に主要な表現型としてHLHを発症する原発性HLHと，感染症や膠原病，悪性腫瘍などに続発する二次性HLHとに大別される[1]．

CTLやnatural killer（NK）細胞は，その細胞質内に細胞傷害性顆粒とよばれる特殊顆粒を有している．細胞傷害性顆粒にはアポトーシス誘導分子であるgranzymeが含まれており，その放出によりウイルス感染細胞や腫瘍細胞などの標的細胞に細胞死が誘導される．加えて，この細胞傷害機構は抗原提示細胞やCTL自身にも作用し，免疫応答の制御にも関与している．家族性血球貪食性リンパ組織球症（familial hemophagocytic lymphohistiocytosis：FHL）の原因はこの機構にかかわる分子の異常であり，それにより標的細胞や抗原提示細胞からの刺激が持続することに加え，自身のアポトーシスも誘導されないためCTLが過剰に活性化された状態となる．これによりIFN-γを中心とする大量の炎症性サイトカインが産生され，結果としてマクロファージが活性化してサイトカインストームが引き起こされると考えられている．

2022年のInternational Union of Immunological Societies（IUIS）分類では，FHL症候群として7疾患が分類されている（表1）[2]．FHL2の原因は，細胞傷害性顆粒内に存在し，重合して標的細胞の細胞膜に孔を形成するPerforin分子の異常である．FHL3では，細胞傷害性顆粒の細胞膜へのdockingと膜癒合のprimingに関与するMunc13-4分子，FHL4では細胞傷害性顆粒と細胞膜とのfusionにかかわるSyntaxin11分子，FHL5では，Syntaxin11と結合してこれを安定化させるMunc18-2分子の異常を認め，RhoGはMunc13-4と相互作用する分子である．その結果，FHL3/4/5

表1　IUIS2022分類でFHL症候群に分類される疾患

疾患名	責任遺伝子	遺伝形式	臨床所見
Perforin欠損症（FHL2）	PRF1	AR	発熱，肝脾腫，好中球・血小板減少
Munc13-4欠損症（FHL3）	UNC13D	AR	発熱，肝脾腫，好中球・血小板減少
Syntaxin 11欠損症（FHL4）	STX11	AR	発熱，肝脾腫，好中球・血小板減少
Munc18-2欠損症（FHL5）	STXBP2	AR or AD	発熱，肝脾腫，好中球・血小板減少，炎症性腸疾患
FAAP24欠損症	FAAP24	AR	EBVによるリンパ増殖性疾患
SLC7A7欠損症	SLC7A7	AR	リジン尿性蛋白不耐症，出血傾向，肺胞蛋白症
RhoG欠損症	RHOG	AR	発熱，肝脾腫，好中球・血小板減少

IUIS：International Union of Immunological Societies，FHL：familial hemophagocytic lymphohistiocytosis 家族性血球貪食性リンパ組織球症，AR：常染色体潜性（劣性）遺伝，AD：常染色体顕性（優性）遺伝

およびRhoG欠損症では細胞傷害性顆粒の放出障害によって細胞傷害活性が低下/欠損することとなる（図1）。なお、FAAP24欠損症ではEpstein-Barr virus（EBV）感染によるリンパ増殖性疾患[3]、SLC7A7欠損症においてはアミノ酸代謝異常を背景とする発育発達遅滞と炎症病態を呈するが[4]、細胞傷害活性の異常は確認されておらず、異なる病態が想定される。また、FHL4とRhoG欠損症はわが国では未報告であるため、本稿ではFHL2/3/5を中心に鑑別の必要な疾患に触れつつ解説する。

2. 疫 学

わが国では毎年5名前後のFHLが診断されており、原発性免疫不全症のなかでは比較的頻度の高い疾患である。FHL2とFHL3で95%以上を占め、FHL5が数例報告されている。近年、成人症例を含めた晩期発症例の報告が増えており、潜在的な患者数はもう少し多い可能性がある。

3. 診断基準，診断の手引き

a 臨床症状

1）典型例

FHL患者の70〜80%は1歳までにHLHを発症し、特に生後1〜6か月の間に発症する例が多い。このような典型例においてはHLH発症前には有意な所見は認められず、発症後に発熱や脾腫などの症状が出現する。例外としてFHL5では腸炎や出血傾向、難聴などを認める場合がある。

2）晩期発症例

疾患責任分子の機能が残存している症例では幼児期〜壮年期に発症する傾向があり、このような症例では麻痺や痺れ、意識障害などの中枢神経症状が前面に出る場合がある[5]。

b 身体所見

HLHを発症すると発熱や脾腫を認め、皮疹や出血斑、リンパ節腫大を伴う場合もある。中枢神経系に炎症が生じると、麻痺や意識障害などの神経症状が認められる。

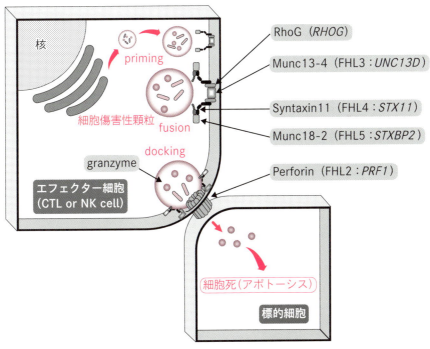

図1　細胞傷害性機構とFHL関連分子
CTL：cytotoxic T lymphocyte 細胞傷害性T細胞

4. 検査所見

a 一般検査（血液検査，骨髄検査，髄液検査）

汎血球減少，高トリグリセリド血症，低フィブリノゲン血症，高フェリチン血症，可溶性IL-2受容体（sIL-2R）高値などのHLHに特徴的な検査所見を認める．血球減少としては，特に血小板と好中球の減少がFHLに特徴的である．その病態から類推されるとおり，FHLでは病初期にはsIL-2Rの上昇が目立ちフェリチンや肝逸脱酵素の上昇は比較的低値に留まる傾向があり，FHLを疑う有効な指標となり得る[6]．しかし，炎症病態が進行して多臓器不全状態に至るとこの傾向は失われるため注意を要する．NK細胞活性はほとんどのFHL症例で低下するが，NK細胞数は多くの場合正常である．なお，NK細胞活性は二次性HLHでも低下する場合が多いため鑑別に有用ではない．

骨髄検査を行う場合，FHLでは病初期に有意な血球貪食像を認める症例は半数ほどに留まる[6]．血球貪食像が認められないことを根拠にFHLを否定することはできないことに留意すべきである．

髄液検査では，中枢神経症状の有無にかかわらず，約半数の症例で単核球優位の髄液細胞増多，髄液蛋白の上昇を認める．髄液検査を施行する際には，出血傾向や頭蓋内圧亢進に十分な注意が必要である．

b 特殊検査

FHL2ではフローサイトメトリーを用いたNK細胞におけるPerforin蛋白の発現評価がスクリーニングに有用である[7]．FHL3～5においても，フローサイトメトリーやウエスタンブロット法を用いた疾患責任蛋白の発現解析がスクリーニングに用いられている[8)9)]．細胞傷害性顆粒の放出機能評価としては，顆粒膜抗原であるCD107a（Lamp-1）の細胞膜への表出をフローサイトメトリーにて評価する方法が有用である[10)11)]．発現低下を認めた場合には脱顆粒機能障害が示唆され，FHL3～5，Chédiak-Higashi症候群（CHS），Griscelli症候群2型（GS2）などが疑われる．

原発性HLHは遺伝子検査によって確定診断され，保険診療でFHL関連遺伝子パネル解析を施行することが可能である．ただし，遺伝子検査結果の判明には時間を要するため，FHLの可能性が高い症例に対しては蛋白発現解析などによる迅速診断が優先される．

5. 鑑別診断

実臨床においては，まずHLHの診断が重要となる．臨床・検査所見からHLH-2004の基準を用いて診断を行う場合が多いが[12]，そもそもHLHは多様な過剰炎症状態を包括する病態概念であり，この基準を満たす疾患・病態は多岐にわたる．そのため，HLH-2004基準を満たした症例をHLHとして一律に治療するのではなく，背景病態に応じて適切な治療を選択することが重要である．

HLHと診断した場合，まずは感染症（EBV，単純ヘルペスウイルス，サイトメガロウイルス，パレコウイルスなど）の検索が必要である．新生児期発症例では単純ヘルペス感染症の鑑別が特に重要であり，パレコウイルス感染にも注意が必要である．EBV-DNAが血中に高いレベルで検出された場合はEBV関連HLHの可能性が高いが，感染細胞がB細胞である場合には背景に原発性HLHが隠れている可能性を考慮すべきである．悪性疾患を背景とする二次性HLHは小児期にはまれであるが，年齢が高くなるほどその割合が高くなるため，高齢者ではより積極的な検索が必要となる．自己免疫疾患や自己炎症性疾患に合併するマクロファージ活性化症候群も重要な鑑別疾患であり，IL-18やCXCL9など複数の炎症性サイトカインの測定値を組み合わせたサイトカインプロファイリングが診断や病態把握に有用である．このほか薬剤性の二次性HLHなども鑑別する必要がある（図2）．

明らかな背景疾患を認めない場合には，FHLをはじめ原発性HLHの原因となる免疫不全症を検索する．特に，患児が男児である場合はX連鎖リンパ増殖症候群，白皮症を伴う場合はCHSやGS2など色素脱失を伴うFHL症候群を念頭に置く必要がある．

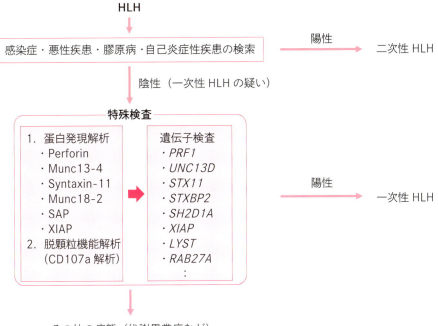

図2　HLH 原因疾患鑑別の流れ
HLH：hemophagocytic lymphohistiocytosis 血球貪食性リンパ組織球症，SAP：SLAM-associated protein，XIAP：X-linked inhibitor of apoptosis

6. 合併症

　FHL における重大な合併症として中枢神経系の炎症病態があげられる．乳幼児では過敏性，大泉門膨隆，項部硬直，筋緊張の亢進・低下，けいれんなど，年長児では脳神経麻痺（Ⅵ-Ⅶ），運動失調，片麻痺・四肢麻痺，失明，意識障害，頭蓋内圧亢進などを伴う場合がある．近年，HLH 発症早期の診断と適切な治療介入により典型例での明らかな中枢神経病変合併例は減少傾向にある．一方で，中枢神経系症状のみで発症するなど非典型的な経過をとる晩期発症例の報告が増えている[5]．

7. 重症度分類

　FHL 患者ではそのほとんどが HLH 発症を契機に診断されるため，診断された時点で強力な免疫抑制療法が必要であり，それに続く造血細胞移植（hematopoietic cell transplantation：HCT）が必須である．HLH 未発症例においても，その後の HLH 発症のリスクが高く HCT が考慮される場合もある．したがって，FHL と診断されれば基本的に全症例が重症である．

8. 管理方法（フォローアップ指針），治療

　HLH を発症した時点で FHL の診断を確定させることは困難である．そのため，遺伝学的検査の結果を待たずに HLH に対する免疫抑制療法を開始し，炎症の鎮静化をはかりつつ診断を進めることとなる．FHL に対しては，デキサメタゾンとエトポシドの併用により炎症を沈静化し，シクロスポリンを追加して寛解を維持する HLH-94 プロトコルが推奨されている[13]．海外では IFN-γ に対するモノクローナル抗体製剤が難治性・再発性の FHL に対して承認され，JAK 阻害薬の使用報告も増えているが，いずれも HCT までの橋渡し治療である．
　FHL に対する唯一の根治療法は HCT であるため，HLH の治療に並行して準備を進め，HLH が

寛解にいたれば速やかにHCTを行うことが望ましい．FHLの移植では肝中心静脈閉塞症の合併が多いことが知られているが，骨髄非破壊的前処置を用いた造血細胞移植（reduced-intensity stem cell transplantation：RIST）が主流となり予後が改善している．FHLではほぼすべての症例に対してHCTが必要であるため，移植後の管理を中心とした長期にわたるフォローアップが必要である．

9. 予後，成人期の課題

長期予後はHCTの成否に委ねられる．わが国からの報告では，HLH-2004プロトコル（初期よりデキサメタゾン，エトポシド，シクロスポリンを併用）で治療されたHLH症例全体の予後に比してFHL症例の予後はやや劣るとことが報告されている．一方，HCTを施行された症例に限定すると，HLH症例全体に比してFHL症例の予後は良好であった[14]．また，神経症状の合併は予後不良因子であることが知られている[15]．

上述のとおりRISTにより良好な移植成功率が得られるようになったが，混合キメラとなる症例も多く，長期的なドナーキメリズムの低下による再燃という問題も抱えている（30％以下になるとHLH再燃の可能性があり，10％以下で危険性が高くなる）．

10. 診療上注意すべき点

近年，責任遺伝子のミスセンス変異等により責任蛋白機能が残存し，思春期や成人期に発症する症例の報告が増えている．このような症例では中枢神経系症状のみで発症するなど非典型的な経過をたどるため注意が必要である．

文献

1) Meeths M, Bryceson YT. Genetics and pathophysiology of haemophagocytic lymphohistiocytosis. *Acta Paediatr* 2021；110：2903-2911.
2) Tangye SG, Al-Herz W, Bousfiha A, et al. Human Inborn Errors of Immunity：2022 Update on the Classification from the International Union of Immunological Societies Expert Committee. *J Clin Immunol* 2022；42：1473-1507.
3) Daschkey S, Bienemann K, Schuster V, et al. Fatal Lymphoproliferative Disease in Two Siblings Lacking Functional FAAP24. *J Clin Immunol* 2016；36：684-692.
4) Duval M, Fenneteau O, Doireau V, et al. Intermittent hemophagocytic lymphohistiocytosis is a regular feature of lysinuric protein intolerance. *J Pediatr* 1999；134：236-239.
5) Blincoe A, Heeg M, Campbell PK, et al. Neuroinflammatory Disease as an Isolated Manifestation of Hemophagocytic Lymphohistiocytosis. *J Clin Immunol* 2020；40：901-916.
6) Yasumi T, Hori M, Hiejima E, et al. Laboratory parameters identify familial haemophagocytic lymphohistiocytosis from other forms of paediatric haemophagocytosis. *Br J Haematol* 2015；170：532-538.
7) Kogawa K, Lee SM, Villanueva J, et al. Perforin expression in cytotoxic lymphocytes from patients with hemophagocytic lymphohistiocytosis and their family members. *Blood* 2002；99：61-66.
8) Murata Y, Yasumi T, Shirakawa R, et al. Rapid diagnosis of FHL3 by flow cytometric detection of intraplatelet Munc13-4 protein. *Blood* 2011；118：1225-1230.
9) Shibata H, Yasumi T, Shimodera S, et al. Human CTL-based functional analysis shows the reliability of a munc13-4 protein expression assay for FHL3 diagnosis. *Blood* 2018；131：2016-2025.
10) Rubin TS, Zhang K, Gifford C, et al. Perforin and CD107a testing are superior to NK cell function testing for screening patients for genetic HLH. *Blood* 2017；129：2993-2999.
11) Hori M, Yasumi T, Shimodera S, et al. A CD57[+] CTL Degranulation Assay Effectively Identifies Familial Hemophagocytic Lymphohistiocytosis Type 3 Patients. *J Clin Immunol* 2017；37：92-99.
12) Henter JI, Horne A, Arico M, et al. HLH-2004：Diagnostic and therapeutic guidelines for hemophagocytic lymphohistiocytosis. *Pediatr Blood Cancer* 2007；48：124-131.
13) Ehl S, Astigarraga I, von Bahr Greenwood T, et al. Recommendations for the Use of Etoposide-Based Therapy and Bone Marrow Transplantation for the Treatment of HLH：Consensus Statements by the HLH Steering Committee of the Histiocyte Society. *J Allergy Clin Immunol Pract* 2018；6：1508-1517.
14) Yanagisawa R, Nakazawa Y, Matsuda K, et al. Outcomes in children with hemophagocytic lymphohistiocytosis treated using HLH-2004 protocol in Japan. *Int J Hematol* 2019；109：206-213.
15) Horne A, Trottestam H, Aricò M, et al. Frequency and spectrum of central nervous system involvement in 193 children with haemophagocytic lymphohistiocytosis. *Br J Haematol* 2008；140：327-335.

第4章 免疫調節障害

E IPEX症候群

九州大学大学院医学研究院 成長発達医学分野　**木下恵志郎**
九州大学大学院医学研究院 周産期・小児医療学　**石村匡崇**

1. 疾患概要

IPEX（immune dysregulation, polyendocrinopathy, enteropathy, X-linked）症候群は，難治性下痢と内分泌異常を合併するX連鎖疾患の家系として1982年に初めて報告された[1]．2001年にIPEX症候群の責任遺伝子として*FOXP3*が同定され，後に制御性T細胞（Treg）のマスター遺伝子であることが明らかにされた．IPEX症候群ではTregの異常により多彩な自己免疫疾患が起こると考えられている．IPEX症候群と類似の症状を呈しながら*FOXP3*変異がないものはIPEX様症候群とよばれ，*FOXP3*以外の遺伝子変異が検出される例がある[2]．

2. 疫学

X連鎖遺伝形式をとり，基本的に男児にのみ発症する．*FOXP3*変異が確認された患者は全世界で300例以上の報告がある[3]．

3. 診断基準，診断の手引き

a 臨床症状・身体所見[3]

古典的三徴は腸症・内分泌異常・皮疹であるが必ずしもすべてはそろわず，臨床像は多彩である（表1）．初発症状は新生児期から乳児期前半に始まり，1歳まで（中央値0.2歳）に何らかの自己免疫疾患を発症する．

1）腸症

最多の合併症であり約半数の患者で初発症状となる．乳児期早期に難治性下痢で発症し，水様性

表1 IPEX症候群の臨床症状

症状	%	症状	%
肺炎	11	血液疾患	34
副鼻腔炎	4	悪性腫瘍	2
耳鼻咽頭疾患	7	自己免疫疾患	69
気管支拡張症	0.3	リウマチ性疾患	7
喘息	5	皮疹	66
食物アレルギー	19	内分泌疾患	51
下痢	56	神経疾患/学習障害	8
腸症（生検で証明）	70	心血管疾患	5
成長障害	34	腎疾患	20
肝胆道疾患	14	膿瘍	2
臓器肥大	10	敗血症	19

(Jamee M, Zaki-Dizaji M, Lo B, et al. Clinical, Immunological, and Genetic Features in Patients with Immune Dysregulation, Polyendocrinopathy, Enteropathy, X-linked (IPEX) and IPEX-like Syndrome. *J Allergy Clin Immunol Pract* 2020；8：2747-2760.e7. より改変)

であることが特徴である．おもな病変は小腸にあり，組織学的には広範囲に絨毛萎縮，粘膜びらん，および炎症細胞浸潤を呈するが IPEX 症候群に特異的な所見ではない．多くの患者血清中に抗腸管上皮細胞抗体として抗自己免疫性腸症関連 75kDa 抗原（AIE-75）抗体および抗 villin 抗体が検出され，特に前者は本疾患に特異性が高い[4)5)]．

2）内分泌異常

1 型糖尿病および甲状腺機能低下症が多くを占め，新生児期から乳児期に発症する．1 型糖尿病は約 2 割の患者で初発症状となり，甲状腺機能低下症は新生児マススクリーニングで見つかる場合がある．自己抗体として，糖尿病では抗グルタミン酸脱炭酸酵素（glutamic acid decarboxylase：GAD）抗体，抗ランゲルハンス島抗体など，甲状腺機能低下症では抗サイログロブリン抗体，抗甲状腺ペルオキシダーゼ抗体などが検出される[6)]．

3）皮疹

皮疹の性状は様々で，湿疹，アトピー性皮膚炎，紅皮症，蕁麻疹，白斑，脱毛，あるいは水疱などを呈し，特異的なものはない．自己抗体が検出される皮膚抗原として水疱性類天疱瘡抗原および keratin-14 の報告がある[7)]．

4）その他の症状

三徴以外で自己抗体が検出されるものには，食物アレルギー（特異的 IgE），自己免疫性肝炎（抗平滑筋抗体，抗 LKM-1 抗体），溶血性貧血（クームス試験），血小板減少症（PA-IgG），好中球減少症（抗好中球抗体）などがある[8)]．感染症の病原体ではブドウ球菌，サイトメガロウイルスおよびカンジダが多いが，本疾患の感染症は低栄養，血球減少，あるいは免疫抑制療法などによる影響が大きいと考えられている[9)]．

b 検査所見（図 1）

1）一次評価項目

図 1 に示すスクリーニング検査を行い，他疾患の鑑別を同時に進める．IPEX 症候群でよくみられる所見として，血球減少，好酸球増多，血清 IgE・IgA 増加，およびリンパ球の CD4/CD8 比の上昇が知られている．他のリンパ球サブセットとリンパ球幼若化試験は異常がないことが多く，血清 IgG・IgM は一般的に正常か，腸管の蛋白漏出

男児に下記いずれかを伴う
・古典的三徴（腸症，内分泌異常，皮疹）
・早期発症で複数の自己免疫疾患
・遅発性で進行性／多臓器にわたる自己免疫疾患
・母方家系の家族歴

一次評価項目
・血算，白血球分画，リンパ球サブセット（ナイーブ／メモリー T 細胞含む）
・血清免疫グロブリン（IgA, IgM, IgG, IgE）
・リンパ球幼若化試験
・栄養状態，空腹時血糖値，HbA1c
・甲状腺機能
・腎機能
・（必要に応じて）障害臓器の生検　　など

二次評価項目
IPEX 症候群
・自己抗体
・Treg の FOXP3 蛋白発現
・Treg の in vitro 解析　　など
IPEX 様症候群
・Treg の CTLA4 発現
・CD25 蛋白発現
・STAT1/STAT3 リン酸化　　など

遺伝学的検査
次世代シークエンサーによる網羅的ターゲット解析

図 1　IPEX 症候群の診断フローチャート
(Barzaghi F, Passerini L. IPEX Syndrome：Improved Knowledge of Immune Pathogenesis Empowers Diagnosis. *Front Pediatr* 2021；9：612760. より改変)

を伴う場合は低値となる．

2）二次評価項目

標的臓器に対応する自己抗体を測定する．特に抗 AIE-75 抗体と抗 villin 抗体は診断に有用である．末梢血フローサイトメトリーでは多くの患者で $CD4^+CD25^+T$ リンパ球の FOXP3 蛋白発現が減少するが，FOXP3 蛋白の完全欠損はまれであり判断がむずかしいことと，Treg の数そのものは保たれることに注意する．FOXP3 蛋白発現の減少を伴わず，in vitro 解析で Treg の機能低下のみを示した例も報告されている．一次評価項目の結果に応じて，IPEX 様症候群を鑑別するための解析も並行して行う．

3）遺伝学的検査

FOXP3 の病的バリアントを同定する．IPEX 様症候群として他の遺伝子異常が存在する場合も多く，遺伝子パネル検査が有用である．

c 鑑別診断[3]

FOXP3 以外の遺伝子異常による IPEX 様症候群が最も重要な鑑別疾患であり，LRBA，STAT1，IL2RA（CD25），DOCK8，STAT3，CTLA4 などの遺伝子が知られている．IPEX 症候群は IPEX 様症候群と比べて自己免疫疾患の発症時期が早く感染症が少ないことなどが示されているが，最終的な診断には遺伝子解析を要する．

d 診断基準

臨床所見と検査所見が矛盾せず，FOXP3 遺伝子変異が検出されれば IPEX 症候群と診断する．FOXP3 変異が検出されない場合は IPEX 様症候群としてフォローアップする．

4. 合併症

臨床症状とともに表 1 にまとめた．

5. 重症度分類

6 歳まで無症状の患者あるいは 1 型糖尿病のみを呈する患者なども存在するが，後に合併症が出現する可能性が否定できない．長期的な免疫抑制療法あるいは造血細胞移植を要する例は重症である．

6. 管理方法（フォローアップ指針），治療[10]

腸症には経静脈栄養，1 型糖尿病にはインスリン投与など各合併症を個別に治療する．根底にある免疫調節異常には免疫抑制療法あるいは造血細胞移植を行う．免疫抑制療法の効果は限定的であり，長期にわたる感染リスクが問題となる．造血細胞移植においては腸症など合併症のため移植前処置を減弱せざるを得ない場合がある一方，拒絶が多い疾患であることが問題となる．現在のところ根治を目指すのであれば造血細胞移植が唯一の方法であるが，適切なドナーが得られない例あるいは非重症例などに対する移植適応が今後の課題であり，近年は遺伝子治療の研究も始まっている．

7. 予後，成人期の課題[10]

適切な治療が行われなければ乳幼児期に死亡することが多い．IPEX 症候群 96 例の長期フォローアップ報告では，長期の免疫抑制療法群と造血細胞移植群の全生存率はおおむね同等であり，無病生存率は造血細胞移植群で高いことが示された．成人患者に関する情報は乏しいが，症状が多臓器に及ぶため各診療科の連携が課題である．

8. 診療上注意すべき点

アレルギー反応を起こしやすいため薬剤投与時には注意する．また，責任遺伝子の同定が 2000 年代であるため IPEX 症候群を疑われず成人診療科で診られている患者が一定数存在すると考えられる．

文献

1) Powell BR, Buist NRM, Stenzel P. An X-linked syndrome of diarrhea, polyendocrinopathy, and fatal infection in infancy. *J Pediatr* 1982；100：731-737.
2) Bacchetta R, Barzaghi F, Roncarolo MG. From IPEX syndrome to FOXP3 mutation：a lesson on immune dysregulation. *Ann N Y Acad Sci* 2018；1417：5-22.
3) Jamee M, Zaki-Dizaji M, Lo B, et al. Clinical, Immunological, and Genetic Features in Patients with Immune Dysregulation, Polyendocrinopathy, Enteropathy, X-linked（IPEX）and IPEX-like Syndrome. *J Allergy Clin Immunol Pract* 2020；8：2747-2760. e7.
4) Kobayashi I, Imamura K, Kubota M, et al. Identification of an autoimmune enteropathy-related 75-kilodalton antigen. *Gastroenterology* 1999；117：823-830.
5) Kobayashi I, Kubota M, Yamada M, et al. Autoantibodies to villin occur frequently in IPEX, a severe immune dysregulation, syndrome caused by mutation of FOXP3. *Clin Immunol* 2011；141：83-89.
6) Barzaghi F, Passerini L. IPEX Syndrome：Improved Knowledge of Immune Pathogenesis Empowers Diagnosis. *Front Pediatr* 2021；9：612760.
7) Tsuda M, Torgerson TR, Selmi C, et al. The spectrum of autoantibodies in IPEX syndrome is broad and includes anti-mitochondrial autoantibodies. *J Autoimmun* 2010；

35：265-268.
8) Barzaghi F, Passerini L, Bacchetta R. Immune dysregulation, polyendocrinopathy, enteropathy, x-linked syndrome：a paradigm of immunodeficiency with autoimmunity. *Front Immunol* 2012；3：211.
9) Gambineri E, Ciullini Mannurita S, Hagin D, et al. Clinical, Immunological, and Molecular Heterogeneity of 173 Patients With the Phenotype of Immune Dysregulation, Polyendocrinopathy, Enteropathy, X-linked（IPEX）Syndrome. *Front Immunol* 2018；9：2411.
10) Barzaghi F, Amaya Hernandez LC, Neven B, et al. Long-term follow-up of IPEX syndrome patients after different therapeutic strategies：An international multicenter retrospective study. *J Allergy Clin Immunol* 2018；141：1036-1049. e5.

第4章 免疫調節障害

F　CTLA4 ハプロ不全症/LRBA 欠損症

京都大学大学院医学研究科 発達小児科学　**仁平寛士**　**八角高裕**

1. 疾患概要

　cytotoxic T lymphocyte antigen 4（CTLA4）ハプロ不全症は，*CTLA4* 遺伝子のハプロ不全によって低ガンマグロブリン血症，反復性呼吸器感染症，腸症，自己免疫性血球減少症などの多彩な臨床症状を呈する疾患である．CTLA4 は T 細胞膜に発現し，抗原提示細胞上の CD80/CD86 に対する強い親和性を有することで CD28 を介する副シグナルを競合的に阻害する（図1）．これにより CTLA4 は末梢性に T 細胞の活性化を抑制し，免疫寛容の維持において重要な役割を担っている．CTLA4 が発現低下するとこれらの免疫調節メカニズムに影響を及ぼし，T 細胞および B 細胞の恒常性が破壊され，その結果，各種の自己免疫疾患を呈すると考えられている[1)〜3)]．

　lipopolysaccharide-responsive beige-like anchor protein（LRBA）欠損症は，機能喪失型変異による常染色体潜性（劣性）遺伝性疾患で[4)5)]，その表現型は CTLA4 ハプロ不全症に類似している．LRBA は，細胞内小胞の中で CTLA4 の尾部と結合することでライソゾームでの CTLA4 分解を抑制する機能をもつことが知られ（図1）[6)]，LRBA の欠損は結果 CTLA4 の発現低下をきたすことから，その分子メカニズムは共通する部分が大きい．

　CD28 を介するシグナルは，胚中心の形成や免疫グロブリンのクラススイッチ，制御性 T 細胞（Treg）の恒常性に関与するとも考えられており，CD28 と CTLA4 のバランスが崩れる結果，低ガンマグロブリン血症などの多彩な症状を呈している可能性が示唆されている．しかし，CTLA4 の詳細な機能については依然として不明な点が多いのも事実である[7)]．

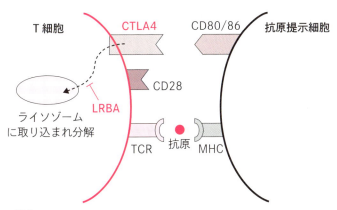

図1　CTLA4，LRBA の働き
CTLA4 は，T 細胞の補助刺激受容体である CD28 と競合的に CD80/CD86 と結合し，T 細胞の活性化を抑制する．
LRBA は，CTLA4 がライソゾームに取り込まれ分解されるのを阻害する．
CTLA4：cytotoxic T lymphocyte antigen 4，LRBA：lipopolysaccharide-responsive beige-like anchor protein，
TCR：T-cell receptor T 細胞受容体，MHC：major histocompatibility complex 主要組織適合遺伝子複合体
(Lo B, Zhang K, Lu W, et al. AUTOIMMUNE DISEASE. Patients with LRBA deficiency show CTLA4 loss and immune dysregulation responsive to abatacept therapy. *Science* 2015；349：436-440.)

表1 CTLA4ハプロ不全症，LRBA欠損症における臨床症状

症状	CTLA4ハプロ不全症 (n=222)	LRBA欠損症 (n=212)
肺炎	56 (26.3%)	85 (40.1%)
気管支拡張症	24 (11.3%)	32 (15.1%)
喘息，アレルギー	47 (22.1%)	21 (9.9%)
間質性肺障害	49 (23.0%)	35 (16.5%)
下痢	106 (50.0%)	97 (45.3%)
成長障害	16 (7.5%)	59 (27.8%)
肝胆道系障害	24 (11.3%)	22 (10.4%)
悪性腫瘍	37 (17.4%)	15 (7.1%)
自己免疫疾患	143 (64.4%)	147 (69.3%)
リウマチ性疾患	35 (16.4%)	36 (17.0%)
皮膚障害	81 (38.0%)	29 (13.7%)
内分泌障害	52 (24.4%)	59 (27.8%)
神経学的異常	51 (23.9%)	26 (12.3%)
髄膜炎	2 (0.9%)	11 (5.2%)
心血管障害	16 (7.5%)	6 (2.8%)
腎障害	21 (9.9%)	20 (9.7%)
膿瘍	2 (0.9%)	11 (5.2%)
骨髄炎	1 (0.5%)	1 (0.5%)
敗血症	17 (8.0%)	14 (6.6%)

(Jamee M, Hosseinzadeh S, Sharifinejad N, et al. Comprehensive comparison between 222 CTLA-4 haploinsufficiency and 212 LRBA deficiency patients: a systematic review. Clin Exp Immunol 2021; 205: 28-43.)

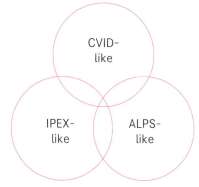

図2 CTLA4，LRBAにおける臨床的特徴
CVID様，IPEX様，ALPS様の特徴を種々の程度で呈しうる．
CVID：common variable immunodeficiency 分類不能型免疫不全症，IPEX：immune dysregulation, polyendocrinopathy, enteropathy, X-linked，ALPS：autoimmune lymphoproliferative syndrome 自己免疫性リンパ増殖症候群

2. 疫学

現在世界での患者数は，CTLA4ハプロ不全症，LRBA欠損症いずれも200人ほどが報告されている．わが国での患者数は，両疾患をあわせても数十例にとどまると考えられる[8]．

3. 診断基準，診断の手引き

低ガンマグロブリン血症や自己免疫性血球減少症などから本疾患を疑い，最終的にCTLA4蛋白発現解析および*CTLA4*，*LRBA*遺伝子解析を行い確定診断する必要がある．ただし，CTLA4ハプロ不全症，LRBA欠損症の両方に共通して，臨床的浸透率が不完全であるという点には十分に注意を払うべきである．実際，変異保有者133例のうち有症状者は90例（67.7%）にとどまったと報告されているとおり[9]，同一家系の同一遺伝子変異保有者でもその表現型には無症候から重症まで大きな幅がある．

a 臨床症状

CTLA4欠損症，LRBA欠損症では免疫調節障害に伴う多彩な臨床像を呈する．例えば低ガンマグロブリン血症，リンパ増殖症，呼吸器疾患，消化器疾患，自己免疫性血球減少，皮膚症状，内分泌異常，神経学的異常，関節炎，成長障害，腎疾患，肝疾患などがあげられる（表1）[8]．それらはそれぞれ，B細胞数減少に起因するCVID（common variable immunodeficiency：分類不能型免疫不全症）様症状，Treg機能障害に起因するIPEX（immune dysregulation, polyendocrinopathy, enteropathy, X-linked）様症状，T細胞反応性亢進に起因するALPS（autoimmune lymphoproliferative syndrome：自己免疫性リンパ増殖症候群）様症状と考えられ（図2），症例ごとに種々に混在することが知られる[6)10)〜13]．

b 検査所見

CTLA4ハプロ不全症，LRBA欠損症いずれにおいても，多くの症例で低ガンマグロブリン血症

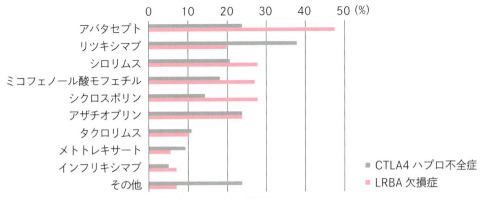

図3　CTLA4ハプロ不全症，LRBA欠損症における治療選択
CTLA4：cytotoxic T lymphocyte antigen 4，LRBA：lipopolysaccharide-responsive beige-like anchor protein
(Jamee M, Hosseinzadeh S, Sharifinejad N, et al. Comprehensive comparison between 222 CTLA-4 haploinsufficiency and 212 LRBA deficiency patients：a systematic review. Clin Exp Immunol 2021；205：28-43.)

を認める．一部の症例では抗核抗体や抗好中球細胞質抗体（antineutrophil cytoplasmic antibody：ANCA）が陽性となる[8]．リンパ球サブセットでは，B細胞の減少（特にクラススイッチメモリーB細胞の減少），CD4陽性ヘルパーT細胞の減少，DNT細胞の増加等を認める[14)15]．CD4陽性FOXP3陽性Treg数は，CTLA4ハプロ不全症では正常であるが，LRBA欠損症ではしばしば減少している[16]．

c 特殊検査

確定診断はCTLA4あるいはLRBA遺伝子解析による．ただし，LRBA欠損症では大欠失を伴うことがあるため，通常のショートリード次世代シーケンスによる解析では同定がむずかしいケースがある．CTLA4ハプロ不全症並びにLRBA欠損症患者では，健常者に比べFOXP3陽性制御性T細胞あるいは活性化T細胞におけるCTLA4発現低下を認めることから，フローサイトメトリーによるスクリーニングも有用である[17]．

d 鑑別診断

CTLA4ハプロ不全症，LRBA欠損症では，CVID様症状，IPEX様症状，ALPS様症状を種々の程度で認めるため，それら各疾患を鑑別する必要がある．CTLA4ハプロ不全症とLRBA欠損症のお互いの鑑別も必要となるが，その他の類似症状を呈する遺伝性疾患として，FOXP3，IL2RA，FASL，FAS，PI3K，NFKB1，NFKB2，STAT3，STAT5B等の遺伝子における変異検索も重要である[8]．

4. 合併症

両疾患とも悪性疾患の合併頻度が高率であり，悪性リンパ腫などの悪性腫瘍の合併は生命予後に影響を及ぼすため重要である．

5. 重症度分類

免疫グロブリン補充療法，G-CSF（granulocyte-colony stimulating factor：顆粒球コロニー刺激因子）療法，ステロイドやその他免疫抑制薬の投与，抗腫瘍薬の投与，感染症予防，造血細胞移植などの治療を要する例は基本的に重症である．

6. 管理方法（フォローアップ指針），治療

CTLA4ハプロ不全症，LRBA欠損症いずれにおいても標準治療は定まっていない．多彩な症状それぞれに対して，免疫グロブリン補充療法，感染症治療，免疫抑制療法などが必要となる（図3）．免疫抑制薬としては，ステロイド，シクロスポリン，リツキシマブ，抗TNF製剤などの使用例が報告されているが，いずれも効果は限定的であ

る．海外からの報告では，アバタセプトやシロリムスの有効性が報告されている（わが国ではいずれも保険適用外）[6,9]．免疫抑制薬を使用する際には，感染症のリスクについて十分に留意する必要がある．根治療法として造血細胞移植が自己免疫疾患難治例や悪性腫瘍合併例に対して施行されており，比較的良好な成績をおさめている[9,18]．

7. 予後，成人期の課題

Jameeら[8]の報告では，CTLA4ハプロ不全症，LRBA欠損症それぞれにおける発症年齢の中央値は，10歳，1.7歳とLRBA欠損症でより若年での発症が認められた．一方でその死亡率は，CTLA4ハプロ不全症で13.7%，LRBA欠損症で21.0%とされている．また別のCTLA4ハプロ不全症の発症患者90例の報告では，16%の患者が疾患に伴う症状や合併症で死亡し，平均寿命は23歳だったと報告されている[9]．死亡原因として，腸症に伴う敗血症，Evans症候群，CVIDによる感染症，非Hodgkinリンパ腫などがあげられる[19]．

8. 診療上注意すべき点

未発症例においても自己免疫疾患や悪性腫瘍などの発症がないか慎重な経過観察と患者への十分な説明が必要である．

文献

1) Kuehn HS, Ouyang W, Lo B, et al. Immune dysregulation in human subjects with heterozygous germline mutations in CTLA4. *Science* 2014; 345: 1623-1627.
2) Schubert D, Bode C, Kenefeck R, et al. Autosomal dominant immune dysregulation syndrome in humans with CTLA4 mutations. *Nat Med* 2014; 20: 1410-1416.
3) Schwab C, Gabrysch A, Olbrich P, et al. Phenotype, penetrance, and treatment of 133 cytotoxic T-lymphocyte antigen 4-insufficient subjects. *J Allergy Clin Immunol* 2018; 142: 1932-1946.
4) Lopez-Herrera G, Tampella G, Pan-Hammarström Q, et al. Deleterious mutations in LRBA are associated with a syndrome of immune deficiency and autoimmunity. *Am J Hum Genet* 2012; 90: 986-1001.
5) Alangari A, Alsultan A, Adly N, et al. LPS-responsive beige-like anchor (LRBA) gene mutation in a family with inflammatory bowel disease and combined immunodeficiency. *J Allergy Clin Immunol* 2012; 130: 481-488. e2.
6) Lo B, Zhang K, Lu W, et al. AUTOIMMUNE DISEASE. Patients with LRBA deficiency show CTLA4 loss and immune dysregulation responsive to abatacept therapy. *Science* 2015; 349: 436-440.
7) Verma N, Burns SO, Walker LSK, et al. Immune deficiency and autoimmunity in patients with CTLA-4 (CD152) mutations. *Clin Exp Immunol* 2017; 190: 1-7.
8) Jamee M, Hosseinzadeh S, Sharifinejad N, et al. Comprehensive comparison between 222 CTLA-4 haploinsufficiency and 212 LRBA deficiency patients: a systematic review. *Clin Exp Immunol* 2021; 205: 28-43.
9) Schwab C, Gabrysch A, Olbrich P, et al. Phenotype, penetrance, and treatment of 133 cytotoxic T-lymphocyte antigen 4-insufficient subjects. *J Allergy Clin Immunol* 2018; 142: 1932-1946.
10) Resnick ES, Moshier EL, Godbold JH, et al. Morbidity and mortality in common variable immune deficiency over 4 decades. *Blood* 2012; 119: 1650-1657.
11) Gambineri E, Perroni L, Passerini L, et al. Clinical and molecular profile of a new series of patients with immune dysregulation, polyendocrinopathy, enteropathy, X-linked syndrome: inconsistent correlation between forkhead box protein 3 expression and disease severity. *J Allergy Clin Immunol* 2008; 122: 1105-1112. e1.
12) Price S, Shaw PA, Seitz A, et al. Natural history of autoimmune lymphoproliferative syndrome associated with FAS gene mutations. *Blood* 2014; 123: 1989-1999.
13) Revel-Vilk S, Fischer U, Keller B, et al. Autoimmune lymphoproliferative syndrome-like disease in patients with LRBA mutation. *Clin Immunol* 2015; 159: 84-92.
14) Lo B, Abdel-Motal UM. Lessons from CTLA-4 deficiency and checkpoint inhibition. *Curr Opin Immunol* 2017; 49: 14-19.
15) Alroqi FJ, Charbonnier LM, Baris S, et al. Exaggerated follicular helper T-cell responses in patients with LRBA deficiency caused by failure of CTLA4-mediated regulation. *J Allergy Clin Immunol* 2018; 141: 1050-1059. e10.
16) Mitsuiki N, Schwab C, Grimbacher B. What did we learn from CTLA-4 insufficiency on the human immune system? *Immunol Rev* 2019; 287: 33-49.
17) 岩脇史郎，大和玄季，柴　德生，他：自己免疫性溶血性貧血を契機に診断されたCTLA-4異常症．日本小児科学会雑誌 2018; 122: 55-61.
18) Slatter MA, Engelhardt KR, Burroughs LM, et al. Hematopoietic stem cell transplantation for CTLA4 deficiency. *J Allergy Clin Immunol* 2016; 138: 615-619. e1.
19) Hayakawa S, Okada S, Tsumura M, et al. A Patient with CTLA-4 Haploinsufficiency Presenting Gastric Cancer. *J Clin Immunol* 2016; 36: 28-32.

第4章 免疫調節障害

G 腸炎を伴う免疫不全症

東北大学大学院医学系研究科 発生・発達医学講座 小児病態学分野　笹原洋二

1. 疾患概要

炎症性腸疾患（inflammatory bowel disease：IBD）は多因子病であり、そのなかで6歳未満に発症する超早期発症炎症性腸疾患（very early-onset inflammatory bowel disease: VEO-IBD）の疾患概念がある。VEO-IBDの一部に先天性免疫異常症（inborn errors of immunity: IEI）の原因遺伝子異常が遺伝要因として近年多数報告されており、単一遺伝子異常によるmonogenic IBDの概念が確立されてきている[1)～5)]。わが国の多施設共同研究による108例の網羅的遺伝子解析では小児期発症IBDの約12%がIEIを含むmonogenic IBDであることが明らかとなっている[6)～8)]。

IBDは多因子病であり、環境要因、遺伝要因、腸内細菌叢が発症に関与しているが、小児期発症炎症性腸疾患では遺伝要因が特に重要である。IBDを合併するIEIとしては、慢性肉芽腫症、X連鎖リンパ増殖症候群、Wiskott-Aldrich症候群、IPEX症候群などが代表的であるが、ほかにも多数存在する（表1）。そのため責任遺伝子群も多数存在し、表2に障害部位別に分類した疾患遺伝子群をまとめた。最近、腸炎を合併する免疫不全症としてIL-10シグナル異常症によるVEO-IBDが報告されている[9)～15)]。本稿では、IEIを基盤とするVEO-IBDの代表的疾患として、IL-10欠損症およびIL-10受容体欠損症によるIL-10シグナル異常症について概説する。

2. 疫学

2009年に初めてIL-10受容体異常症が報告されて以来[9)]、これまで多数例のIL-10欠損症、IL-10受容体A欠損症およびIL-10受容体B欠損症症例の報告がある。わが国および中国を含む東アジアではIL-10受容体A欠損症症例がほとんどであり、10例以上の文献報告があるが[8)]、実際にはさらに多数例存在することが知られている。

3. 診断基準，診断の手引き

a 病因と分子病態

*IL10*遺伝子、*IL10RA*あるいは*IL10RB*遺伝子の両アリルの遺伝子異常が病因であり、常染色体潜性（劣勢）遺伝形式をとる疾患である。これにより正常なIL-10あるいはIL-10受容体蛋白が産生されず、IL-10シグナル伝達系不全を生じてVEO-IBDを発症する。IL-10はおもに制御性T細胞やその他の免疫担当細胞から産生され、腸管免疫の中ではIL-10シグナルは抑制性シグナルの中心的役割を果たし、環境要因や腸内細菌叢をトリガーとするIBD発症を回避するための重要なシグナル伝達系である。そのため、IL-10シグナル異常症では、腸内細菌叢やlipopolysaccharide刺激に対するTNF-αやIFN-γなどの炎症性サイトカイン産生の抑制がかからず、過剰な免疫反応や炎症によりIBDを発症する。マウスモデルにおいても、IL-10およびIL-10受容体のノックアウトマウスでは腸内細菌存在下で炎症性腸疾患を呈することが示されている[12)]。

IL-10シグナル伝達系を構成する分子群を図1に示す。IL-10受容体はA鎖とB鎖によるヘテロ4量体により構成され、IL-10分子がリガンドとして結合することにより下流のJAK1-STAT3経路が活性化される。JAK1によりリン酸化を受けたSTAT3は細胞核内に移行して標的遺伝子群の転写調節により、抗炎症効果を発揮する。

b 臨床症状

乳児期より，発熱，血便，下痢，腹痛および特徴的な肛門周囲病変を呈する．乳児期にこのような臨床所見を呈する症例では本症候群を鑑別する必要がある．

c 検査所見

腸管炎症により様々な程度の炎症所見を呈する．
大腸内視鏡検査ではIBDの様々な肉眼的所見を呈し，病理所見では潰瘍性大腸炎やCrohn病とは異なるmonogenic IBD特有の病理所見を呈することが知られている．

血清IL-10値はIL-10欠損症では低値となり，逆にIL-10受容体欠損症では高値となる．IL-10欠損症ではIL-10受容体シグナル伝達は正常であるため，末梢血単核球IL-10刺激後のSTAT3リン酸化は正常である．IL-10受容体欠損症ではIL-10シグナル伝達不全により，末梢血単核球IL-10刺激後のSTAT3リン酸化はみられないか有意に低下する．

表1 腸炎を合併する代表的な原発性免疫不全症

疾患名	発症機序	腸炎以外の症状	遺伝子診断以外の診断方法	治療方法
分類不能型免疫不全症	細胞性免疫・液性免疫の異常	易感染性，脾腫，リンパ節腫大，自己免疫疾患，悪性腫瘍	リンパ球サブセットや免疫グロブリン値，特異的抗体価など	免疫グロブリン補充療法，感染予防
慢性肉芽腫症	好中球殺菌能の異常	化膿性皮膚炎，リンパ節炎，肺炎，中耳炎，肝膿瘍，肛門周囲膿瘍	dihydrorhodamine-123を用いた活性酸素産生能	感染予防，IFN-γ，造血細胞移植
Wiskott-Aldrich症候群	WAS遺伝子異常	血小板減少，持続性湿疹，反復性感染症，自己免疫疾患，悪性腫瘍	フローサイトメトリー法によるWASP蛋白発現解析	感染予防，出血傾向の管理，造血細胞移植
IPEX症候群	FOXP3遺伝子異常による制御性T細胞の減少	多発性内分泌腺機能低下症，皮疹，貧血，血小板減少，腎炎，易感染性	フローサイトメトリー法による制御性T細胞数解析	免疫抑制療法，造血細胞移植
IL-10異常症	炎症抑制性サイトカインであるIL-10やその受容体の異常	肛門周囲の特徴的所見，易感染性	末梢血中のIL-10値や，IL-10受容体シグナルの異常	免疫抑制療法，感染予防，造血細胞移植
XIAP異常症	免疫応答反応の異常	致死的伝染性単核症，悪性リンパ腫	フローサイトメトリー法によるXIAP蛋白発現解析	免疫抑制療法，造血細胞移植
外胚葉形成不全免疫不全症（NEMO異常症）	NF-κB異常による免疫不全，外胚葉形成不全	皮膚色素・毛髪・汗腺・歯牙などの異常，易感染性	LPS刺激への反応低下	免疫グロブリン補充療法，感染予防，造血細胞移植
IgA欠損症	IgAのクラススイッチ異常	易感染性，自己免疫疾患	免疫グロブリン定量	必要時の抗菌薬投与
白血球粘着不全症	白血球における接着分子の発現低下	壊死性軟組織感染，歯肉炎，創傷治癒不良，白血球増加，臍帯脱落遅延	フローサイトメトリー法によるCD11，CD18陽性細胞解析	感染予防，造血細胞移植
重症複合免疫不全症	リンパ球の発生・分化・機能の異常	日和見感染や重症感染症の反復	リンパ球サブセットや免疫グロブリン値，特異的抗体価など	感染予防，造血細胞移植
Chédiak-Higashi症候群	好中球機能異常	反復性感染症，メラニン分布異常，神経障害	白血球中の巨大顆粒	感染予防，造血細胞移植
家族性地中海熱	pyrin-inflammasomeシグナル異常による炎症反応亢進	周期性発熱，皮疹，漿膜炎	発熱時のみの炎症所見亢進	コルヒチン，IL1受容体拮抗薬

表2 monogenic IBD の代表的疾患遺伝子

障害部位別に分類した疾患遺伝子群
上皮バリア・上皮反応の障害など
COL7A1, FERMT1, TTC7A, ADAM17, *GUCY2C*, EPCAM
好中球数・貪食能・殺菌能の障害など
<u>CYBB</u>, CYBA, NCF1, NCF2, NCF4, SLC37A4, G6PC3, ITGB2
免疫過剰，自己免疫疾患など
MVK, *PLCG2*, MEFV, STXBP2, <u>XIAP</u>, <u>SH2D1A</u>, HPS1, HPS4, HPS6
複合免疫不全，抗体産生異常など
ICOS, LRBA, IL21, <u>BTK</u>, PIK3R1, <u>CD40L</u>, AICDA, <u>WAS</u>, DCLRE1C, ZAP70, RAG2, <u>IL2RG</u>, LIG4, ADA, CD3γ, ADA, <u>DKC1</u>, RTEL1, DOCK8
制御性 T 細胞，免疫調節障害など
FOXP3, IL2RA, *STAT1*, IL10RA, IL10RB, IL10, <u>IKBKG</u>
腸管神経伝達の異常・その他
MASP2, SKIV2L, TTC37, *RET*

黒字：常染色体潜性（劣性），色字：常染色体顕性（優性），下線：X 連鎖

d 鑑別診断

VEO-IBD を合併する疾患は多彩であるため，これらの疾患を鑑別する必要がある．上述した特徴的な臨床所見のみから IL-10 シグナル異常症を確定診断することは困難であり，遺伝子解析が必要である．

e 診断基準

各責任遺伝子に有意な遺伝子変異が同定されることにより確定診断される．保険収載となっている，かずさ DNA 研究所による炎症性腸疾患の既知遺伝子パネル解析が有用である．パネル解析で変異が同定されない場合は網羅的遺伝子解析を検討する．

遺伝子解析により，*IL10*，*IL10RA* あるいは *IL10RB* 遺伝子の両アリル異常を同定する．その結果，様々なミスセンス変異，欠失変異，フレームシフト変異が，複合ヘテロあるいはホモ変異として報告されている[1〜11]．

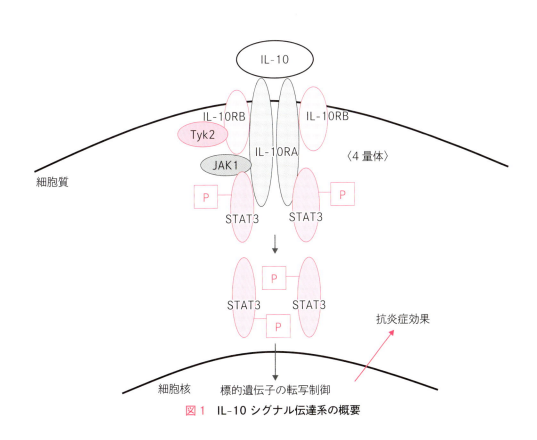

図1 IL-10 シグナル伝達系の概要

4. 合併症

a 感染症

免疫不全あるいは免疫抑制療法施行例では，サイトメガロウイルス腸炎など様々な感染症を合併することがある．

b 悪性腫瘍

IL-10受容体欠損症症例の約1割に，6歳前後で悪性リンパ腫であるびまん性大細胞型B細胞性リンパ腫が合併したことが報告されている．病理学的に画一的なリンパ腫を共通して合併し，C-REL遺伝子やNF-κBシグナル関連の付加的異常と腫瘍免疫監視機構の低下により発症するとされている[13]．

5. 重症度分類

乳児期・小児期から様々な消化器症状を呈し，原疾患による易感染性や免疫応答異常を呈するため，重症に分類される．

6. 管理方法（フォローアップ指針），治療

IL-10シグナル異常症では種々の免疫抑制療法は効果が不十分な場合が多い．易感染性を示す症例が多く，必要時にST合剤予防内服などの感染予防を行う．インフルエンザ罹患時の高サイトカイン血症による死亡例も報告されている[14]．

これまでの症例の解析から，同種造血細胞移植による免疫系再構築が長期予後の改善のために寄与すると考えられる[15]．移植時期，至適前処置や移植細胞選択の検討はわが国の症例も含めて今後の課題である．

IBDの長期管理，感染症合併の管理，悪性リンパ腫合併の有無，同種造血細胞移植後の管理に重点をおいた長期フォローアップが必要である．

7. 予後，成人期の課題

本疾患の予後については，重症例において同種造血細胞移植の施行が予後を改善させる可能性が報告されているが，その長期的予後については今後の課題である．そのため，各症例の臨床所見や治療内容に即した長期的な管理とフォローアップが必要である．同種造血細胞移植を施行した症例は，成人期に至っても移植後の晩期障害に注意した長期的なフォローアップ管理が必要である．

8. 診療上注意すべき点

小児期発症炎症性腸疾患には，IEIを中心としたmonogenic IBDが一部含まれており，成人とは異なる病態を呈する．確定診断とその後の管理・治療方針決定には，免疫不全症，消化器疾患，病理の専門医が連携して診断に当たることが重要である．

診療上のコツ：臨床症例から

IL-10受容体A欠損症の症例で，2か月時の肛門周囲所見にて肛門周囲膿瘍と殿部蜂窩織炎に加えて肛門skin tagの増殖を認め，診断の契機となった．内視鏡所見では，直腸粘膜に非連続性の斑状発赤，びらん，広基性ポリープ様の隆起を認め，直腸狭窄をきたしていた．病理所見では，直腸の一部にびらんと好中球浸潤を混じた肉芽組織を形成していたが，非特異的な像であった．血清IL-10が特異的に上昇していたため，IL-10受容体遺伝子解析を施行したところ，IL10RA遺伝子に両親由来のコンパウンドヘテロ変異を同定した．

Pitfall

乳児期・小児期発症のVEO-IBDのなかには，IEIを基盤とした症例が存在することを認識して鑑別診断と治療方針を決定することが重要である．

文献

1) Christodoulou K, Wiskin AE, Gibson J, et al. Next generation exome sequencing of paediatric inflammatory bowel disease patients identifies rare and novel variants in candidate genes. *Gut* 2013；62：977-984.

2) Uhlig HH. Monogenic disease associated with intestinal inflammation:implication for the understanding of inflammatory bowel disease. *Gut* 2013；62：1795-1805.

3) Kammermeier J, Drury S, James CT, et al. Targeted gene panel sequencing inchildren with very early onset inflammatory bowel disease-evaluation and prospective analysis. *J Med Genet* 2014；51：748-755.

4) Nambu R, Muise AM. Advanced understanding of monogenic inflammatory bowel disease. *Front Pediatr* 2021；8：618918-618925.

5) Nambu R, Warner N, Mulder DJ, et al. A systemic review of monogenic inflammatory bowel disease. *Clin Gastroenterol Hepatol* 2022；20：653-663.

6) Suzuki T, Sasahara Y, Kikuchi A, et al. Targeted sequencing and immunological analyses reveal the involvement of primary immunodeficiency genes in pediatric IBD: a Japanese multicenter study. *J Clin Immunol* 2017；37：67-79.

7) Uchida T, Suzuki T, Kikuchi A, et al. Comprehensive targeted sequencing identifies monogenic disorders in patients with early-onset refractory diarrhea. *J Pediatr Gastroenterol Nutr* 2020；71：333-339.

8) Sasahara Y, Uchida T, Suzuki T, et al. Primary immunodeficiencies associated with early-onset inflammatory bowel disease in southeast and east Asia. *Front Immunol* 2022；12：786538-786544.

9) Glocker E, Kotlarz D, Boztug K, et al. Inflammatory bowel disease and mutations affecting the interleukin-10 receptor. *N Engl J Med* 2009；361：2033-2045.

10) Begue B, Verdier J, Rieux-Laucat F, et al. Defective IL10 signaling defining a subgroup of patients with inflammatory bowel disease. *Am J Gastroenterol* 2011；106：1544-1555.

11) Kotlarz D, Beier R, Murugan D, et al. Loss of interleukin-10 signaling and infantile inflammatory bowel disease: implication for diagnosis and therapy. *Gastroenterol* 2012；143：347-355.

12) Shouval DS, Biswas A, Goettel JA, at el. Interleukin-10 receptor signaling in innate immune cells regulates mucosal immune tolerance and anti-inflammatory macrophage function. *Immunity* 2014；40：706-719.

13) Neven B, Mamessier E, Bruneau J, et al. A mendelian predisposition to B-cell lymphoma caused by IL-10R deficiency. *Blood* 2013；122：3713-3722.

14) Ishige T, Igarashi Y, Hatori R, et al. IL-10RA mutation as a risk factor of severe influenza-associated encephalopathy: A case report. *Pediatrics* 2018；141：e20173548.

15) Engelhardt KR, Shah N, Faizura-Yeop I, et al. Clinical outcome in IL-10- and IL-10-receptor-deficient patients with or without hematopoietic stem cell transplantation. *J Allergy Clin Immunol* 2013；131：25-30.

II 各論

第5章 原発性食細胞機能不全および欠損症

第5章 原発性食細胞機能不全および欠損症

A 重症先天性好中球減少症（SCN）

広島大学大学院医系科学研究科 小児科学　溝口洋子　岡田 賢

1. 疾患概説

重症先天性好中球減少症（severe congenital neutropenia：SCN）は末梢血好中球絶対数（absolute neutrophil count：ANC）が500/μL未満（多くは200/μL未満）の重症慢性好中球減少，骨髄像で前骨髄球，骨髄球での成熟障害，生後早期から反復する細菌感染症を臨床的特徴とする遺伝性疾患である．表1に2022年のInternational Union of Immunological Societies Expert Committee（IUIS）が提案した先天性好中球減少症の一覧を示す[1]．先天性好中球減少症のなかでSCNに分類されているのは5種類の遺伝子（*ELANE*, *GFI1*, *HAX1*, *G6PC3*, *VPS45*）異常に起因する先天性好中球減少症である．そのなかでELANE異常症は，SCNと，ANCが正常レベルから重症好中球減少まで約21日周期で変動を示す周期性好中球減少症の2病型を示す．2018年にSCNの新たな責任遺伝子として，*SRP54*が報告された[2]．SRP54異常症は，IUISが提唱した分類では，先天性好中球減少症には分類されているものの，SCNには含まれていない．しかしSCNの原因としてELANE異常症の次に頻度が高いとの報告もあり，わが国でも症例報告があがってきていることから，本稿ではSRP54異常症もSCNに含め概説する．本疾患群は慢性好中球減少症を共通所見とするが，病因，病態，臨床症状は多様であり，それぞれの疾患で特徴のある臨床所見が認められるため，合併する臨床症状も考慮する必要がある．1990年代にgranulocyte colony stimulating factor（G-CSF）が治療に使用されるようになり，感染症による生命予後は劇的に改善した．しかし，国際先天性好中球減少症の登録事業（Severe Chronic Neutropenia International Registry：SCNIR）からは，長期間のG-CSF製剤使用により骨髄異形成症候群/急性骨髄性白血病（myelodysplastic syndrome/acute myeloid leukemia：MDS/AML）に進展する症例の増加が報告されている．したがって，感染症対策としてG-CSFの使用は有用であるが，MDS/AMLへの進展を考慮したフォローが必要となる．現段階での唯一の根治療法は造血細胞移植であるが，その適応，移植時期，移植方法などの判断はむずかしいのが現状である．

2. 疫学

発生頻度：世界では100万人に3～8.5人と推定されている[3]．確定的な数字はないが，わが国では100万人に1～2人の発生頻度と推測され，現在までに100例程度の患者数が集積されている．遺伝子解析が施行されている症例の集計から，わが国のSCNは主としてELANE異常症（SCN1）とHAX1欠損症（SCN3）に限定されていたが，2016年にG6PC3欠損症（SCN4）のわが国第一例目が報告された[4]．常染色体性顕性（優性）遺伝形式をとるELANE異常症が最も頻度が高く約75～80%を占める．HAX1欠損症はKostmann病ともよばれ，その頻度は約15%である．全例が*HAX1*遺伝子のホモ接合性変異か複合ヘテロ接合性変異で，常染色体潜性（劣性）遺伝形式をとる．その他のGFI1欠損症（SCN2），VPS45欠損症（SCN5）の頻度は明らかではないが，非常にまれと考えられる．SRP54異常症は，フランスの先天性好中球減少症のレジストリーではELANE異常症に次いで2番目に頻度が高いと報告されている[2]．わが国においても，把握している限り7例のSCN症例で同定されている．

表1　先天性好中球減少症の分類

先天性好中球減少症		責任遺伝子	遺伝形式	合併所見	G-CSFへの反応性	MDS/AMLのリスク
1. 重症先天性好中球減少症（SCN）						
	SCN1（ELANE異常症）	ELANE	AD	MDS/白血病，SCNもしくは周期性好中球減少症	あり	報告あり
	SCN2（GFI1欠損症）	GFI1	AD	B/Tリンパ球減少		報告なし
	SCN3（HAX1欠損症，Kostmann病）	HAX1	AR	認知・神経学的障害，MDS/白血病	あり	報告あり
	SCN4（G6PC3欠損症）	G6PC3	AR	先天性心疾患，泌尿生殖器異常，内耳性難聴，体幹・四肢の静脈拡張	あり	報告あり
	SCN5（VPS45欠損症）	VPS45	AR	髄外造血，骨髄線維化，腎肥大	なし	報告なし
2. 糖原病1b型		G6PT1	AR	空腹時低血糖，乳酸アシドーシス，高脂血症，肝腫大	あり	報告あり
3. X連鎖好中球減少症		WAS	XL GOF	好中球減少，骨髄球分化障害，単球減少，リンパ系異常	あり	報告あり
4. P14/LAMTOR2欠損症		LAMTOR2	AR	好中球減少，低ガンマグロブリン血症，CD8⁺T細胞傷害活性低下，部分白皮症，成長障害	あり	報告なし
5. Barth症候群		TAZ	XL	心筋症，筋疾患，成長障害，好中球減少	あり	報告なし
6. Cohen症候群		VPS13B	AR	顔面形態異常，精神発達遅滞，肥満，難聴，好中球減少	あり	報告なし
7. 好中球減少を伴う多形皮膚萎縮症		USB1	AR	網膜症，発達遅滞，顔面形態異常，多形皮膚萎縮	あり	報告あり
8. JAGN1欠損症		JAGN1	AR	骨髄球分化障害，骨減少症	なし	報告あり
9. 3-methylglutaconic aciduria		CLPB	AR	神経認知発達異常，小頭症，低血糖，筋緊張低下，運動失調，けいれん，白内障，子宮内発育遅延	あり	報告あり
10. G-CSF受容体欠損症		CSF3R	AR	ストレス応答性好中球産生障害	なし	報告なし
11. SMARCD2欠損症		SMARCD2	AR	好中球減少症，発達障害，骨，造血幹細胞，骨髄異形成	なし	報告あり
12. specific granule欠損症		CEBPE	AR	好中球減少，2分葉核好中球	不明	報告なし
13. Shwachman-Diamond症候群		SBDS	AR	汎血球減少，膵外分泌不全，軟骨異形成	あり	報告あり
		DNAJC21	AR	汎血球減少，膵外分泌不全		報告あり
		EFL1	AR	汎血球減少，膵外分泌不全		報告なし
14. HYOU1欠損症		HYOU1	AR	低血糖，炎症性合併症	あり	報告なし
15. SRP54異常症		SRP54	AD	好中球減少，膵外分泌不全	あり	報告あり
16. CXCR2欠損症		CXCR2	AR	好中球減少，myelokathexis，反復性歯肉炎，口腔内潰瘍，高ガンマグロブリン血症	あり	報告なし

G-CSF：granulocyte colony stimulating factor 顆粒球コロニー刺激因子，MDS/AML：myelodysplastic syndrome/acute myeloid leukemia 骨髄異形成症候群／急性骨髄性白血病，SCN：severe congenital neutropenia 重症先天性好中球減少症，AD：autosomal dominant 常染色体顕性（優性）遺伝，AR：autosomal recessive 常染色体潜性（劣性）遺伝，XL：X-linked X連鎖，GOF：gain of function 機能獲得型変異
(Tangye SG, Al-Herz W, Bousfiha A, et al. Human Inborn Errors of Immunity：2022 Update on the Classification from the International Union of Immunological Societies Expert Committee. J Clin Immunol 2022；42：1473-1507. より一部改変)

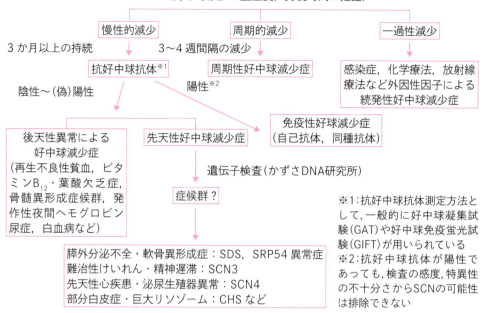

図1 好中球減少症の診断フローチャート
SDS：Shwachman-Diamond syndrome, SCN：severe congenital neutropenia,
CHS：Chédiak-Higashi syndrome

3. 診断基準，診断の手引き

診断フローチャートを簡単に図1に示す．3か月以上にわたる慢性好中球減少を認めた場合，複数回の好中球数測定，周期性の有無，抗好中球抗体の存在などが診断の助けとなる．すべての好中球減少患者に対して一律に骨髄検査をする必要はない．感染症の重症度や反復性，感染症併発時の好中球の増加所見，自然治癒傾向の有無などの臨床経過を観察することが重要である．それでも乳幼児自己免疫性好中球減少症との鑑別が困難な場合，骨髄検査や遺伝子検査に進むべきである．

a 臨床症状

感染症の反復，重症化とMDS/AMLへの移行はSCN全体に共通した所見である．乳児期早期より皮膚感染症（皮下膿瘍，皮膚蜂巣炎），細菌性肺炎，中耳炎，臍帯炎，口腔内感染症などの感染の反復，重症化，慢性化が認められる．

b 身体所見

表1に示すように，一部のSCNは特徴的な合併所見を呈する．HAX1欠損症ではてんかんをはじめとした中枢神経系（精神運動発達遅滞，高次脳機能障害など）の合併症の頻度が高く，変異の部位によっては必発の症状であることが報告されている．G6PC3欠損症は先天性心疾患，泌尿生殖器異常，内耳性難聴，体幹・四肢の静脈拡張を高率に認める．VPS45欠損症では腎肥大と骨髄線維化が認められる．SRP54遺伝子異常は，SCNだけでなくShwachman-Diamond症候群（SDS）でも同定されており，膵外分泌不全や神経症状，骨格異常の合併に注意が必要である[5]．

c 検査所見

末梢血血液検査では好中球減少，特に末梢血でのANCが500/μL未満（多くは200/μL未満）が持続し，単球増加，好酸球増加を認めることが多い．周期性好中球減少症では，3週間隔で好中球減少（ANCが150/μL以下）と単球増加を相反して認め，SCNとの鑑別に有用な所見となる．骨

髄像では，骨髄顆粒球系細胞は正形成から低形成であり，前骨髄球あるいは骨髄球段階での成熟障害が特徴である．明らかな形態異常はみられない．赤芽球系，巨核球系には異常を認めない．骨髄像から先天性好中球減少症を考慮し，遺伝子検査で確定診断する．ELANE 異常症が最も頻度が高いので，頻度や特徴的な臨床症状を加味して，候補遺伝子の変異を解析することが望ましい．表1に示す責任遺伝子の変異が同定される．

表2 SCN の重症度分類

軽症～中等症	咽頭扁桃炎，口内炎，リンパ節炎，皮膚感染症，蜂窩織炎，歯肉炎/歯周病，肛門周囲膿瘍
重症	肺炎，肺膿瘍，肝膿瘍，脾膿瘍，敗血症，中枢神経系感染症（比較的まれ），MDS/AML への進展

SCN：severe congenital neutropenia 重症先天性好中球減少症，MDS/AML：myelodysplastic syndrome/acute myeloid leukemia 骨髄異形成症候群/急性骨髄性白血病

d 鑑別診断

乳幼児期に好中球減少を認める疾患の鑑別が重要である．自己免疫性好中球減少症（autoimmune neutropenia：AIN）は，好中球特異抗原に対する自己抗体産生により，末梢での好中球破壊の亢進が起こり好中球減少症を呈する疾患である．現在施行されている抗好中球抗体の検査は感度，特異性において十分ではなく，検査としての限界がある．そのため，血清中の抗好中球抗体が陽性であってもそれだけで AIN の確定診断には至らない点に留意し，臨床所見と経過，骨髄像を併せて診断することが重要である．血清中の G-CSF 濃度測定（保険適用外）では SCN は著明な高値，AIN ではほぼ基準値であることから，鑑別の参考になる．また，他の先天性骨髄不全症である SDS，先天性角化不全症などで好中球減少を示す疾患の除外が必要である．

4. 合併症

上記の身体所見の項目で記したように，責任遺伝子により特徴的な合併所見を呈する．感染症の反復，重症化と MDS/AML への移行は SCN 全体に共通して認められる．

5. 重症度分類

重症度分類の概略を表2に示す．重症度は ANC の程度とは関係なく，感染症の頻度とその重症度による．G-CSF の使用の有無にかかわらず，MDS/AML への移行・進展症例は最重症であり，造血細胞移植以外に治療法はない．口内炎，慢性歯肉炎/慢性歯周病はほぼ必発の所見であり，歯牙の喪失につながる可能性があることから，QOL 低下の要因となる．

6. 管理方法（フォローアップ指針），治療

感染症対策が重要であり，スルファメトキサゾール・トリメトプリム（ST）合剤（バクタ®，バクトラミン®，0.1 g/kg/日，分2）の連日投与，必要であれば抗真菌薬投与，歯科医による口腔ケアが必要である．ST 合剤の副作用として，発疹や血液障害があり，注意が必要である．G-CSF 投与で約 90% の患者では好中球増加が認められるので，感染症のコントロールが可能である．フィルグラスチム（グラン®，フィルグラスチム）は 50 μg/m^2/日，レノグラスチム（ノイトロジン®）は 2～5 μg/kg/日の低用量かつ連日もしくは隔日皮下注から開始し，末梢血所見や臨床症状を考慮しながら増量していく．イタリアのグループは G-CSF 量の調整について，G-CSF 投与開始 5～7 日後に目標 ANC（1,000/μL 以上 5,000/μL 未満）が達成された場合は初期投与量を維持し，開始 7 日後で ANC が 1,000/μL 未満であれば 5～7 日ごとに 2.5 μg/kg/日の増量，ANC が 5,000/μL 以上になれば G-CSF の減量を推奨している[6]．ただし，長期間の G-CSF 投与，特に高用量（8 μg/kg 以上）の場合に MDS/AML への進展が高率に認められるので注意が必要である[7]．ELANE 異常症，HAX1 欠損症，G6PC3 欠損症および SRP54 異常症では MDS/AML 発症例が報告されている（表1）[3)8)]．近年，本症における白血病発症の機序の詳細が明らかにされつつある．第一段階とし

て，G-CSF 受容体（*CSF3R*）に後天的な変異が発生する．それにより，C末端を欠失した異常なG-CSF 受容体をもつ pre-leukemic 細胞となる．一部の症例では，これらの pre-leukemic 細胞に *RUNX1*, *ASXL1* などの遺伝子変異や，monosomy 7 などの染色体異常が加わり，AML へ進展すると考えられている[3)9)]．したがって，G-CSF の長期投与を行う症例では定期的な骨髄検査，染色体検査，monosomy 7 の有無や，上記の内容の遺伝子検査を行うことが望ましい．

現在，根治療法として造血細胞移植が選択される症例が増えているが，どの時点で造血細胞移植を行うかについて，定まった方針は存在しない．適切なドナーがいる場合には骨髄非破壊的前処置での移植が推奨されるが，生着不全には注意が必要である．

MDS/AML に移行した場合は，造血細胞移植が唯一の治療法であるが，その予後は不良である．MDS/AML 移行例では，抗腫瘍薬による化学療法，寛解導入療法を行うと好中球の回復を認めないため注意が必要となる．

7. 予後，成人期の課題

重症感染症の程度ならびに MDS/AML への移行進展が予後を左右する．慢性好中球減少のために歯肉炎，歯周病，口内炎は必発で，永久歯の維持が困難となる．歯肉が弱いためインプラントも困難であり，成人期早期から総義歯となる場合があり，QOL はかなり損なわれることとなる．

8. 診療上注意すべき点

SCN では，口腔所見の悪化を ST 合剤の投与で予防することは，多くの症例で不可能である．G-CSF は好中球増加のみならず，口腔所見を劇的に改善させるが，G-CSF の投与を継続する場合（特に G-CSF 投与量が多い場合）には，根治療法である造血細胞移植を念頭に入れた経過観察が重要である．

文献

1) Tangye SG, Al-Herz W, Bousfiha A, et al. Human Inborn Errors of Immunity：2022 Update on the Classification from the International Union of Immunological Societies Expert Committee. *J Clin Immunol* 2022；42：1473-1507.
2) Bellanné-Chantelot C, Schmaltz-Panneau B, Marty C, et al. Mutations in the *SRP54* gene cause severe congenital neutropenia as well as Shwachman-Diamond-like syndrome. *Blood* 2018；132：1318-1331.
3) Skokowa J, Dale DC, Touw IP, et al. Severe congenital neutropenias. *Nat Rev Dis Primers* 2017；3：17032.
4) 大矢 曉, 友安千紘, 後藤幸子, 他. G6PC3 遺伝子変異を認めた重症先天性好中球減少症の一例. 日本小児血液・がん学会雑誌 2016；53：247.
5) Carapito R, Konantz M, Paillard C, et al. Mutations in signal recognition particle SRP54 cause syndromic neutropenia with Shwachman-Diamond-like features. *J Clin Invest* 2017；127：4090-4103.
6) Fioredda F, Calvillo M, Bonanomi S, et al. Congenital and acquired neutropenias consensus guidelines on therapy and follow-up in childhood from the Neutropenia Committee of the Marrow Failure Syndrome Group of the AIEOP（Associazione Italiana Emato-Oncologia Pediatrica）. *Am J Hematol* 2012；87：238-243.
7) Rosenberg PS, Zeidler C, Bolyard AA, et al. Stable long-term risk of leukaemia in patients with severe congenital neutropenia maintained on G-CSF therapy. *Br J Haematol* 2010；150：196-199.
8) Sabulski A, Grier DD, Myers KC, et al. Acute myeloid leukemia in *SRP54*-mutated congenital neutropenia. *EJHaem* 2022；3：521-525.
9) Klimiankou M, Uenalan M, Kandabarau S, et al. Ultra-Sensitive *CSF3R* Deep Sequencing in Patients With Severe Congenital Neutropenia. *Front Immunol* 2019；10：116.

第5章 原発性食細胞機能不全および欠損症

B 慢性肉芽腫症（CGD）

国立成育医療研究センター 遺伝子細胞治療推進センター　小野寺雅史

1. 疾患概念

　慢性肉芽腫症（chronic granulomatous disease：CGD）は食細胞である好中球や単球において活性酸素が産生されないことにより生体内に侵入した病原体を殺菌することができず，乳児期より重篤な感染症を繰り返す食細胞機能異常症である．原因としては活性酸素産生にかかわるNADPH（nicotinamide adenine dinucleotide phosphate）oxidase（図1）の構成要素である膜表面蛋白質のgp91^{phox}とp22^{phox}（*CYBB*，*CYBA*遺伝子），細胞内蛋白質であるp47^{phox}，p67^{phox}，p40^{phox}（*NCF1*，*NCF2*，*NCF4*遺伝子）およびRho GTPase Rac（*Rac1/2*遺伝子），essential for reactive oxygen species（Eros）（*CYBC1*遺伝子）をコードする遺伝子に病的バリアントが生ずることによるもので，感染症の起炎菌としてはブドウ球菌やクレブシエラ菌，大腸菌などのカタラーゼ陽性菌およびカンジダ，アスペルギルスなどの真菌があげられる．なお，おもな感染部位は肺や肝臓，消化器などの深部感染であり，このためこれら臓器に慢性的な炎症変化が起こり非感染性の肉芽腫を形成しやすく，これにより重篤な臓器不全を併発することがある．また，治療法としては感染症に対する予防内服と感染時の抗菌薬や抗真菌薬などの投与となるが根治療法としては造血細胞移植のみである．ただ，最近，欧米でレンチウイルスベクターを用いた造血幹細胞遺伝子治療の有効性が報告されており，適切なドナーが見つからない患者や重篤な合併症により移植関連副作用が危惧される症例に対しては実施可能な根治療法として期待されている．

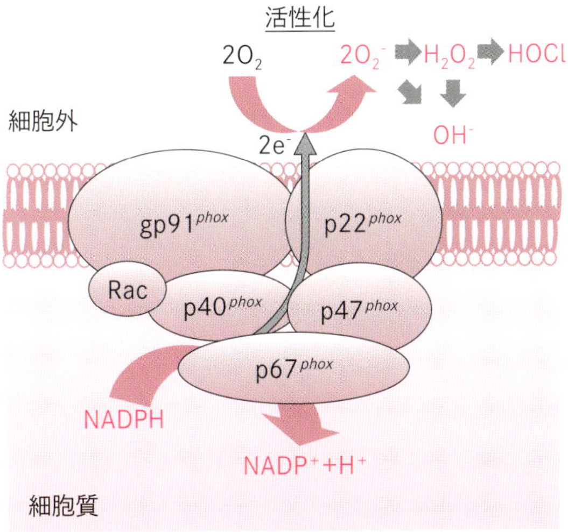

図1　NADPH oxidase の構造

好中球，単球は LPS（lipopolysaccharide）のような toll-like receptor（TLR）agonist により活性化され，細胞内に NADPH oxidase 複合体を形成し，NADPH から電子を受け取り酸素分子を1電子還元することで活性酸素（superoxidase anion，O_2^- および誘導体 H_2O_2，HOCl，OH$^-$）を産生し病原体を殺菌する．

2. 疫　学

　CGDの発生頻度は世界的にも同様で10～20万に1人の割合で発症し，日本においては100万人あたり6.09±2.15人と報告されている．その多くは最重症型のgp91^{phox}欠損型（X連鎖CGD，X-CGD）であり，日本では全体の80％（78.2％）を占める[1]．このため男女比はおおよそ7：1となるが地域の分布に偏りはない．一方，常染色体潜性（劣性）遺伝形式をとるCGD（AR-CGD）の頻度は各国で異なり，日本ではp67^{phox}（9.6％），p22^{phox}（6.8％），p47^{phox}（5.4％）の順となっている．なお，p40^{phox}欠損症はこれまで12家系24名の患者が報告されているのみで，その症状も感染症よりは炎症性腸疾患の臨床症状を呈し[2]，Rac欠損症に関してはRac2変異が2名報告されているの

みであり[3)4)]．また，gp91^{phox} とERにて結合しp22^{phox}との2量体形成に関与するシャペロン蛋白質のErosの欠損はgp91^{phox}の膜上発現が起こらず，活性酸素産生低下によりCGD様の臨床症状を呈する[5)]が，これら3型の国内報告はない．

3. 臨床症状，診断方法，診断基準および診断の手引き

a 臨床症状

CGDの臨床症状としては乳児期から繰り返す難治性の深部感染症が特徴で，肺や肝臓，リンパ節，骨髄，脳などの臓器炎症と膿瘍形成であり，その起炎菌としてはブドウ球菌，大腸菌，クレブシエラ菌，緑膿菌，セパシア菌，非結核性抗酸性菌などがあげられ，真菌としてカンジダ，アスペルギルス等がある．一方，最近ではアスペルギルスに対し有効なアゾール系抗真菌薬の開発によりムコール目のRhizopus属や皮膚糸状菌にTrichosporon属の感染症も報告されている．なお，BCGワクチン接種後のBCG感染症にも注意が必要である．また，長期にわたる慢性炎症により全身臓器（呼吸器，消化器，腎尿路系，リンパ節，肝臓，脾臓，脳，眼など）に非感染性の肉芽腫を形成し，特に消化器においては肉芽腫性腸疾患として発症し，その症状も肉芽腫性腸炎（CGD腸炎）や閉塞性病変，肛門周囲膿瘍・痔瘻など様々な臨床症状を呈する．CGD腸炎は炎症性腸疾患として区分され下痢や血便，腹痛，発熱を呈し，特徴的な内視鏡所見として泡沫状組織球の集簇による茶色の斑点（レオパードサイン）が認められることがある[6)]．閉塞性病変に関しては肉芽腫により上下部の消化管壁が肥厚し，逆流性食道炎や通過障害をきたし，難治性の肛門周囲膿瘍を含め肛門部位の病変はCGD腸炎や閉塞性病変に合併することが多い．

b 診断方法

上記症状によりCGDが疑われた場合は食細胞（好中球，単球）の殺菌能および細胞膜表面蛋白質（gp91^{phox}/p21^{phox}）を解析することになるが殺菌能に関してはdihydrorhodamine 123（DHR123）に対する還元反応，細胞膜表面抗原に関しては抗gp91^{phox}抗体（7D5）によるフローサイトメトリーにて評価する．なお，細胞内蛋白質のp47^{phox}，p67^{phox}の発現はフローサイトメトリーかウエスタンブロットで評価することができるがこれら蛋白質の発現解析は通常の検査施設では実施できないためCGDを専門とする大学病院に依頼することになる．

遺伝子解析としては保険適用となる原発性免疫不全症群主要責任遺伝子（日本免疫不全・自己炎症学会JSIAD）の慢性肉芽腫症遺伝子検査項目（*CYBB*，*CYBA*，*NCF2*，*NCF4*，*G6PD*）で遺伝子解析を行う．一方，このパネルには*NCF1*は含まれていない．これは*NCF1*には偽遺伝子（*NCF1b*，*NCF1c*）が存在するためでその診断にはexon 2の73-74 del GTを含んだgene scanによる量比解析かMLPAによる偽遺伝子とのcross over解析が必要になる．

c 基準・診断の手引き

診断基準としては，（1）好中球の活性酸素産生能が健常人の5％以下であり，加えて（2）関連遺伝子群に病的バリアントが存在するか，これら遺伝子のmRNAが欠失するかで確定診断する．なお，母方の男性親族に活性酸素障害あるいはCGDの家族歴があることは診断の重要な情報となる．また，*CYBB*遺伝子の保因者においてX染色体の不活化程度により活性酸素産生能が著しく低下（5％以下）する女性例も存在することは留意する必要がある．診断の手引きを図2に示す．

4. 合併症

成長障害や脾腫をきたすことがある．また，X-CGDにおいて*CYBB*遺伝子欠損の際に隣接する*XK*遺伝子や*RP3*遺伝子も同時に欠失した場合，有棘赤血球症や網膜色素変性症を呈するMcLeod症候群を併発する．

5. 重症度分類

a 重症（全症例の90％）

食細胞の活性酸素産生能が全くみられず，抗菌薬や抗真菌薬等の感染予防を行っても深部感染症

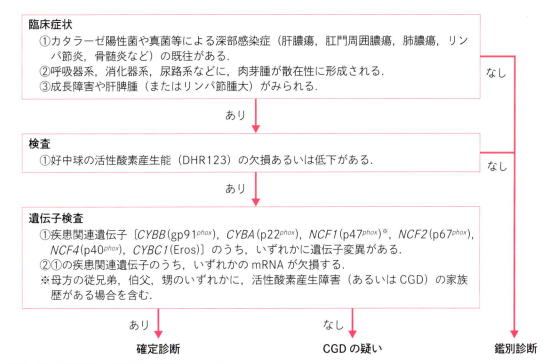

図2 慢性肉芽腫症（CGD）診断のフローチャート
CGDを疑わせる臨床症状より活性酸素産生能を測定し，遺伝子解析にて確定診断に至る．なお，*NCF1* には2つの偽遺伝子があるため，エクソン2のc.73-74del GTを含んだgene scanによる量比解析かMLPA法による偽遺伝子とのcross over解析が必要となる．

が続発する症例．

b 中等症（全症例の10%）

食細胞の活性酸素産生能が5%程度あるいはインターフェロンγ療法によって活性酸素産生能が誘導され，抗菌薬や抗真菌薬等の感染予防によって深部感染症の発症が抑えられている症例．

c 軽症（なし）

上記の感染予防が不要な症例．

6. 管理方法（フォローアップ指針），治療

a 管理方法

抗菌薬，抗真菌薬の感染予防内服と定期的な血液検査（β-Dグルカン，カンジダ，アスペルギルス抗原検査を含む）を行い，異常所見がある場合は速やかにCTや内視鏡等を行って重度の深部感染症や炎症性腸炎の発症を早期に診断する．

b 治療法

1）感染予防

細菌感染に関してはST合剤（トリメトプリムとして4〜8 mg/kg/日），真菌感染に対してはイトラコナゾール（3〜5 mg/kg/日）の予防内服を行う．なお，インターフェロンγ療法（イムノマックス® 25万U/m², 1〜3回/週，皮下注）は国内で臨床研究が行われ，約1/3の症例で感染症罹患率の減少を認めたと報告されている[7]．

2）対症療法

病原体の同定ならびに抗菌薬の感受性試験に基づき適切な抗菌薬，抗真菌薬を選択する．ただし，多くの症例で病原体が同定できないため早期のうちから頻度の高い病原体を想定し，抗菌薬，抗真菌薬を選択する必要がある．CGD腸炎に関しては，炎症性腸炎に準じて5-ASA製剤やステロイドを使用する．なお，抗TNF-α抗体などの生物製剤はCGD腸炎に対し有効であるとの報告もあるが，感染症のリスクを増大させるため使用に関しては注意が必要である．

表1 成人移行期におけるおもな診療科と診察内容

	小児科	成人期	おもな診療内容
主要な診療科	小児科 (免疫科, 感染症科, 血液科)	感染症科 血液科 呼吸器科 総合診療科	感染予防(抗菌薬, 抗真菌薬) 感染症の対症療法
診療連携	皮膚科		皮膚炎, 皮膚疾患
	消化器科		腸炎, 痔瘻
	外科		肛門周囲膿瘍, 痔瘻, 肉芽腫
	歯科		う歯, 歯肉炎
	腎臓科		腎障害
	産婦人科		妊娠, 出産
	遺伝診療科		遺伝カウンセリング

(厚生労働科学研究費補助金 難治性疾患等政策研究事業 分担研究報告書(分担研究者 小野寺雅史・河合利尚). 慢性肉芽腫症の移行期ガイドライン, ver1.0, 2021.)

3) 根治療法

重症CGDに対しては造血細胞移植が唯一の治療法となり, 血縁・非血縁にかかわらずHLA一致ドナーであれば80%以上の成功が期待できる[8]. また, 国内の報告(TRUMP報告2016)では臍帯血移植に比して骨髄血による細胞移植のほうが有意に優れている. なお, 最近では血縁家族をドナーとしたハプロ移植において投与後に比較的大量のシクロホスファミドを使用するPost-CY療法の安全性と有効性が示されており[9], また, 欧米ではレンチウイルスベクターを用いた造血幹細胞遺伝子治療の有効性も報告されている[10].

7. 予後, 成人期の課題

これまでは造血細胞移植を行わない場合, 成人期に達する割合は40%程度と推定されていたが, 昨今の有効な抗菌薬, 抗真菌薬の開発により30歳を超える症例も数多くみられる. なお, 保因者である女性の場合, 重度の感染症罹患は少ないが活性酸素産生好中球の割合が20%以下の場合は感染症罹患の頻度が増加し, また, 自己炎症性疾患の発生も増加する[11]. このことから結婚や出産, 成人病などを考慮し成人診療科との連携が必要であり, また, 遺伝カウンセリングに関しても小児期だけでなく患者が成人期(あるいは遺伝を理解できる年齢)に達した段階で実施することが望まれる. このようにCGDは小児期から成人期へとすべてのライフステージにわたり継続的なケアが必要であるため患者が成人期に移行した際の他科との連携を表1に示す.

8. 診療上注意すべき点

BCG感染症やアスペルギルスなど日和見感染症だけでなく, 乳児期に腸炎や肛門周囲膿瘍等の消化器症状(very early onset inflammatory bowel disease:VEO-IBD)を初発症状として呈する場合にあることに留意する.

文献

1) Nunoi H, Nakamura H, Nishimura T, et al. Recent topics and advanced therapies in chronic granulomatous disease. *Hum Cell* 2023;36:515-527.
2) van de Geer A, Nieto-Patlán A, Kuhns DB, et al. Inherited p40phox deficiency differs from classic chronic granulomatous disease. *J Clin Invest* 2018;128:3957-3975.
3) Williams DA, Tao W, Yang F, et al. Dominant negative mutation of the hematopoietic-specific Rho GTPase, Rac2, is associated with a human phagocyte immunodeficiency. *Blood* 2000;96:1645-1654.
4) Accetta D, Syverson G, Bonacci B, at el. Human phagocyte defect caused by a Rac2 mutation detected by means of neonatal screening for T-cell lymphopenia. *J Allergy Clin Immunol* 2011;127:535-538. e1-2.
5) Arnadottir GA, Norddahl GL, Gudmundsdottir S, et al. A homozygous loss-of-function mutation leading to CYBC1 deficiency causes chronic granulomatous disease. *Nat Commun* 2018;9:4447.
6) Obayashi N, Arai K, Nakano N, et al. Leopard Skin-

Like Colonic Mucosa：A Novel Endoscopic Finding of Chronic Granulomatous Disease-Associated Colitis. *J Pediatr Gastroenterol Nutr* 2016；62：56-59.
7) 崎山幸雄, 倉辻忠俊, 布井博幸, 他. 慢性肉芽腫症におけるインターフェロンγ長期投与の感染抑制効果. 日本小児科学会雑誌 1994；98：1048-1056.
8) Osumi T, Tomizawa D, Kawai T, et al. A prospective study of allogeneic transplantation from unrelated donors for chronic granulomatous disease with target busulfan-based reduced-intensity conditioning. *Bone Marrow Transplant* 2019；54：168-172.
9) Yanagimachi M, Kato K, Iguchi A, et al. Hematopoietic Cell Transplantation for Chronic Granulomatous Disease in Japan. *Front Immunol* 2020；11：1617.
10) Kohn DB, Booth C, Kang EM, et al. Lentiviral gene therapy for X-linked chronic granulomatous disease. *Nat Med* 2020；26：200-206.
11) Marciano EB, Zerbe CS, Falcone EL et al. X-linked carriers of chronic granulomatous disease: Illness, lyonization, and stability. *J Allergy Clin Immunol* 2018；141：365-371.

第5章　原発性食細胞機能不全および欠損症

C　GATA2欠損症

久留米大学医学部小児科　西小森隆太　満尾美穂

1. 疾患概要

GATA2は造血において重要な機能を有する転写因子で，GATA2欠損症は同遺伝子のgermlineヘテロ接合型変異を有する症候群である．4つの症候群としてGATA2欠損症は報告され，それぞれ，(1) monoMAC症候群（単球減少と非結核性抗酸菌感染症を特徴とする）[1〜3]，(2) DCML欠損症（樹状細胞，単球，B細胞，NK細胞の減少）[4]，(3) Emberger症候群〔原発性リンパ浮腫，感音難聴，免疫異常，骨髄異形成症候群/急性骨髄性白血病（myelodysplastic syndromes/acute myeloid leukemia：MDS/AML）〕[5]，(4) 家族性MDS/AML[6]，からなる．これらの臨床所見は重なりを示すこともあり，現在ではGATA2欠損症としてとらえられている．常染色体顕性（優性）遺伝疾患である[7〜10]．

2. 疫学

GATA2欠損症の臨床所見を有し，ClinVarにてpathogenicもしくはlikely pathogenic GATA2変異を有する患者は480名以上報告され，男女比はほぼ1：1であった[11]．わが国でも医中誌で約20例の報告がみられる．

3. 臨床所見，検査所見，診断基準・診断手引き

臨床所見を表1にまとめた[12]．GATA2欠損症のフランス・ベルギーコホートの報告によると，血液疾患，易感染性（抗酸菌，真菌，ウイルス），疣贅〔ヒトパピローマウイルス（HPV）関連〕，リンパ浮腫，肺胞蛋白症，感音難聴，尿路形態異常，早産・流産，甲状腺機能低下症など，多様な臨床所見を認めた．その他，血管炎・脂肪織炎等の炎症所見，全身性エリテマトーデス（systemic lupus erythematosus：SLE）様の自己免疫疾患，サルコイドーシス様の肉芽腫を呈した症例が存在した[12]．発症年齢は中央値18.6歳（range：0〜61歳）で，無症状である割合は20歳で38％，40歳で8％，年齢とともに症状を有する症例は増加する．初発の疾患としては，血液腫瘍疾患26％，重症細菌感染症23％，重症HPV感染症20％，抗酸菌感染症8％，リンパ浮腫9％であった[12]．

検査所見では，単球，Bリンパ球，NK細胞，樹状細胞，それぞれの減少を認め，特にB細胞，単球の減少の頻度が高値である[12]．

上記の臨床所見からGATA2欠損症を疑い，遺伝子検査にて*GATA2*遺伝子異常を同定する．同検査はかずさDNA研究所〔原発性免疫不全症：メンデル遺伝型マイコバクテリア易感染症（MSMD）パネル，家族性樹状細胞欠損症パネル〕に保険診療で依頼可能である（https://www.kazusa.or.jp/genetest/）．

*GATA2*遺伝子germlineヘテロ変異としては，ミスセンス変異，同義変異，ノンセンス変異，大きな欠失，フレームシフト変異，スプライスサイト変異，エンハンサー部位変異が報告されている[11]．遺伝子型-表現型関連では，リンパ浮腫はハプロ不全によると推定されている．また上記のフランス・ベルギーコホートの研究では，血液腫瘍疾患合併例ではミスセンス変異が多かったと報告されているが[12]，遺伝子型-表現型関連はいまだはっきり解明されていない状況である．

本疾患は常染色体顕性（優性）遺伝疾患であるが，浸透度が低いことが報告されている．しかし，上記のように年齢とともに発症する症例が増える

表1 GATA2欠損症の臨床所見

臨床所見	臨床診断ならびに生物学的性状	頻度
血液学的所見	MDS（骨髄異形成症候群）	70%（55/79）
	AML（急性骨髄性白血病）	19%（15/79）
	ALL（急性リンパ性白血病）	1.3%（1/79）
	再生不良性貧血	2.5%（2/79）
	JMML（若年性骨髄単球性白血病）	1.3%（1/79）
易感染性（ウイルス，抗酸菌，真菌）	単球減少症	49%（24/49）
	B細胞減少症	100%（38/38）
	NK細胞減少症	7.8%（3/38）
疣贅	HPV（ヒトパピローマウイルス）関連	40%（32/79）
	外陰部ならびに皮膚における腫瘍化	3.8%（3/79）
リンパ浮腫		15%（12/79）
肺所見	肺胞蛋白症	3.8%（3/79）
	再発性細菌感染症	56%（44/79）
血管所見	血栓症，心筋梗塞	9%（7/79）
難聴		1.3%（1/79）
自己免疫性所見	脂肪織炎，結節性紅斑，血管炎，ループス様症候群，サルコイドーシス様症候群，Sweet症候群	11%（9/79）
その他の所見	尿路系異常	5%（4/79）
	早産，流産	6.3%（5/79）
	甲状腺機能低下症	1.3%（1/79）

フランス・ベルギーの79名のGATA2欠損症コホートの結果を示す．
(Donadieu J, Lamant M, Fieschi C, et al. Natural history of GATA2 deficiency in a survey of 79 French and Belgian patients. *Haematologica* 2018; 103: 1278-1287. より作成)

ことが知られ，GATA2変異のキャリアの把握，スクリーニング検査等の適切なフォローを行うことが重要である．

平成31年度厚生労働省難治性疾患政策研究事業「原発性免疫不全症候群ガイドライン作成班」（野々山班）で作成された診断フローチャートの改訂版を提示する（図1）[13]．

4. 合併症

造血細胞において追加の遺伝子異常が加わることが知られている．モノソミー7，トリソミー8，*ASXL1*，*STAG2*遺伝子異常が報告されており，血液腫瘍性疾患の合併のモニタリングとして骨髄検査を行う際には上記遺伝子を含めた遺伝子異常の合併の有無を検討する[8]．

5. 重症度分類

易感染性，血液腫瘍疾患，難聴，リンパ浮腫，肺胞蛋白症，リウマチ膠原病疾患等，GATA2欠損症の症状を認め，遺伝子検査で*GATA2*遺伝子の病的変異を同定した場合は重症とする．

6. 管理方法（フォローアップ指針），治療

易感染性に対しては，抗菌薬治療・抗菌薬予防投与，低ガンマグロブリン血症を認めれば免疫グロブリン補充療法を行う．重症の易感染性状態では，造血細胞移植が行われる症例が多い．また，MDS/AMLの合併に対する化学療法の治療成績は不良で，造血細胞移植が行われることが多い．

未発症者のフォローアップ指針として，MDS/AMLの発症は重要で，定期的な採血，骨髄検査

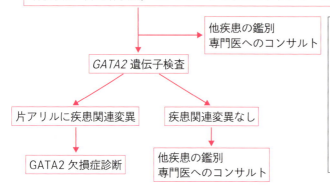

図1　GATA2 欠損症の診断フローチャート

家族歴を有しない *de novo* の症例が存在すること，浸透度は年齢とともに変化することに留意する．
HPV：human papillomavirus ヒトパピローマウイルス，MSD/AML：myelodysplastic syndromes / acute myeloid leukemia 骨髄異形成症候群／急性骨髄性白血病
（厚生労働科学研究費補助金 難治性疾患政策研究事業 原発性免疫不全症候群ガイドライン作成班（研究代表者 野々山恵章）分担研究報告書（分担研究者 大賀正一，協力者 石村匡崇，白石　暁，他）．その他白血球機能異常症．2019．の報告を改訂）

を行い，追加遺伝子変異の有無をモニタリングする．造血細胞移植のドナー選定では，未発症者をドナーにしないよう注意することが重要である．

7. 予後，成人期の課題

40歳でのMDS/AML，細菌感染症，抗酸菌感染症，HPV感染症の発症は，それぞれ80％，60％，40％，50％であり，自然歴は予後不良である．根治療法である造血細胞移植を早期に行ったほうが予後良好という報告もあり，適切なタイミングでの治療介入が望まれる．

8. 診療上注意すべき点

特徴的な臨床所見，血液検査所見からGATA2 欠損症を疑うことになるが，抗酸菌易感染症（メンデル遺伝型マイコバクテリア易感染症），疣贅状表皮発育異常症（epidermodysplasia verruciformis；WHIM 症候群，EVER1 欠損症，EVER2 欠損症等），骨髄不全症候群，胚異常による免疫不全症を素地とする悪性腫瘍，B 細胞欠損症，NK 細胞欠損症（MCM4 異常症），樹状細胞（DC）欠損症（IRF8 欠損症等），複合免疫不全症等，鑑別診断が重要である[14]．浸透度が低く家系内でも無症候キャリアが存在すること，また一方 *de novo* 変異で発症する症例が存在することにも留意する．

診療上のコツ：臨床症例から

Emberger 症候群の症例提示を行う[15]．

症例：13 歳男子．主訴：下肢の腫脹，先天性難聴．

既往歴：重篤な感染症の罹患歴なく，その他特記すべきことなし．

家族歴：父と父方祖父に難聴があり，父にMDS，父方祖父は白血病のため41歳時に死亡．

現病歴：12 歳 6 か月頃より，両下肢の腫脹に気づき，13 歳 8 か月時に症状が持続す

るため当科受診した.

　身体所見：右膝に疣贅あり．両側下腿に浮腫あり．その他，バイタルサイン所見，胸腹部，リンパ節等異常なし．

　検査所見：血液検査 WBC 2,300/μL（好中球 44.0%，リンパ球 54.0%，単球 1.0%），Hb 13.7 g/dL，Plt 20.8万 /μL．末梢血単核細胞のフローサイトメトリー解析では，CD19$^+$ 0.9%, Lin-CD123$^+$ HLA-DR$^+$ 0.0%, Lin-CD11c$^+$ HLA-DR$^+$ 0.0% と B 細胞低下，樹状細胞の欠損を認めたが，NK 細胞比率（CD3$^-$ CD56$^+$ CD16$^+$：17.4%）は正常範囲であった．骨髄検査では cellularity の低下と 3 系統の異形成を認め，骨髄染色体は 46,XY，モノソミー7，トリソミー8 は FISH にて検出されず．MDS（WHO 分類 refractory cytopenia with multilineage dysplasia：RCMD）と診断した．GATA2 遺伝子解析で c.1084C > T（p.Arg362X）変異を同定した．

文献
1) Vinh DC, Patel SY, Uzel G, et al. Autosomal dominant and sporadic monocytopenia with susceptibility to mycobacteria, fungi, papillomaviruses, and myelodysplasia. *Blood* 2010；115：1519-1529.
2) Calvo KR, Vinh DC, Maric I, et al. Myelodysplasia in autosomal dominant and sporadic monocytopenia immunodeficiency syndrome: diagnostic features and clinical implications. *Haematologica* 2011；96：1221-1225.
3) Hsu AP, Sampaio EP, Khan J, et al. Mutations in GATA2 are associated with the autosomal dominant and sporadic monocytopenia and mycobacterial infection（MonoMAC）syndrome. *Blood* 2011；118：2653-2655.
4) Bigley V, Haniffa M, Doulatov S, et al. The human syndrome of dendritic cell, monocyte, B and NK lymphoid deficiency. *J Exp Med* 2011；208：227-234.
5) Ostergaard P, Simpson MA, Connell FC, et al. Mutations in GATA2 cause primary lymphedema associated with a predisposition to acute myeloid leukemia（Emberger syndrome）. *Nat Genet* 2011；43：929-931.
6) Hahn CN, Chong CE, Carmichael CL, et al. Heritable GATA2 mutations associated with familial myelodysplastic syndrome and acute myeloid leukemia. *Nat Genet* 2011；43：1012-1017.
7) Bresnick EH, Jung MM, Katsumura KR. Human GATA2 mutations and hematologic disease: how many paths to pathogenesis? *Blood Adv* 2020；4：4584-4592.
8) Calvo KR, Hickstein DD. The spectrum of GATA2 deficiency syndrome. *Blood* 2023；141：1524-1532.
9) 關中悠仁，野々山恵章．GATA2 欠損症．別冊日本臨牀，免疫不全症候群 - その他の免疫疾患を含めて -．第 2 版，日本臨牀社，2016；660-602.
10) 加藤元博．胚細胞異常による免疫不全症を素地とする悪性腫瘍．日本臨牀 78（増刊 7）原発性免疫不全症候群，日本臨牀社，2020；44.
11) Homan CC, Venugopal P, Arts P, et al. GATA2 deficiency syndrome: A decade of discovery. *Hum Mutat* 2021；42：1399-1421.
12) Donadieu J, Lamant M, Fieschi C, et al. Natural history of GATA2 deficiency in a survey of 79 French and Belgian patients. *Haematologica* 2018；103：1278-1287.
13) 厚生労働科学研究費補助金 難治性疾患政策研究事業 原発性免疫不全症候群ガイドライン作成班（研究代表者 野々山恵章）分担研究報告書（分担研究者 大賀正一，協力者 石村匡崇，白石 暁，他）．その他白血球機能異常症．2019.
14) Tangye SG, Al-Herz W, Bousfiha A, et al. Human Inborn Errors of Immunity: 2022 Update on the Classification from the International Union of Immunological Societies Expert Committee. *J Clin Immunol* 2022；42：1473-1507.
15) Saida S, Umeda K, Yasumi T, et al. Successful reduced-intensity stem cell transplantation for GATA2 deficiency before progression of advanced MDS. *Pediatr Transplant* 2016；20：333-336.

II 各論

第6章 自然免疫異常

第6章 自然免疫異常

A　IRAK4/MyD88 欠損症

筑波大学医学医療系小児科学　高田英俊

1. 疾患概要

toll様受容体（toll-like receptor: TLR）やIL-1受容体，IL-18受容体からのシグナル伝達を担う細胞内蛋白である interleukin-1 receptor-associated kinase 4（IRAK4），myeloid differentiation primary response gene 88（MyD88）が欠損して起こる自然免疫不全症であり，いずれも常染色体潜性（劣性）遺伝形式をとる[1)2)]（第2章E「免疫不全を伴う無汗症外胚葉形成異常」図1参照，p.53)[3)]．この2疾患は，獲得免疫が未熟である乳幼児期に，化膿性髄膜炎，敗血症，関節炎/骨髄炎，深部組織膿瘍などの重症ないわゆる侵襲性細菌感染症が起こりやすく，死亡率が高い[4)]．他方，易感染性はしだいに軽くなり，9歳以降の感染症での死亡や15歳以降での重症感染症はほとんどないとされており，特徴的な臨床像であるといえる．この2疾患は病態が類似し，同様の臨床像を呈する．2疾患をまとめて記載する．

2. 疫　学

いずれもまれな疾患である．IRAK4欠損症は国内では10家系14人の患者が確認されている（表1）．海外からは50名以上の報告がある[4)]．MyD88欠損症は国内ではまだ報告がないが，海外からは20例以上の報告がある．ただし，この二つの疾患は特異的症状や臨床検査所見に乏しく，侵襲性細菌感染症の一部にはこの疾患を背景としている場合が含まれていると考えられ，診断に至っていない場合が想定されることから，頻度はこれよりも高いことが推定される．国内のIRAK4欠損症患者では，*IRAK4*遺伝子のExon2の1塩基挿入による frame shift 変異によることがほとんどであり，創始者効果と考えられる[5)]．

3. 診断基準，診断の手引き

a 臨床症状・身体所見

新生児期に臍帯脱落遅延を呈することが多い[4)~6)]．乳幼児期に侵襲性細菌感染症に罹患しやすい．対照的に気道感染症の頻度は高くない．感染症発症早期から適切な治療をしているにもかかわらず，急速に進行し救命できないことも多く，重症感染症により約半数が死亡する[4)5)]．化膿性髄膜炎を繰り返すことも少なくない（表1）．起炎菌は肺炎球菌，黄色ブドウ球菌，緑膿菌，溶血性連鎖球菌の4菌種がほとんどを占め，特に国内の患者では肺炎球菌による化膿性髄膜炎が多い[5)]．

b 検査所見

検査所見には特異的なものはないが，侵襲性細菌感染症の際に，白血球増加やCRPの上昇が遅れる傾向がある．化膿性髄膜炎では急速に進行する例が多いが，初期の髄液検査では細胞数増多や蛋白上昇が軽度である場合が少なくない．細胞性免疫能や液性免疫，好中球機能検査には異常を認めない．

c 特殊検査

TLR3以外のTLRやIL-1受容体，IL-18受容体からのシグナル伝達障害が確認できる．例として，末梢血単核球を lipopoly-saccharide（LPS）で刺激し培養上清中のサイトカイン濃度を測定すると，健常者と比較して著しい低下が認められる．簡易な方法としては，末梢血をLPSで刺激して4時間後の単球内TNF-α産生をフローサイトメトリーで測定すると，患者では単球のTNF-α産生

表1　IRAK4欠損症の国内症例

家系	患者	年齢	感染症	原因菌	臍帯脱落遅延	診断時期・契機	転帰
①	1	1歳1か月 2歳4か月	髄膜炎，股関節炎 髄膜炎	肺炎球菌 肺炎球菌	＋	同胞診断	死亡
	2				＋	家族歴	生存
	3				＋	家族歴	生存
②	4	5か月 10か月	髄膜炎 髄膜炎	肺炎球菌 肺炎球菌		重症感染症反復	生存
③	5	6か月 11か月	皮下膿瘍 髄膜炎	ブドウ球菌 肺炎球菌	＋	重症感染症反復	死亡
④	6	7か月 3歳	腹腔内膿瘍，肝膿瘍 髄膜炎	緑膿菌 肺炎球菌	＋	同胞診断	死亡
	7	9か月	筋膜炎，敗血症	緑膿菌	＋	重症感染症	死亡
⑤	8	1歳4か月 1歳9か月	髄膜炎，股関節炎 髄膜炎	GBS 肺炎球菌	＋	重症感染症反復	生存
⑥	9	8か月	髄膜炎	肺炎球菌	不明	同胞診断	死亡
	10	3か月	髄膜炎	肺炎球菌	＋	重症感染症，家族歴	生存
⑦	11	4歳	髄膜炎	肺炎球菌	不明	重症感染症	生存
⑧	12	1か月	―	―	＋	脳炎精査	生存
⑨	13	1歳	壊死性筋膜炎，敗血症	緑膿菌	不明	重症感染症	死亡
⑩	14	8か月 4歳	回盲部炎，菌血症 髄膜炎	緑膿菌 緑膿菌	＋	重症感染症	生存（後遺症）

患者2および患者3（家系①）は感染予防によって侵襲性細菌感染症なく生存．GBS：Group B Streptococcus　B群溶血性連鎖球菌．

(Takada H, Ishimura M, Takimoto T, et al. Invasive Bacterial Infection in Patients with Interleukin-1 Receptor-associated Kinase 4 Deficiency: Case Report. *Medicine (Baltimore)* 2016；95：e2437．より一部改変)

が著しく減少している[6]．

d 鑑別診断

NF-κB経路の異常として，免疫不全を伴う外胚葉形成異常症（*IKBKG*，*NFKBIA* および *IKBKB* 遺伝子異常症）が鑑別診断として重要である．また，肺炎球菌の侵襲性感染症が起こりやすい点から，無脾症や無ガンマグロブリン血症，慢性肉芽腫症などを鑑別する必要がある．IRAK4欠損症とMyD88欠損症とを臨床所見から鑑別することは困難である．

e 診断基準

臨床症状の有無にかかわらず，TLRやIL-1受容体／IL-18受容体からのシグナル伝達が障害されるような *IRAK4* 遺伝子や *MYD88* 遺伝子の変異が確認された場合に診断する．同じ家系に遺伝子診断がされた患者がいる場合，NF-κB経路の異常が機能的に確認されれば，遺伝子検査結果がなくても診断確定とする．診断フローチャートを図1に示す．

4. 合併症

化膿性髄膜炎などの侵襲性細菌感染症を起こした場合，それによる合併症がみられることがある．

5. 重症度分類

すべての患者で14歳までは重症とする．それ以降は軽症とするが，15歳以上でも感染症には注意を要する．また侵襲性細菌感染症の結果，神経学的後遺症を残した場合には重症とする．

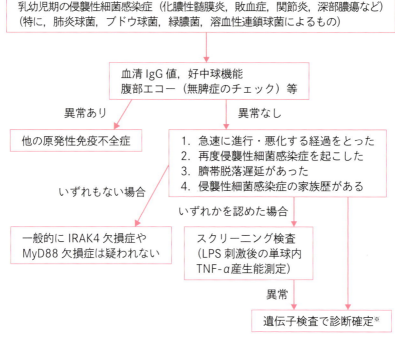
図1 診断フローチャート

6. 管理方法（フォローアップ指針），治療

IRAK4欠損症あるいはMyD88欠損症と診断されれば，14歳頃までは感染症に対する十分な予防を行う．ペニシリン系抗菌薬またはST合剤の予防内服を行う．両者の併用も推奨されている．免疫グロブリンの定期的補充も感染予防に有効である．肺炎球菌ワクチンの接種は，肺炎球菌による侵襲性細菌感染症予防のために極めて重要である．結合型肺炎球菌ワクチン接種後に肺炎球菌ポリサッカライドワクチンを接種することが推奨される[7]．一方，細菌感染症発症後は早期に抗菌薬の静脈内投与を行う必要がある．ただし，侵襲性細菌感染症を発症した場合，早期に適切な治療を行っても効果がない場合も多く，死亡率も高い．新型コロナウイルス（SARS-CoV-2）に対するワクチン歴のないIRAK4欠損症やMyD88欠損症患者では，COVID-19発症後の肺炎が重症化しやすいことが報告されている[8]．これは新型コロナウイルスの認識機構にTLR7が重要であることが要因である．SARS-CoV-2ワクチンは積極的に行う必要がある．

7. 予後，成人期の課題

学童期を過ぎると重症細菌感染症は発症しなくなると報告されているが，成人期以降も注意が必要であろう．

8. 診療上注意すべき点

侵襲性細菌感染症を繰り返す場合，急速な経過をとった場合，同胞に侵襲性細菌感染症の家族歴がある場合にはこの疾患を疑い，早期に診断することが重要である．

文献

1) Picard C, Puel A, Bonnet M, et al. Pyogenic bacterial infections in humans with IRAK-4 deficiency. *Science* 2003；299：2076-2079.
2) von Bernuth H, Picard C, Jin Z, et al. Pyogenic bacterial infections in humans with MyD88 deficiency. *Science*

2008 ; 321 : 691-696.
3) Picard C, Casanova JL, Puel A. Infectious diseases in patients with IRAK-4, MyD88, NEMO, or IκBα deficiency. *Clin Microbiol Rev* 2011 ; 24 : 490-497.
4) Picard C, von Bernuth H, Ghandil P, et al. Clinical features and outcome of patients with IRAK-4 and MyD88 deficiency. *Medicine*（*Baltimore*）2010 ; 89 : 403-425.
5) Takada H, Ishimura M, Takimoto T, et al. Invasive Bacterial Infection in Patients with Interleukin-1 Receptor-associated Kinase 4 Deficiency : Case Report. *Medicine*（*Baltimore*）2016 ; 95 : e2437.
6) Takada H, Yoshikawa H, Imaizumi M, et al. Delayed separation of the umbilical cord in two siblings with Interleukin-1 receptor-associated kinase 4 deficiency : rapid screening by flow cytometer. *J Pediatr* 2006 ; 148 : 546-548.
7) Uehara T, Morino S, Oishi K, et al. Pneumococcal Serotype-specific Opsonophagocytic Activity in Interleukin-1 Receptor-associated Kinase 4-deficient Patients. *Pediatr Infect Dis J* 2021 ; 40 : 460-463.
8) García-García A, Pérez de Diego R, Flores C, et al. Humans with inherited MyD88 and IRAK-4 deficiencies are predisposed to hypoxemic COVID-19 pneumonia. *J Exp Med* 2023 ; 220 : e20220170.

第6章 自然免疫異常

B メンデル遺伝型マイコバクテリア易感染症（MSMD）

広島大学大学院医系科学研究科 小児科学　野間康輔　岡田　賢

1. 疾患概要

　メンデル遺伝型マイコバクテリア易感染症（Mendelian susceptibility to mycobacterial disease：MSMD）は，マイコバクテリア，サルモネラなどの細胞内寄生菌に対して選択的に易感染性を示す先天性免疫異常症である．患者は，本来弱毒菌である *Mycobacterium bovis* BCGなどに対して易感染性を示す一方で，細菌やウイルスなどの他の病原体に対する免疫能は"原則的に"保たれ，ルーチンの検査で明らかな血液学的，免疫学的異常はみられない．細胞内寄生菌に対する易感染性は，重症複合免疫不全症などT細胞機能異常を伴う先天性免疫異常症や，食細胞の機能が障害される慢性肉芽腫症でもみられる．しかしながら，これらの患者は他の病原体に対する免疫能も同時に障害されていることから，MSMDには分類されない．

　IL-12/IL-23/IFN-γは，マイコバクテリア感染に対する宿主防御に重要な役割を果たす．食細胞は細胞内寄生菌の排除におけるkey playerで，貪食した食細胞はIL-12/IL-23を産生する．これらはT細胞，NK細胞に発現する各受容体に結合し，IFN-γの産生を促す．IFN-γは，食細胞上に発現するIFN-γ受容体（IFN-γR1とIFN-γR2のヘテロダイマー受容体）に結合し，STAT1（signal transducer and activation of transcription 1）を介して食細胞を活性化させ，貪食した細胞内寄生菌の排除，さらなるIL-12/IL-23の産生を促す．このように細胞内寄生菌の排除にはIL-12/IL-23/IFN-γの共同作業が必須であり，この経路が特異的に障害されることでMSMDは発症する．

　MSMD発症に関与する責任遺伝子群を**表1**に示す[1]．MSMD患者の多くは基本病態としてIFN-γ産生障害（IL-12/IL-23の作用障害），ないしはIFN-γ作用障害をもつ．IFN-γ産生障害に起因するおもな疾患には，IL-12Rβ1異常症，IL-12p40異常症，IL-12Rβ2異常症，IL-23R異常症，TYK2異常症，ISG15異常症，RORγT異常症，IFN-γ異常症がある．一方で，IFN-γの作用障害に起因するおもな疾患には，IFN-γR1異常症，IFN-γR2異常症，STAT1異常症，JAK1異常症がある．

2. 疫学

　MSMDは，非常にまれな先天性免疫異常症である．わが国でこれまでに同定されたMSMD症例は，STAT1異常症（19例）が最も多く，次いで常染色体顕性（優性）遺伝（AD）IFN-γR1異常症（13例），IL-12Rβ1異常症（2例），常染色体潜性（劣性）（AR）IFN-γR2異常症（1例）となっている．他方で，2014年に報告された400症例を超える国外MSMD患者の集計では，IL-12Rβ1異常症（44％），AD IFN-γR1異常症（17％），IL-12p40異常症（12％），AR IFN-γR1異常症（12％）が高頻度にみられている[2]．IL-12Rβ1異常症やSTAT1異常症などでは不完全浸透が知られており，遺伝子変異をもつ無症状保因者が存在する．発症時期は様々で，通常は小児期に発症するが，成人期に発症することもある．

3. 診断基準，診断の手引き

a 臨床症状，身体所見

　以下の主要症状のうち1つ以上を満たし，かつ複合免疫不全症のようなT細胞機能障害を伴う先天性免疫異常，慢性肉芽腫症，薬剤などによる二次性免疫不全状態などが否定される場合に

表1 メンデル遺伝型マイコバクテリア易感染症（MSMD）発症に関与する責任遺伝子群

	責任遺伝子	遺伝形式	OMIM番号	頻度（国外）	国内症例	特徴的検査所見	MSMD以外の臨床所見
IL-12Rβ1異常症	IL12RB1	AR	614891	44%	2症例	細胞表面のIL-12Rβ1発現低下	慢性皮膚粘膜カンジダ感染
IL-12p40異常症	IL12B	AR	614890	12%		IL-12産生低下	慢性皮膚粘膜カンジダ感染
IL-12Rβ2異常症	IL12RB2	AR	601642			細胞表面のIL-12Rβ2発現低下	
IL-23R異常症	IL23R	AR	607562			細胞表面のIL-23R発現低下	
IFN-γR1異常症	IFNGR1	AR	209950	12%	13症例	細胞表面のIFN-γR1発現低下	
	IFNGR1	AD	615978	17%		細胞表面のIFN-γR1発現亢進	
IFN-γR2異常症	IFNGR2	AR	614889	4%	1症例	細胞表面のIFN-γR2発現低下	
STAT1異常症	STAT1	AD	614892	4%	19症例	STAT1リン酸化低下	
マクロファージgp91^{phox}異常症	CYBB	XL	300645	2%		単球における活性酸素産生障害	
IRF8異常症	IRF8	AD	614893	1%		骨髄系樹状細胞の減少	
	IRF8	AR	226990			骨髄系樹状細胞の減少	ウイルス感染
SPPL2a異常症	SPPL2A	AR	619549			骨髄系樹状細胞（特にcDC2）の減少	
TYK2異常症	TYK2	AR	611521				ウイルス感染
P1104A TYK2 homozygosity	TYK2	AR	176941				
ISG15異常症	ISG15	AR	616126	1%		大脳基底核石灰化	自己炎症症状
RORγT異常症	RORC	AR	616622	2%		Th17細胞の減少	慢性皮膚粘膜カンジダ感染
JAK1異常症	JAK1	AR	147795				非造血性悪性腫瘍
T-Bet異常症	TBX21	AR	619630			好酸球増加	反応性気道疾患
IFN-γ異常症	IFNG	AR	618963				

遺伝子異常が同定されているMSMD患者の内訳を示す．約半数の症例は既知の責任遺伝子に変異を認めないことに留意する必要がある．
AR：autosomal recessive 常染色体潜性（劣性）遺伝，AD：autosomal dominant 常染色体顕性（優性）遺伝，XL：X-linked X連鎖

MSMDと診断する（図1）．
1）BCG接種後に播種性BCG感染症をきたす．
2）BCG，非結核性抗酸菌（non-tuberculous mycobacteria：NTM）感染による播種性感染症や多発性骨髄炎をきたす．
3）難治性・反復性のBCG感染症，NTM感染症をきたす．

b 検査所見

1）一般的な血液学的・免疫学的検査では異常を認めない．
2）遺伝子検査が診断に有用である．2018年より原発性免疫不全症候群のパネルシークエンスが保険適用となり，本疾患群もその項目に含まれている．パネルの選択や結果の解釈などに不明な点があれば，日本免疫不全・自己炎症学会（https://www.jsiad.org）の症例相談な

図1 メンデル遺伝型マイコバクテリア易感染症（MSMD）の診断フローチャート
NTM：non-tuberculous mycobacteria

どを利用されたい．ただし，約半数の症例では，既知の責任遺伝子に変異を認めないことに留意する必要がある．そのような症例では臨床診断が重要で，難治性・反復性で非典型的な経過をたどるBCG，NTM感染症や，抗酸菌感染による多発性骨髄炎など，本症に特徴的な臨床症状を重視する．

3）成人例では，抗IFN-γ抗体産生によりMSMDに類似した症状を呈することがある．クオンティフェロンで陽性コントロール（mitogen刺激）の結果が測定感度以下になるのが特徴で，そのようなときには抗IFN-γ抗体の測定を行う．

C 特殊検査

遺伝子検査にて既知の責任遺伝子の新規変異が同定された場合，機能解析による変異の質的評価が診断確定に有用である．頻度の高い疾患の特殊検査を概説する．

1）IL-12β1異常症

FACSでIL-12Rβ1発現の欠如，ないしは低下を認める[3]．

2）IFN-γR1異常症

FACSで，IFN-γR1の発現状態を確認する．常染色体顕性（AD）IFN-γR1異常症では細胞表面におけるIFN-γR1発現が亢進している．対して常染色体潜性（AR）IFN-γR1異常症ではIFN-γR1発現の欠如，ないしは低下を認める[4,5]．

3）IL-12p40異常症

ELISAで，IL-12p40ないしはIL-12p70の産生障害を認める[6]．

4）STAT1 異常症

　FACS で，IFN-γ 刺激後の STAT1 リン酸化の低下を認める．*STAT1* 遺伝子の機能喪失型変異は MSMD の原因であるのに対して，機能獲得型変異は慢性皮膚粘膜カンジダ感染（chronic mucocutaneous candidiasis：CMC）を引き起こす．そのため *STAT1* 遺伝子に新規変異を認めた場合，変異の質的評価が重要である．*STAT1* 欠損細胞（U3C 細胞）を用いた GAS（interferon-gamma activation sequence）転写活性の測定が，STAT1 遺伝子変異の質的評価に有用である（GAS 転写活性の測定は，広島大学小児科にて実施中）[7]．

d 鑑別診断

1) 多発性骨髄炎をきたし Langerhans 細胞組織球症との鑑別が必要なことがある[8]．
2) IFN-γ に対する自己抗体が原因で，本症に類似した臨床像を呈することがある[9]．

4. 合併症

1) IL-12Rβ1 異常症，IL-12p40 異常症，RORγT 異常症患者は，CMC を合併する[10]〜[12]．CMC の頻度は，IL-12Rβ1 異常症では 23%（33/141），IL-12p40 異常症では 6%（3/49），RORγT 異常症では 86%（6/7）と報告されている[10][11]．
2) TYK2 異常症の一部の症例はヘルペス属を中心としたウイルスに対する易感染性を合併することがある[13]．
3) ISG15 異常症では，てんかん，IFN-α/β シグナル過剰に伴う大脳基底核石灰化と自己炎症症状を合併する[14]．

5. 重症度分類

　欠損分子の機能障害の程度により重症度は異なる．AR IFN-γR1 異常症，AR IFN-γR2 異常症のうち，分子機能が完全に欠如した症例の臨床経過は重篤で，造血細胞移植が唯一の根治療法となる．他方で，IL-12Rβ1 異常症，STAT1 異常症は難治性の抗酸菌感染症を呈する症例から，全く無症状の症例まで幅広い表現型を呈する．大部分の症例で，抗酸菌感染は難治性・反復性で，長期の抗菌薬投与が必要となる．

6. 管理方法（フォローアップ指針），治療

　マイコバクテリアの治療には，原因微生物や症状に応じて多剤併用型の抗マイコバクテリア薬が使用される．MSMD 患者は，標準的な治療に抵抗性であることが多く，また再発しやすいため，治療の期間と強度を強化する必要がある．播種性 BCG 感染症では，イソニアジド（INH），リファンピシン（REF），ストレプトマイシン（SM）が投与される．12 か月以上の治療が必要な場合が多い．*M.bovis* BCG はピラジナミド（PZA）に耐性を示すため注意が必要である．NTM に対しては，クラリスロマイシン（CAM），エタンブトール（EB），REF，SM，カナマイシン（KM）が有効で，少なくとも 1 年以上の治療が必要と考えられる．IFN-γ 産生障害を呈する疾患（IL-12Rβ1 異常症，IL-12p40 異常症など）では，IFN-γ の投与が治療に有効である．IFN-γ に対する反応性が低下する AD IFN-γR1 部分欠損症でも IFN-γ 投与は有効と報告されており，そのような症例では 125〜200 万単位 /m^2/ 週（週 1〜2 回で投与）の大量投与が行われている[15]．IFN-γ に対する反応性が低下（欠如ではない）する AD IFN-γR1 異常症においても IFN-γ 治療が有用で，抗酸菌感染がコントロールできない場合には考慮すべきである[2]．一方で，AR IFN-γR1 異常症，AR IFN-γR2 異常症のうち分子機能が完全に欠如した症例では，抗菌薬による抗酸菌のコントロールは困難で，造血細胞移植が行われる[2]．疾患により治療戦略や予後が異なるため，正確な遺伝子診断や細胞学的評価が重要である．

7. 予後，成人期の課題

　抗酸菌感染のコントロールが可能な症例では，予後は比較的良好である．STAT1 異常症，AD IFN-γR1 異常症では，児の家族解析から両親の罹患状態が判明することがある．そのような罹患者において，慢性の多発性骨髄炎のため骨痛，骨変形を合併する場合があるので注意が必要である．

8. 診療上注意すべき点

1) 播種性BCG感染症やNTM感染症で発症する症例が多いが，サルモネラなどそれ以外の細胞内寄生菌感染症で発症する症例も存在する．サルモネラ感染症は，IL-12シグナル伝達障害を呈する疾患で高頻度に認められ，IL-12Rβ1異常症の43％（57/132），IL-12p40異常症の25％（11/44）で合併する[10)11)]．

2) 慢性の発熱，肝脾腫，リンパ節腫大，貧血等を主症状とし，細胞内寄生菌感染の診断が困難な症例があるので注意が必要である．

3) 多発性骨髄炎をきたし，生検組織から抗酸菌の検出が困難な症例があるので注意が必要である．筆者らは，生検組織を用いたPCRで抗酸菌が検出されなかったものの，生検組織から抗酸菌培養を行い，その後にPCRを行うことで M. avium が検出された症例を経験している．

4) BCG接種後の局所感染，所属リンパ節腫大の単回エピソードのみの症例（これらの症例の大多数は，遺伝子異常が同定されない）におけるMSMDの診断は慎重であるべきである．

5) 制御不能な感染症を契機に，マクロファージ活性化症候群を発症する患者もいることが報告されている．

文献

1) Tangye SG, Al-Herz W, Bousfiha A, et al. Human Inborn Errors of Immunity：2022 Update on the Classification from the International Union of Immunological Societies Expert Committee. *J Clin Immunol* 2022；42：1473-1507.
2) Bustamante J, Boisson-Dupuis S, Abel L, et al. Mendelian susceptibility to mycobacterial disease：genetic, immunological, and clinical features of inborn errors of IFN-γ immunity. *Semin Immunol* 2014；26：454-470.
3) de Jong R, Altare F, Haagen IA, et al. Severe mycobacterial and Salmonella infections in interleukin-12 receptor-deficient patients. *Science* 1998；280：1435-1438.
4) Jouanguy E, Altare F, Lamhamedi S, et al. Interferon-gamma-receptor deficiency in an infant with fatal bacille Calmette-Guérin infection. *N Engl J Med* 1996；335：1956-1961.
5) Jouanguy E, Lamhamedi-Cherradi S, Lammas D, et al. A human IFNGR1 small deletion hotspot associated with dominant susceptibility to mycobacterial infection. *Nat Genet* 1999；21：370-378.
6) Altare F, Lammas D, Revy P, et al. Inherited interleukin 12 deficiency in a child with bacille Calmette- Guérin and Salmonella enteritidis disseminated infection. *J Clin Invest* 1998；102：2035-2040.
7) Liu L, Okada S, Kong XF, et al. Gain-of-function human STAT1 mutations impair IL-17 immunity and underlie chronic mucocutaneous candidiasis. *J Exp Med* 2011；208：1635-1648.
8) Edgar JD, Smyth AE, Pritchard J, et al. Interferon-γ receptor deficiency mimicking Langerhans' cell histiocytosis. *J Pediatr* 2001；139：600-603.
9) Browne SK, Burbelo PD, Chetchotisakd P, et al. Adult-Onset Immunodeficiency in Thailand and Taiwan. *N Engl J Med* 2012；367：725-734.
10) de Beaucoudrey L, Samarina A, Bustamante J, et al. Revisiting human IL-12Rβ1 deficiency：a survey of 141 patients from 30 countries. *Medicine（Baltimore）* 2010；89：381-402.
11) Prando C, Samarina A, Bustamante J, et al. Inherited IL-12p40 deficiency：genetic, immunologic, and clinical features of 49 patients from 30 kindreds. *Medice（Baltimore）* 2013；92：109-122.
12) Okada S, Markle JG, Deenick EK, et al. IMMUNODEFICIENCIES. Impairment of immunity to Candida and Mycobacterium in humans with bi-allelic RORC mutations. *Science* 2015；349：606-613.
13) Kreins AY, Ciancanelli MJ, Okada S, et al. Human TYK2 deficiency：Mycobacterial and viral infections without hyper-IgE syndrome. *J Exp Med* 2015；212：1641-1662.
14) Bogunovic D, Byun M, Durfee LA, et al. Mycobacterial disease and impaired IFN-γ immunity in humans with inherited ISG15 deficiency. *Science* 2012；337：1684-1688.
15) Sharma VK, Pai G, Deswarte C, et al. Disseminated Mycobacterium avium complex infection in a child with partial dominant interferon gamma receptor 1 deficiency in India. *J Clin Immunol* 2015；35：459-462.

第6章 自然免疫異常

C 慢性皮膚粘膜カンジダ症（CMCD）

広島大学大学院医系科学研究科 小児科学　**浅野孝基　岡田　賢**

1. 疾患概要

カンジダは体表，消化管に存在する常在菌であり，鵞口瘡，指間びらん症の原因となる．通常これらの感染は健常者において重篤化することなくコントロールされているが，免疫能が障害された宿主では難治性，持続性もしくは侵襲性の感染症を引き起こす．慢性皮膚粘膜カンジダ感染（chronic mucocutaneous candidiasis：CMC）は，口腔粘膜，消化管，外性器，皮膚，爪を主要病変に，難治性，反復性のカンジダ感染症を呈する"状態"を示す．カンジダに対する局所免疫には，ヘルパーT細胞の亜群であるTh17細胞と，それが産生するIL-17が重要で，これらの免疫機構の破綻によりCMCが発症する．本稿のテーマである慢性皮膚粘膜カンジダ症（CMC disease：CMCD）は，「CMCを主要な感染症状とし，原則的には他の病原体に対して易感染性を示さない原発性免疫不全症」と定義される．この定義は厳密ではなく，一部の患者は細菌による感染症を合併する．

CMCDの原因としては現在，IL-17F異常症，IL-17RA異常症，IL-17RC異常症，ACT1異常症が分類されている[1)～3)]（表1）．カンジダに対する宿主粘膜免疫には前述のIL-17が重要である．これらの疾患は，IL-17シグナル伝達の障害を背景にCMCDを発症する．一方で，CMCD以外にもCMCを呈する病態（T細胞機能不全をきたす病態，症候性CMC）があり，CMCDの診断にはこれらの疾患群（下記 a ， b ）を鑑別することが必要となる．

a T細胞機能不全

重症複合免疫不全症（severe combined immunodeficiency：SCID），複合免疫不全症（combined immunodeficiency：CID）などのT細胞機能不全を呈する原発性免疫不全症や，後天性免疫不全症候群（acquired immunodeficiency syndrome：AIDS），薬剤（免疫抑制薬，生物学的製剤，抗腫瘍薬）などによりT細胞機能が二次性に障害された状態ではCMCを呈する．これらの患者は，細菌，ウイルス，真菌など幅広い病原体に対して易感染性を示し，多彩な感染症状の一症状としてCMCを発症する．

表1　慢性皮膚粘膜カンジダ症（CMCD）の発症に関与する遺伝子群

疾患	責任遺伝子	遺伝形式	症例数（世界）	国内症例（家系）	特徴的検査所見	CMC以外の臨床所見
IL-17F異常症	IL17F	AD	7症例（1家系）			
IL-17RA異常症	IL17RA	AR	23症例（13家系）	2症例（1家系）	細胞表面のIL-17RA発現低下	S.aureus感染
IL-17RC異常症	IL17RC	AR	4症例*（4家系）	1症例*（1家系）	細胞表面のIL-17RC発現低下	
ACT1異常症	TRAF3IP2	AR	11症例（7家系）			S.aureus感染

※：未報告データ含む
AD：autosomal dominant 常染色体顕性（優性）遺伝，AR：autosomal recessive 常染色体潜性（劣性）遺伝

表2 症候性CMCの発症に関する遺伝子群

疾患	責任遺伝子	遺伝形式	特徴的検査所見	CMC以外の臨床所見
STAT1-GOF	STAT1	AD	IFN-γ刺激によるSTAT1リン酸化亢進	細菌感染（S.aureus, Streptococcus spp.）, ウイルス感染（特にヘルペス属）, 自己免疫疾患（甲状腺疾患など）, 頭蓋内動脈瘤
STAT3異常症（高IgE症候群）	STAT3	AD	IgE高値, IL-17産生細胞減少	アトピー性皮膚炎, 冷膿瘍, 肺嚢胞, S.aureus感染, 顔貌異常, 骨折, 側彎, 永久歯萌出遅延
ZNF341異常症（高IgE症候群）	ZNF341	AR	IgE高値, IL-17産生細胞減少	アトピー性皮膚炎, 冷膿瘍, 肺嚢胞, S.aureus感染, 顔貌異常, 骨折
APECED	AIRE	AR	抗IL-17A, IL-17F, IL-22中和抗体産生	外胚葉形成不全, 内分泌異常, 難治性下痢
CARD9異常症	CARD9	AR		侵襲性カンジダ感染, 皮膚糸状菌感染
IL-12Rβ1異常症	IL12RB1	AR	IL-17産生細胞減少, IL-12Rβ1発現低下	細胞内寄生菌感染
IL-12p40異常症	IL12B	AR	IL-17産生細胞減少, IL-12産生障害	細胞内寄生菌感染
RORγT異常症	RORC	AR	IL-17産生細胞減少	細胞内寄生菌感染
JNK1異常症	MAPK8	AD	IL-17A/Fに対する反応性障害, TGF-β依存性のTh17細胞の分化障害	結合組織病（Ehlers-Danlos症候群とのオーバーラップ）

AD：autosomal dominant 常染色体顕性（優性）遺伝, AR：autosomal recessive 常染色体潜性（劣性）遺伝

b syndromic CMC（症候性CMC）（表2）

　症候性CMCは，「主要な症状の一つとしてCMCを発症する原発性免疫不全症」と定義される．CMCDとの相違は，臓器障害や他の病原体に対する易感染性を合併する点である．そのため近年では，症候性CMCと対比して"isolated CMC"とも称される．症候性CMCには，おもなものとしてSTAT1-GOF（gain-of-function：機能獲得），STAT3異常症（第2章F参照，p.57），IL-12Rβ1異常症（第6章B参照，p.152），IL-12p40異常症（第6章B参照，p.152），APECED（autoimmune polyendocrinopathy-candidiasis-ectodermal dystrophy：カンジダ感染と外胚葉形成異常を伴う自己免疫性多腺性内分泌不全症）などが該当する[1〜9]．このなかでは，STAT1-GOFの頻度が最も高く，約半数を占める[7,10,11]．CMCDがIL-17シグナル伝達に直接関与する分子群の障害に起因するのに対し，症候性CMCはTh17細胞（IL-17を産生）の分化増殖障害に伴う二次的なIL-17シグナル障害を基本病態とする．また，APECEDは特徴的で，IL-17，IL-22に対する中和抗体産生によりCMCを発症する．

　STAT1-GOFは，STAT1遺伝子のGOF変異により発症する原発性免疫不全症であり，2011年にCMCD患者の検討より発見され[7]，現在までに世界で400例を超える症例が報告されている．STAT1-GOFは，当初はCMCDに分類されていたが，後の研究で多彩な感染症状（細菌，ウイルス，マイコバクテリアによる感染症，侵襲性真菌感染症など），非感染症状（自己免疫疾患，動脈瘤，腫瘍など）を呈することが判明し，症候性CMCに再分類された背景をもつ[10]．

　本稿では，CMCDを引き起こす4病型に加え，症候性CMCの代表であるSTAT1-GOFについても概説する．

2. 疫　学

　CMCDは，非常にまれな原発性免疫不全症であり，IL-17RA異常症は23症例13家系が[12]，ACT1異常症は11症例7家系が報告されているのみである[3]．さらに，IL-17F異常症（7症例1家系），IL-17RC異常症（4症例4家系：未報告データ含む）は，世界的にも非常にまれな疾患で

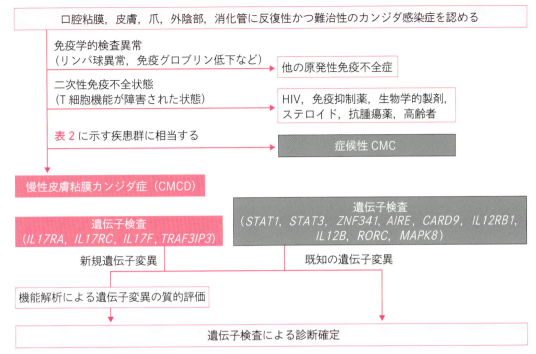

図1 CMC 診断のフローチャート

ある[1)13)]. IL-17F 異常症は不完全浸透が知られており, 変異を有する 7 例中 2 例は CMCD を発症していない[1)]. 残りの大多数の CMCD 患者の原因はいまだ不明であり, 既知の責任遺伝子に異常を認めないことで CMCD を否定することはできない. わが国では, IL-17RA 異常症が 2 症例（1 家系）[12)], IL-17RC 異常症が 1 症例（1 家系：未報告データ）同定されている. 一方, STAT1-GOF は CMC を呈する疾患群のなかで最多であり, これまでに 400 症例以上（116 変異）が報告されている.

3. 診断基準, 診断の手引き

a 臨床症状, 身体所見

口腔粘膜, 皮膚, 爪, 外陰部, 消化管のいずれか, ないしは複数の部位で, 反復性かつ難治性のカンジダ感染を認める. 他方で, 深部真菌感染症は基本的には認められない. カンジダ感染の初発は 1 歳未満が多い. 前述のように, CMCD は「CMC を主要な感染症状とし, 原則的には他の病原体に対して易感染性を示さない原発性免疫不全症」と定義され,「isolated CMC」とも呼称されるが,

この定義は厳密ではなく一部の患者は細菌（特に, S. aureus）による感染症を合併する. 一方, 症候性 CMC である STAT1-GOF では, 頭蓋内動脈瘤, 自己免疫性甲状腺機能障害など多彩な症状を合併する[7)10)11)].

b 検査所見

一般的な血液学的・免疫学的検査では異常を認めない.

遺伝子検査が診断に有用となる（CMCD：*IL17F*, *IL17RA*, *IL17RC*, *TRAF3IP2*；症候性 CMC：*STAT1*, *STAT3*, *ZNF341*, *AIRE*, *CARD9*, *IL12RB1*, *IL12B*, *RORC*, *MAPK8*）（図1）. 発症頻度から *STAT1* 遺伝子の解析を最初に行い, 異常を認めない患者において他の候補責任遺伝子の検討を行う. 診断, 検査の相談は日本免疫不全・自己炎症学会（Japanese Society for Immunodeficiency and Autoinflammatory Diseases：JSIAD）のホームページ（https://jsiad.org/）の症例相談フォーム（医師専用）, ないしは近くの免疫不全症相談施設にいただきたい. また, 現在これらの遺伝子群はかずさ DNA 研究所で保険診療として検査が可能である（かずさ DNA 研究所の現行の CMCD パネル

では，*ZNF341* と *MAPK8* は対象外）．ただし，半数近くの CMCD 患者は，既知の責任遺伝子に変異を認めないことに留意する必要がある．そのため臨床診断が重要であり，遺伝子診断は臨床診断を裏付けるための補助診断に位置付けられる．

c 特殊検査

1）STAT1-GOF

実験案的な検査として，FACS で，IFN-γ 刺激後の STAT1 リン酸化の亢進を認める．*STAT1* 遺伝子の GOF 変異は CMC の原因となるのに対して，LOF 変異は MSMD（Mendelian susceptibility to mycobacterial diseases：メンデル遺伝型マイコバクテリア易感染症；第 6 章 B 参照，p.152）を引き起こす．そのため，*STAT1* 遺伝子に新規変異を認めた場合，変異の機能解析（質的評価）が重要となる．STAT1 欠損細胞（U3C 細胞）を用いた GAS（interferon-gamma activation sequence）転写活性の測定が，*STAT1* 遺伝子変異の質的評価に有用である（GAS の転写活性の測定は，広島大学小児科にて実施中）．

2）IL-17RA 異常症

FACS で細胞表面の IL-17RA の発現低下を認める[1]．

3）IL-17RC 異常症

FACS で細胞表面の IL-17RC の発現低下を認める[13]．

d 鑑別診断

CMCD の診断にあたっては，前述した T 細胞機能不全や症候性 CMC などを鑑別する必要がある（図 1）．

4. 合併症

IL-17RA 異常症，ACT1 異常症では，*S. aureus* による皮膚感染症を合併する[1)3)12)]．一方で，IL-17RC 異常症や IL-17F 異常症では *S. aureus* 感染症の頻度は低い[1)13)]．

STAT1-GOF では，CMC 以外に多彩な症状を発症する．274 例の STAT1-GOF 患者を集計した全世界調査では，ウイルス感染が 38%（ヘルペス属が中心），細菌感染が 74%（*S. aureus*, *Streptococcus spp.* が中心），侵襲性真菌感染症が 10%（*C. albicans* が中心），自己免疫疾患が 37%（甲状腺機能障害，他の内分泌的異常など），頭蓋内動脈瘤が 5% の患者で認められたと報告されている[10]．

5. 重症度分類

IL-17RA 異常症，IL-17F 異常症，IL-17RC 異常症，ACT1 異常症では，粘膜病変を中心とした反復性，難治性カンジダ感染を呈するものの，侵襲性真菌感染症のような重症感染症の合併は基本的に認めない．IL-17RA 異常症，ACT1 異常症では，細菌（特に *S. aureus*）による感染症も合併するが，ST 合剤の内服でコントロール可能である．一方，STAT1-GOF では鵞口瘡のみの軽症例から CID や IPEX（immune dysregulation, polyendocrinopathy, enteropathy, X-linked：多腺性内分泌不全症，腸疾患を伴う X 連鎖遺伝免疫調節異常；第 4 章 E 参照，p.117）症候群様症状を呈する重症例も存在するため注意が必要である．

6. 管理方法（フォローアップ指針），治療

a CMCD（IL-17RA 異常症，IL-17F 異常症，IL-17RC 異常症，ACT1 異常症）

抗真菌薬の内服，塗布が治療の中心となる．真菌感染は反復性かつ難治性であり，多くの症例で定期的な治療が必要となる．IL-17RA 異常症，ACT1 異常症における *S. aureus* による皮膚感染症は，ST 合剤内服や抗菌薬塗布で対応する．

b STAT1-GOF

約 75% の患者において定期的な抗真菌薬の内服が必要となる．抗真菌薬はフルコナゾール内服の頻度が高く，次にイトラコナゾール内服が行われる．定期治療を受ける患者の約 40% において，カンジダ感染は難治性，反復性の経過をたどる．難治性のカンジダ感染に対して，アムホテリシン B やボリコナゾールが使用されることもある．細菌感染に対する予防内服は約 30% の患者で行われており，ST 合剤を使用する頻度が高い．約

15％の症例で免疫グロブリン補充療法が行われる．自己免疫疾患（甲状腺機能障害，糖尿病，汎血球減少など）や動脈瘤を合併する症例では，それらに対する治療も必要となる．CIDやIPEX症候群様症状を発症する重症例に対して造血細胞移植が試みられているが，移植関連合併症や二次性生着不全の頻度が高く予後は不良である．そのため，重症例に対する治療法の確立が今後の課題とされる．近年では，JAK阻害薬の効果が複数報告されており，JAK阻害薬治療を受けた20症例中12症例で症状の改善を認めていた[14]．一方，JAK阻害薬の長期有用性や副作用については今後の検討課題とされる．

7. 予後，成人期の課題

食道，喉頭，外陰部の慢性カンジダ感染により狭窄を呈する症例があるため注意が必要である．IL-17F異常症，IL-17RA異常症，IL-17RC異常症，ACT1異常症の予後は良好である．STAT1-GOFでは侵襲性感染症，動脈瘤，悪性腫瘍発症がリスク因子であり，これらのリスク因子をもつ患者の60歳までの生存率は31％（リスク因子をもたない患者の生存率は87％）とされる[10]．重症例に対して造血細胞移植が試みられているが，移植関連合併症，二次性生着不全の頻度が高く，移植を受けた症例の全生存率は40％程度と考えられる[15]．

8. 診療上注意すべき点

・CMCDで認めるカンジダ感染は，難治性，反復性の経過をたどる．乳児期に認める一過性の鵞口瘡などはCMCDに含まない．
・STAT1-GOF患者では，CMC以外の多彩な症状の合併に注意が必要となる．

文献

1) Puel A, Cypowyj S, Bustamante J, et al. Chronic mucocutaneous candidiasis in humans with inborn errors of interleukin-17 immunity. *Science* 2011；332：65-68.
2) Puel A, Cypowyj S, Maródi L, et al. Inborn errors of human IL-17 immunity underlie chronic mucocutaneous candidiasis. *Curr Opin Allergy Clin Immunol* 2012；12：616-622.
3) Boisson B, Wang C, Pedergnana V, et al. An ACT1 mutation selectively abolishes interleukin-17 responses in humans with chronic mucocutaneous candidiasis. *Immunity* 2013；39：676-686.
4) Glocker EO, Hennigs A, Nabavi M, et al. A homozygous CARD9 mutation in a family with susceptibility to fungal infections. *N Engl J Med* 2009；361：1727-1735.
5) de Beaucoudrey L, Samarina A, Bustamante J, et al. Revisiting human IL-12Rβ1 deficiency：a survey of 141 patients from 30 countries. *Medicine（Baltimore）* 2010；89：381-402.
6) Puel A, Döffinger R, Natividad A, et al. Autoantibodies against IL-17A, IL-17F, and IL-22 in patients with chronic mucocutaneous candidiasis and autoimmune polyendocrine syndrome type I. *J Exp Med* 2010；207：291-297.
7) Liu L, Okada S, Kong XF, et al. Gain-of-function human STAT1 mutations impair IL-17 immunity and underlie chronic mucocutaneous candidiasis. *J Exp Med* 2011；208：1635-1648.
8) Li J, Ritelli M, Ma CS, et al. Chronic mucocutaneous candidiasis and connective tissue disorder in humans with impaired JNK1-dependent responses to IL-17A/F and TGF-β. *Sci Immunol* 2019；4：eaax7965.
9) Okada S, Markle JG, Deenick EK, et al. IMMUNODEFICIENCIES. Impairment of immunity to Candida and Mycobacterium in humans with bi-allelic RORC mutations. *Science* 2015；349：606-613.
10) Toubiana J, Okada S, Hiller J, et al. Heterozygous STAT1 gain-of-function mutations underlie an unexpectedly broad clinical phenotype. *Blood* 2016；127：3154-3164.
11) Okada S, Asano T, Moriya K, et al. Human STAT1 Gain-of-Function Heterozygous Mutations：Chronic Mucocutaneous Candidiasis and Type I Interferonopathy. *J Clin Immunol* 2020；40：1065-1081.
12) Lévy R, Okada S, Béziat V, et al. Genetic, immunological, and clinical features of patients with bacterial and fungal infections due to inherited IL-17RA deficiency. *Proc Natl Acad Sci U S A* 2016；113：E8277-E8285.
13) Ling Y, Cypowyj S, Aytekin C, et al. Inherited IL-17RC deficiency in patients with chronic mucocutaneous candidiasis. *J Exp Med* 2015；212：619-631.
14) Zhang W, Chen X, Gao G, et al. Clinical Relevance of Gain- and Loss-of-Function Germline Mutations in STAT1：A Systematic Review. *Front Immunol* 2021；12：654406.
15) Leiding JW, Okada S, Hagin D, et al. Hematopoietic stem cell transplantation in patients with gain-of-function signal transducer and activator of transcription 1 mutations. *J Allergy Clin Immunol* 2018；141：704-717.e5.

II 各論

第7章 補体欠損症

第7章 補体欠損症

A 先天性補体欠損症

和歌山県立医科大学分子遺伝学講座　辻本　弘　井上徳光

1. 疾患概要

a 補体系について

補体系は自然免疫系の一つで，血液中と細胞膜上に存在する40以上の蛋白質からなる．補体成分はプロテアーゼにより分解されて活性化し，その反応は連鎖的に進行して多彩な免疫機能を発揮する．補体を大きく分類すると（表1）のようになり，ほぼすべての分子について欠損症が報告されている．

補体系の中心はC3転換酵素の形成によるC3aとC3bへの分解反応である．C3転換酵素は，古典経路，レクチン経路，第二経路という3つの経路の活性化によって形成される．C3転換酵素はC3を切断することで生じたC3bとさらなる複合体を形成し，C5転換酵素となって終末経路へと進行する（図1）．終末経路では，C5転換酵素がC5をC5aとC5bに分解し，生じたC5bにC6，C7，C8，C9が結合して膜侵襲複合体（membrane attack complex：MAC）を形成する．MACは病原体の細胞膜を貫通して破壊する．

補体は生体防御において，ほかにも大きな役割を果たしている．生体内に微生物などの異物が侵入してきた場合に，C3bやその分解産物が異物表面に結合して標識（オプソニン化）する．マクロファージなどの食細胞は補体レセプターCR3やCR4でオプソニン化された異物を認識し貪食・排除する[1)2)]．またiC3bなどの補体分解産物は補体レセプターを介してアポトーシス細胞や免疫複合体の処理にもかかわっている[3)]．さらに，補体系が活性化したときに生成される補体因子の小分解産物（C5a，C3a，C4a）は，白血球を引き寄せて活性化させる機能をもつ．これら低分子補体成分はアナフィラトキシンとよばれ，そのレセプターを介して血管内皮細胞に直接，またはマスト細胞からヒスタミンなどの炎症メディエーターを遊離させ，毛細血管の透過性亢進や平滑筋の収縮などの作用を示す．

b 先天性補体欠損症

補体の活性化にかかわる分子や補体レセプターの欠損症では易感染性を呈する．特に第二経路，終末経路の欠損症では髄膜炎菌や淋菌などの*Neisseria*属の細菌感染症に対して易感染性や重症化を示す．これは，*Neisseria*属の細菌は食細胞

表1　補体分子の一覧

1. 補体系活性化にかかわる分子	
古典経路	C1q（A,B,Cから構成される），C1r，C1s，C4，C2
レクチン経路	MBL，ficolin-1，ficolin-2，ficolin-3，CL-L1（collectin-10），CL-K1（collectin-11），CL-P1（collectin-12），MASP-1，MASP-2，MASP-3
第二経路	C3，B因子，D因子，P因子
終末補体経路	C5，C6，C7，C8（C8α，C8γ，C8βから構成される），C9
2. 補体制御因子	C1-INH，C4BP，I因子，H因子，CD46（membrane cofactor protein：MCP），CD55（decay-accelerating factor：DAF），CD59
3. 補体レセプター	CR1（CD35），CR2（CD21），CR3（CD11b/CD18），CR4（CD11c/CD18），C3aR，C5aR1（CD88），C5aR2，C5LR，CRIg

に貪食されても細胞内で死滅しないため，補体による溶菌に依存しているためである．加えてC1複合体の構成成分やC4，C2などの古典経路の欠損症では全身性エリテマトーデス（systemic lupus erythematosus：SLE）をはじめとした免疫複合体病を合併しやすい．補体活性化経路を構成する成分の欠損症はほとんどが常染色体潜性（劣性）遺伝形式をとるが，唯一P因子は遺伝子がX染色体上に位置するため，欠損症はX連鎖潜性（劣性）遺伝形式をとる．

c 先天性補体制御因子異常症

一方，補体制御因子の欠損症では過剰な補体活性化をきたす．先天的な補体制御因子異常症として，常染色体顕性（優性）遺伝疾患である遺伝性血管性浮腫（hereditary angioedema：HAE）がある．非典型溶血性尿毒症症候群（atypical hemolytic uremic syndrome：aHUS）とC3腎症は，おもに先天的な補体制御因子の常染色体顕性（優性）遺伝による異常（*CFH*や*CFI*, *CD46*など），または，これらの補体制御因子により制御できないC3やCFBの異常によって発症する．

補体制御因子であるCD55，CD59は，糖脂質GPI（glycosylphosphatidylinositol）によって細胞膜に結合しているGPIアンカー型蛋白質（GPI-anchored protein：GPI-AP）であり，細胞膜上での補体活性化を制御する．GPIの生合成遺伝子のうち，浸透率は不明であるが常染色体顕性（優性）遺伝の*PIGT*および*PIGB*遺伝子の異常は，さらに造血幹細胞での後天的な異常が加わることで，CD55とCD59がともに欠損し，発作性夜間ヘモグロビン尿症（paroxysmal nocturnal hemoglobinuria：PNH）の症状に加え，自己炎症を引き起こす．先天性CD59欠損症ではPNH様の溶血に加え，多発性末梢神経炎を起こす．CD55欠損症は溶血を起こさず，蛋白漏出性胃腸症や血栓症を併発することが知られている（CHAPLE症候群）．

また，レクチン経路に属するCL-L1（collectin-10），CL-K1（collectin-11），MASP-3の欠損症では，他の多くの先天性補体欠損症でみられる免疫異常とは異なり，顔面形態異常を呈する3MC症候群（Carnevale, Mingarelli, Malpuech, and Michels syndromes）をきたす．そのほか，補体レセプターCR2（CD21）の欠損症が分類不能型免疫不全症（common variable immuodeficiency：CVID）を，CR3（CD11b/CD18）とCR4（CD11c/CD18）を構成するCD18の欠損症は白血球接着不全症（leukocyte adhesion deficiency：LAD type I）を発症することが知られている．先天性補体異常症の遺伝形式や臨床的特徴を（表2）に示す．

d 後天性補体異常症

後天性の補体制御因子異常として，GPI生合成にかかわる*PIGA*遺伝子の体細胞突然変異によっ

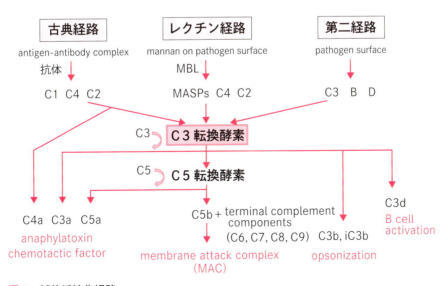

図1　補体活性化経路

表2 先天性補体異常症の遺伝形式と臨床的特徴

欠損症	遺伝子	遺伝子座	遺伝形式	臨床的特徴
古典経路				
C1q	C1QA, C1QB, C1QC	1q36	AR	再発性重症感染症, SLE, 免疫複合体病
C1r LOF	C1R	12p13	AR	再発性重症感染症, SLE, 免疫複合体病
C1r GOF	C1R	12p13	AD	歯周型 Ehlers-Danlos 症候群
C1s LOF	C1S	12p13	AR	再発性重症感染症, SLE, 免疫複合体病
C1s GOF	C1S	12p13	AD	歯周型 Ehlers-Danlos 症候群
C4	C4A, C4B	6p21	AR	再発性重症感染症, SLE, 免疫複合体病
C2	C2	6p21	AR	再発性重症感染症, SLE, 免疫複合体病
レクチン経路				
MBL	MBL2	10q21	AR	再発性重症感染症
CL-L1 (collectin-10)	COLEC10	8q24	AR	3MC 症候群
CL-K1 (collectin-11)	COLEC11	2p25	AR	3MC 症候群
ficolin-3	FCN3	1p36	AR	再発性重症感染症, SLE
MASP-1/3	MASP1	3q27	AR	3MC 症候群
MASP-2	MASP2	1p36	AR	呼吸器感染症, 自己免疫疾患
第二経路				
B LOF	CFB	6p21	AR	髄膜炎菌/肺炎球菌感染症
B GOF	CFB	6p21	AR	aHUS, C3 腎症
D	CFD	19p13	AR	髄膜炎菌感染症
P	CFP	Xp11	XR	髄膜炎菌感染症
C3				
C3 LOF	C3	19p13	AR	髄膜炎菌感染症, SLE
C3 GOF	C3	19p13	AD GOF	aHUS, C3 腎症, AMD
終末補体経路				
C5	C5	9q33	AR	髄膜炎菌感染症, 髄膜炎
C6	C6	5p13	AR	髄膜炎菌感染症, 髄膜炎
C7	C7	5p13	AR	髄膜炎菌感染症, 髄膜炎
C8α-γ	C8A / C8G	1p32 / 9q34	AR	髄膜炎菌感染症, 髄膜炎
C8β	C8B	1p32	AR	髄膜炎菌感染症, 髄膜炎
C9	C9	5p13	AR	髄膜炎菌感染症
制御因子				
C1-INH	SERPING1	11q12	AD	HAE
H	CFH	1q31	AR or AD	髄膜炎菌感染症, aHUS, C3 腎症
I	CFI	4q25	AR or AD	髄膜炎菌感染症, aHUS, C3 腎症
CD46/MCP	CD46	1q32	AR or AD	aHUS
CD55/DAF	CD55	1q32	AR	蛋白漏出性胃腸症, CHAPLE 症候群
CD59	CD59	11p13	AR	PNH 様溶血, 多発性末梢神経炎
CFHR1-3 deletion	CFHR1-3	1q32	AR	aHUS, C3 腎症
補体レセプター				
CR2 (CD21)	CR2	1q32	AR	分類不能型免疫不全症
CR3 (CD11b/CD18) / CR4 (CD11c/CD18)	CD18 (ITGB2)	21q22	AR	白血球接着不全症
GPI-AP 生合成関連遺伝子				
PIGB	PIGB	15q21	AD	PNH, 自己炎症症候群
PIGT	PIGT	20q13	AD	PNH, 自己炎症症候群

GPI-AP：GPI (glycosylphosphatidylinositol)-anchored protein グリコシルホスファチジルイノシトールアンカー型蛋白質, LOF：loss of function variant 機能喪失型変異, GOF：gain of function variant 機能獲得型変異, AR：autosomal recessive 常染色体潜性（劣性）遺伝, AD：autosomal dominant 常染色体顕性（優性）遺伝, XR：X-linked recessive X連鎖（劣性）遺伝, SLE：systemic lupus erythematosus 全身性エリテマトーデス, aHUS：atypical hemolytic uremic syndrome 非典型溶血性尿毒症症候群, AMD：age-related macular degeneration 加齢黄斑変性, HAE：hereditary angioedema 遺伝性血管性浮腫, PNH：paroxysmal nocturnal hemoglobinuria 発作性夜間ヘモグロビン尿症

て発症する PNH があげられる.

　そのほか,自己抗体により後天的に補体機能異常をきたす疾患が存在する.H 因子に対する自己抗体は同因子の機能を障害し aHUS を引き起こすことが知られている.H 因子の自己抗体の産生には,*CFHR1* と *CFHR3* のホモ接合性欠失が関与することが知られている.また,C3 転換酵素 C3bBb に結合して安定化させる自己抗体(C3NeF)が C3 腎症を発症させる.

　本稿では免疫不全を呈する典型的な先天性補体欠損症について述べる.また近年臨床応用が進んでいる抗補体薬による補体欠損状態とその対応についても概説する.

2. 疫　学

　補体欠損症はまれな疾患であるが,原発性免疫不全症候群の約 5% を占めている[4].わが国で行われた 145,640 人の献血者を対象とした検討が世界的にみても唯一の大規模疫学研究である[5)6)].この結果 C5,C6,C7 および C8 欠損症はそれぞれ 10 万人に 1〜4 人であることが明らかとなった.その他の欠損症も一部の例外を除いて同程度かそれ以下の頻度と考えられる.第二経路(B 因子,D 因子,P 因子)や,C2 の欠損症はわが国での報告はほとんどない.C9 欠損症は 1,000 人に 1 人と例外的に日本人やアジア人では頻度が高く,そのほとんどが 1 種類のナンセンス変異(c.346C>T, p.Arg116Ter)のホモ接合体である.一部の補体欠損症には人種差が存在し,わが国では報告のない C2 欠損症は欧米では 10,000 人に 1 人の頻度で報告されている.逆にわが国で多い C9 欠損症は欧米ではほとんど認められない.

3. 診断基準,診断の手引き

a 臨床症状

1)易感染性

　莢膜形成細菌の感染を繰り返す.特に第二経路欠損症,終末経路欠損症では,髄膜炎菌,淋菌などの *Neisseria* 属の細菌に感染しやすく,侵襲性髄膜炎菌感染症や播種性淋菌感染症を発症することもある.

2)自己免疫疾患

　古典経路に属する C1q,C1r,C1s,C4,C2 などの先天性欠損症では SLE の合併頻度が高く,なかでも C1q 欠損症は約 90% の症例が SLE または SLE 様症候群を合併する.抗核抗体,抗 Sm 抗体,抗 SS-A 抗体は陽性であることが多いが,抗 DNA 抗体は陰性であることが多い.C4 には *C4A* と *C4B* の二つの遺伝子がある.すべて欠損することはまれであるが C4 のコピー数が 1〜3 個のコピー数異常(部分欠損症)は比較的頻度が高く,C4 の部分欠損症が SLE などの自己免疫疾患の発症頻度と関連することが報告されている.

b 身体所見

　感染症の合併がないときには健康人と何ら変わりはない.ただし SLE などの合併症があればそれに伴う症状を呈する.

c 検査所見

　血清補体価(CH50),血清 C3 濃度,血清 C4 濃度の測定が実臨床で行われている.

1) 古典経路,終末経路の欠損症では CH50 は感度以下まで低下する.ただし C9 欠損症は例外であり,基準値の 25〜40% 程度の値を示す.
2) 第二経路,レクチン経路,補体レセプターの欠損症では CH50 は正常である.
3) 第二経路の欠損症では ACH50 が低下する.ACH50 とは第二経路(alternative pathway)を介する CH50 の測定系であるが一般の検査室では測定されていない.
4) C3 欠損症,C4 欠損症ではそれぞれ C3,C4 が測定感度以下となる.
5) 対象補体因子の遺伝子変異を認める(ホモ接合体あるいは複合ヘテロ接合体).
6) 補体レセプター欠損症を疑う場合には,フローサイトメトリーで細胞表面分子の発現を解析する.CR2 欠損症では B 細胞活性化にかかわる CD21 の発現が低下する.また CR3,CR4 欠損症の原因は CD18 の変異であり,好中球や単球での CD11b/CD18 発現と CD11c/CD18 発現が低下している.

d 診断基準

① 莢膜形成細菌による感染症を繰り返す．
② 血清補体価（CH50）が著しく低下する（感染回復期を含め2回以上）．

上記①，②を満たす場合，古典経路，C3，終末経路の欠損症の可能性がある．

上記①のみの場合でも，髄膜炎菌，淋菌などの *Neisseria* 属の細菌感染であれば，第二経路の欠損症の可能性がある．対象補体因子の血清蛋白質濃度定量によって欠損を証明できれば診断となるが，現時点では臨床利用できる測定系がない．日本補体学会では，欠損が疑われる補体成分を患者血漿に単独添加してCH50の回復レベルを評価する回復試験を実施している．

③ 確定診断のために遺伝子検査を行う．複数の補体関連遺伝子に関して次世代シークエンサーを用いたパネル検査が保険診療内で実施可能である．

4. 合併症

これまで述べたとおり，細菌感染症を繰り返すなどの易感染性，重症の髄膜炎菌および淋菌感染症を合併しやすい．C1q，C1r，C1s，C4，C2などの古典経路の欠損症ではSLEをはじめとした自己免疫疾患を高率に合併する．

5. 重症度分類

補体欠損症であることが確定した患者は，既往の有無を問わず莢膜を有する細菌に対して易感染性を示すため重症と判断する．

6. 管理方法（フォローアップ指針），治療

感染症の予防とその治療が必要である．髄膜炎菌や，莢膜形成細菌であるインフルエンザ菌b型，肺炎球菌に対するワクチンを接種することが望ましい．髄膜炎菌ワクチンについては，わが国では4価髄膜炎菌ワクチン（血清型A，C，Y，W-135群の莢膜多糖体とジフテリアトキソイドの結合体製剤）が認可されている．日本人では，比較的血清型B群の感染例が多く，髄膜炎菌ワクチンだけでは予防できないため，注意が必要である．接種計画は日本小児科学会や米国CDCの推奨する方法を参考にし，必要に応じて追加接種を行う[7)~9)]．淋菌感染症については，性感染症であるため，感染時には性的パートナーの検査と治療が重要である．

SLEなどの自己免疫疾患を合併している場合には，その治療を行う．

7. 予後，成人期の課題

おおむね良好である．欠損症であっても易感染性を呈さないこともある．感染症を併発した場合でも，適切に診断，治療を行うことで通常の感染症と同等の予後が得られる．

8. 診療上注意すべき点

CH50のみ著しく低下している場合は，cold activationの除外が必要である．cold activationは，採血後に試験管内で補体系が活性化する現象で，C型肝炎患者でみられることがあるが非肝炎患者でも起こりうる．抗凝固剤としてEDTAを用いて血漿を得ることで試験管内の補体活性化を抑制することができるため，CH50をEDTA血漿で再検する．

C3が検出感度以下であれば先天性C3欠損症を，C4が検出感度以下であれば先天性C4欠損症を疑う．ただしいずれも極めてまれであり，それぞれ世界で20数例の報告があるにすぎない．また，C3やC4，CH50が低下している場合，体内での補体の活性化によることがあるため，注意が必要である．

9. 抗補体薬による後天的補体欠損状態

近年，抗C5モノクローナル抗体製剤であるエクリズマブやラブリズマブなどの抗補体薬が血液疾患や腎疾患，自己免疫性神経疾患など様々な疾患の治療に用いられるようになってきた（表3）．これらの薬剤は補体活性を阻害し治療効果を発揮

表3 抗補体薬の標的分子と適応疾患※

標的分子	一般名	適応疾患
C5	エクリズマブ	PNH, aHUS, 全身型重症筋無力症, NMOSD
C5	ラブリズマブ	PNH, aHUS, 全身型重症筋無力症
C3	ペグセタコプラン	PNH
C5aR	アバコパン	顕微鏡的多発血管炎, 多発血管炎性肉芽腫症
C1s	スチムリマブ	寒冷凝集素症

※2023年7月現在
PNH：paroxysmal nocturnal hemoglobinuria 発作性夜間ヘモグロビン尿症, aHUS：atypical hemolytic uremic syndrome 非典型溶血性尿毒症候群, NMOSD：neuromyelitis optica spectrum disorders 視神経脊髄炎スペクトラム障害

する一方，終末補体複合体C5b-9の形成を抑制する．本来C5b-9はMACを形成し病原菌を溶解するが，抗C5抗体を投与された患者ではMACが形成されず髄膜炎菌を含む*Neisseria*属の感染リスクが高まる．すなわち，エクリズマブなどの抗補体薬を投与される患者は後天的補体欠損状態となる．そのため，これらの患者は抗補体薬投与前に髄膜炎菌ワクチンを接種することが推奨されている[8,9]．ただし，ワクチン接種患者でも髄膜炎菌感染症の発症リスクは高く，実際にワクチン接種患者での髄膜炎菌感染症も報告されている．

2021年10月1日時点の全世界におけるエクリズマブの販売後安全性情報によると，全世界で同薬の曝露は70,678.8人年で，髄膜炎菌感染症事例は181例237件（年間0.26例/100人）である[10]．感染症は敗血症，髄膜炎，菌血症，脳炎といずれも重篤なものであり，わが国での死亡例も報告されている[11]．今後も適応拡大や新規薬剤の開発により，抗補体薬の使用頻度は増加すると考えられる．そのため，抗補体薬使用中の感染症予防，適切な診断と治療は非常に重要な課題である．現在，抗C1sモノクローナル抗体であるスチムリマブが寒冷凝集素症に適応となり，髄膜炎菌感染症だけでなく，すべての莢膜形成細菌に対するリスクが上昇することが予想される．

文献

1) Ricklin D, Hajishengallis G, Yang K, et al. Complement: a key system for immune surveillance and homeostasis. *Nat Immunol* 2010；11：785-797.
2) 塚本 浩, 堀内孝彦. 補体. 田中良哉, 編. 免疫・アレルギー疾患イラストレイテッド. 羊土社, 2013；96-104.
3) Martin M, Blom AM. Complement in removal of the dead – balancing inflammation. *Immunol Rev* 2016：274：218-232.
4) ESID registry. ESID database statistics.（Database from 05 Dec 2022）. https://cci-reporting.uniklinik-freiburg.de/#/
5) Inai S, Akagaki Y, Moriyama T, et al. Inherited deficiencies of the late-acting complement components other than C9 found among healthy blood donors. *Int Arch Allergy Appl Immunol* 1989；90：274-279.
6) Fukumori Y, Yoshimura K, Ohnoki S, et al. A high incidence of C9 deficiency among healthy blood donors in Osaka, Japan. *Int Immunol* 1989；1：85-89.
7) 日本小児科学会 予防接種・感染症対策委員会. 任意接種ワクチンの小児（15歳未満）への接種（2023年4月改訂版）. https://www.jpeds.or.jp/uploads/files/20230407nini.pdf
8) CDC（Centers for Disease Control and Prevention）. Managing the Risk of Meningococcal Disease among Patients Who Receive Complement Inhibitor Therapy. https://www.cdc.gov/meningococcal/clinical/eculizumab.html
9) 日本環境感染学会ワクチン委員会. 医療関係者のためのワクチンガイドライン 第3版. 日本環境感染学会誌 2020；35（Suppl II）：S1-S33.
10) アレクシオンファーマ合同会社. ソリリス®点滴静注300mgの安全性情報. 2022年7月改訂. https://soliris.jp/~/media/soliris_jp/document-slide/sol.pdf
11) Matsumura Y. Risk Analysis of Eculizumab-Related Meningococcal Disease in Japan Using the Japanese Adverse Drug Event Report Database. *Drug Healthc Patient Saf* 2020：12：207-215.

第7章 補体欠損症

B 遺伝性血管性浮腫

九州大学病院別府病院 免疫・血液・代謝内科　日浦惇貴　堀内孝彦

1. 疾患概要

遺伝性血管性浮腫（hereditary angioedema：HAE）は顔面や四肢、腸管や喉頭など全身の様々な部位に突発性、一過性の浮腫を生じる遺伝性疾患である。気道閉塞や激烈な腹痛を生じて重篤になりうるため見逃してはならない疾患である。従来、C1インヒビター（C1-INH）遺伝子異常によるHAE 1型、2型が知られていたが、2000年にC1-INH遺伝子（*SERPING1*）に異常を認めないHAE with normal C1-INH（HAEnCIあるいはHAE 3型）が報告された。HAEは常染色体顕性（優性）遺伝形式をとるが、HAE 3型では浸透率が低く、発症するのは多くは女性である[1]。またHAE 1/2型では家族歴のない孤発例も25%に認められる。孤発例は *de novo* の遺伝子異常症である。これらの遺伝子異常の結果、ブラジキニン産生が亢進して浮腫が惹き起こされる[2]。

HAE 1型：C1-INHの活性、蛋白質量ともに低下している。

HAE 2型：C1-INHの活性は低下しているが、蛋白質量は正常か増加している。

HAE 3型：C1-INHの活性、蛋白質量ともに正常である。これまで凝固XII因子（*F12*）、プラスミノーゲン（*PLG*）等の遺伝子異常が報告されているが、原因不明のものも多い。原因遺伝子が判明しているものについてはHAE-F12などと表記される。

詳しくは日本補体学会が作成した遺伝性血管性浮腫（hereditary angioedema：HAE）診療ガイドライン改訂2019年版を参照されたい[3]（日本補体学会ホームページ http://square.umin.ac.jp/compl/）。

2. 疫学

HAE 1/2型は人種を問わず5万人に1人とする報告が多い。HAE 3型は10万人に1人程度と考えられている。わが国での実態は不明であるが、大きな違いはないと考えられる。

3. 診断基準

①血管性浮腫

突発性の浮腫が顔面、口腔内、四肢、躯幹、陰部などの表面の皮膚・粘膜のみならず、消化管、喉頭などの気道、その他の内臓にも生じる。浮腫は数日で跡形もなく消失する。

②C1-INH活性の低下（＜50%）

③家族歴

以上の三つがあればHAE 1型あるいは2型（HAE 1/2型）と診断できる。C1-INH蛋白質量が低下していればHAE 1型、正常または増加していればHAE 2型である。

①と③のみの場合、HAE 3型と診断しうる。

①と②のみの場合、HAE 1/2型の孤発例か後天性血管性浮腫である。血清C1q蛋白質定量（保険適用外）が低値であれば後天性とされているが、遺伝性の場合でも低値を示す場合がある。確定診断のためにはC1-INHの遺伝子検査が有用である。

④HAE 1/2型の確定診断のためにはC1-INH遺伝子異常の同定が望ましい。HAE 3型の一部では *F12*, *PLG*, アンギオポエチン1（*ANGPT1*）、キニノーゲン1（*KNG1*）、ミオフェリン（*MYOF*）、ヘパラン硫酸3-O-スルホトランスフェラーゼ6（*HS3ST6*）の遺伝子異常が報告されている。現在、かずさDNA研究所に「補体欠損症遺伝子検査（panel 2）（遺伝性血管性浮腫含む）」が依頼可能（保

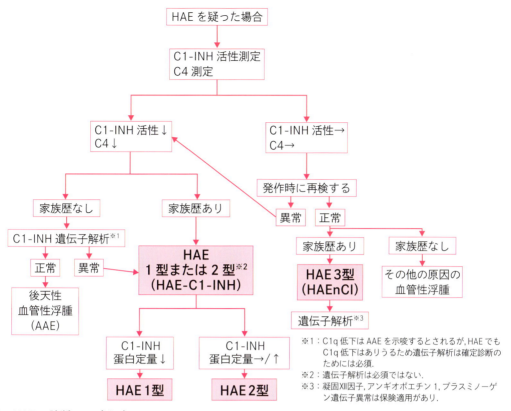

図1　HAEの診断アルゴリズム

HAE：hereditary angioedema 遺伝性血管性浮腫，HAEnCI：HAE with normal C1-INH，AAE：acquired angio-edema 後天性血管性浮腫

(Busse PJ, Christiansen SC. Hereditary Angioedema. *N Engl J Med* 2020；382：1136-1148.)

険適用）であり，*SERPING1*，*F12*，*PLG*，*ANGPT1* 遺伝子の検査を行うことができる．遺伝子検査については，カウンセリング体制が整った施設で行うことが求められる．

⑤診断の参考となるアルゴリズムを提示する（図1）[3]．

4. 診断の手引き（臨床症状，身体所見，検査所見，特殊検査，鑑別診断など）

a 臨床症状

24時間で最大となり数日で自然に消褪する発作を繰り返す．10歳代から20歳代に初発することが多い．HAEの1/2型と3型について，表1にその特徴を示す．発現する症状はほぼ同じである．血管性浮腫とその他の浮腫との鑑別のポイントを表2に示す．

1）皮下浮腫，粘膜下浮腫

あらゆる場所に生じうるが，特に眼瞼，口唇，四肢に生じやすい（図2）．蕁麻疹とは異なり浮腫の境界は鮮明ではなく痒みもない．症状出現初期に罹患部の皮膚がピリピリすることもある．

2）消化器症状

腹痛，悪心，嘔吐，下痢などを生じる．腹痛は激烈であるが，腹膜炎などと異なり筋性防御はない．腹部エコーや腹部CTで腸管の浮腫を認めることが診断に役立つ（図3）．急性腹症として救急を受診することも多く，誤った開腹手術をしないためにも鑑別疾患の一つとして知っておきたい．

3）喉頭浮腫

嚥下困難，のどが締め付けられる感じ，のどの詰まり，声の変化（嗄声，荒れなど）や声が出ない，息苦しさ，窒息感などの多彩な症状があるこ

表 1　HAE の特徴

	HAE 1 型 /2 型 (HAE-C1-INH)	HAE 3 型 (HAEnCI)
発症年齢	10 歳代に多い	20 歳代以降が多い HAE-F12 はやや若い（平均 20.3 歳）
男女比	やや女性に多い（4：6 程度）	多くは女性
頻度	5 万人に 1 人	10 万人に 1 人とされる
浮腫の部位	四肢＞顔面	HAE-PLG 舌が多い
遺伝形式	常染色体顕性（優性）	常染色体顕性（優性）（浸透率低い）
原因遺伝子	すべて SERPING1	F12（欧米の HAEnCI の約 25％ を占めるが，わが国での報告はない） PLG（HAE-F12 に次いで多い，わが国でも報告あり） ANGPT1, KNG1, MYOF, HS3ST6 は 1 家系のみ欧米から報告
増悪因子	外傷，抜歯，ストレス，感染，妊娠，ACE 阻害薬	妊娠，エストロゲン製剤の関与が大きい（特に HAE-F12）
治療	抗ヒスタミン薬，ステロイドは無効 C1-INH 製剤，ブラジキニン受容体阻害薬，カリクレイン阻害薬など	抗ヒスタミン薬，ステロイドは無効 HAE1 型 /2 型の治療薬が有効な場合がある

HAE：hereditary angioedema 遺伝性血管性浮腫，HAEnCI：HAE with normal C1-INH，ACE：angiotensin converting enzyme アンジオテンシン転換酵素

(Busse PJ, Christiansen SC. Hereditary Angioedema. *N Engl J Med* 2020；382：1136-1148. をもとに作成)

表 2　血管性浮腫とその他の浮腫の特徴

日常臨床でよくみる浮腫
浮腫の原因となる疾患は多岐にわたるが，日常臨床では心疾患，肝疾患，腎疾患に伴うものが多い．これらの浮腫は，静脈圧やアルブミンの低下による血管外への水分の漏出であり，慢性に経過し，範囲は広く全身性，対称性である．
血管性浮腫
1) 突然に急に起きる（24 時間程度で症状が完成する）． 2) 3 日程度で完全に消失することが多い． 3) 限局性，非対称性に生じる． 4) 重力に関係のない場所に生じる． 5) 眼瞼，口唇，喉頭や消化管に生じやすい． 6) 指圧痕を残さない（non-pitting edema）． 7) 浮腫に痒みや蕁麻疹を伴わない，思春期頃から症状を繰り返す，家族歴がある（ない場合もあるので注意）などの所見が重要である．

とに注意する．これらが進行すると呼吸困難，窒息に至る．3 歳以下での喉頭浮腫はまれである．適切な診断，治療がなされない場合には窒息で死亡することがある．

b 身体所見

浮腫発作がないときには健康人と変わりはない．

c 検査所見

1) HAE を疑った際にはまず補体 C4 濃度を測定する．発作時には 100％，発作がないときでも 98％ の検体で基準値を下回る．
2) C1-INH 活性は，発作時であるか否かにかかわらず 50％ 未満となるため，診断にもっとも有用である．保険適用がある．

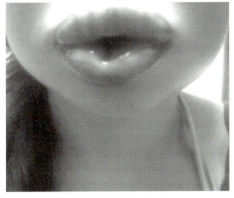
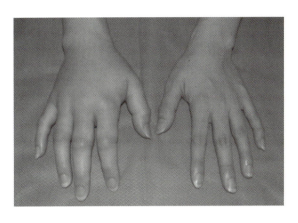

図2　口唇の浮腫，右手背の浮腫
30歳代女性，HAE患者．

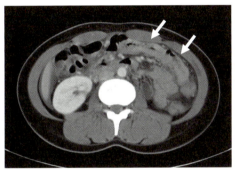

図3　小腸の浮腫（矢印）
30歳代女性，HAE患者．（CT画像）

3）C1-INH蛋白質定量はHAE 1型，2型を区別する場合に施行するが，保険適用ではない．
4）HAE 1/2型では*SERPING1*遺伝子のヘテロ変異を認める．
5）HAE 3型の一部には*F12*, *PLG*, *ANGPT1*, *KNG1*, *MYOF*, *HS3ST6*の遺伝子異常を認める．わが国ではこれまで*PLG*遺伝子異常が3家系報告されているのみ[4)~6)]で他の遺伝子異常の報告はない．

d　鑑別診断

アレルギー素因を背景としたアレルギー性血管性浮腫，アンジオテンシン変換酵素阻害薬や非ステロイド性抗炎症薬，エストロゲン製剤などによる薬剤性血管性浮腫，悪性疾患や自己免疫疾患に伴う後天性血管性浮腫，好酸球増多を伴う好酸球性血管性浮腫（Gleich's syndrome）などがある．原因が特定できない特発性血管性浮腫も多い[7)]．

診療上のコツ：臨床症例から

筆者らの教室で経験したHAEの症例提示を行う．

49歳女性．

主訴：口唇の腫脹．

現病歴：23歳ごろ，左下腿が腫脹して歩きづらいことがあった．25歳，一卵性双生児を出産時に左下肢の腫脹があり，1週間ほどで治った．その後明らかな症状はなかったが39歳ごろから，2年に1回程度の頻度で，足底から足趾，足関節，下腿，大腿部，外陰部，手背，前腕などが突発的に数日間腫れ始めた．某大学で「血管性浮腫」と診断されたが，良性であり経過観察でよいといわれた．47歳時，腹痛があり救急病院を受診，CT検査で十二指腸の腫脹を指摘されたが原因不明で1週間で退院．1か月後に腹痛が再発し入院，1週間で退院した．49歳時（2016年8月），歯科治療の後，口唇が腫脹した．1週間で軽快したが，そのとき処方されたステロイドや抗ヒスタミン薬の効果は実感しなかった．糖尿病で通院している主治医にHAEを疑われ，当院を紹介受診した．なお現在に至るまで窒息感や息苦しさ，突然の嗄声などは自覚していない．

家族歴：23歳　一卵性双生児（男性），20歳　二卵性双生児（ともに男性），うち1名に計4回の腹痛，イレウス様症状がある．初発は17歳，皮膚症状や喉頭浮腫などの腹

痛以外の症状はない．

身体所見：特記事項なし．

検査値（カッコ内は基準値）：発作時のデータ　CH50＜5U/mL（30～45），C4 4.2mg/dL（11.0～34.0）

当院でのC1-INH活性＜25％であった．4人の子どものうち，腹痛，イレウスを繰り返していた20歳の息子はC1-INH＜25％であった．

診断：繰り返す突発性浮腫，C1-INH活性低下，家族歴からHAEと診断した．

この症例から学ぶことは多い．

1）診断の遅れ

多くのHAEでは発症から診断まで長い年月を要している．この患者でも発症から診断まで実に26年かかっていた．筆者らの検討でも，大澤らの検討でもそれぞれ発症から診断までに平均19年，13.8年かかっていることが示された[8)9)]．

2）診断が遅れた理由

本症例では四肢の浮腫や腹痛があるが，それらの症状を一つの病態で生じていると患者も医師も気づいていない．本例では，口唇にも浮腫が出現して初めてHAEを疑われている．

3）血管性浮腫とQuincke浮腫

本例のように血管性浮腫と診断できても，良性の浮腫として見過ごされてしまうことが多々ある．Quincke浮腫と診断されて経過観察になることも多い．Quincke浮腫は血管性浮腫とほぼ同義で用いられるが，これらは病名ではなく単なる症状を述べているにすぎない．

4）治療

血管性浮腫に対して，ステロイドや抗ヒスタミン薬の効果があると漠然と考えられていることが多い．確かにこれら薬剤はメディエーターがヒスタミンの場合には有効である．しかしHAEのメディエーターはブラジキニンであり，ステロイドや抗ヒスタミン薬は効果がない．

5. 合併症

5～10％程度に全身性エリテマトーデスなどの免疫複合体病を合併する．その理由はC1-INHの欠損による補体の異常な活性化によってC4が消費され，免疫複合体の処理に関与する古典経路や，レクチン経路の異常が起こるためと考えられる[10)]．

6. 重症度分類

HAEの診断が確定した患者で，浮腫発作を生じた既往がある場合には重症と判断する．浮腫発作をまったく経験していない場合は中等症とする．発作を生じた場合，入院，死亡のリスクがあるからである．

7. 管理方法（フォローアップ指針），治療

気道浮腫による窒息死を防ぐことが最も重要である．

a 発作時

発作時の治療としてヒト血漿由来のC1-INH製剤（ベリナート®P静注用500）とブラジキニンB_2受容体拮抗薬のイカチバント（フィラジル®）に保険適用がある．

すべての発作について投与を検討する．

b 短期予防

抜歯などの歯科治療や侵襲を伴う手術前の6時間以内にC1-INH製剤（ベリナート®P静注用500）の予防的投与を検討する．侵襲の大きな手術の場合には発作に備えて別にC1-INH製剤を準備しておくことが望ましい．

c 長期予防

従来，トラネキサム酸（トランサミン®），蛋白同化ホルモン（ダナゾール）が長期予防薬として用いられていたが，保険適用はない．すでに投与されており，有効と考えられる場合は継続する．

2021年以降，経口血漿カリクレイン阻害薬のベロトラルスタット（オラデオ®），活性型血漿カ

リクレインに対する完全ヒト型モノクローナル抗体であるラナデルマブ（タクザイロ®），C1-INH製剤（ベリナート®皮下注用2000）の3剤が保険適用となりHAEの長期予防は状況が著しく変化している．これらの長期予防薬の投与は1か月に1回以上，1か月に5日以上の発作がある場合あるいは喉頭浮腫の既往がある場合に検討する．投与開始にあたっては，発作頻度にのみ左右されるのではなく，患者さんの生活環境や仕事環境，心理的な負荷など，他の要因も考慮することが重要である．いずれも高価な薬剤であり，費用対効果，長期投与した場合の効果と副作用，効果がみられた場合の減量や中止の可能性などについては今後の検証が必要である．

8. 予後，成人期の課題

おおむね良好である．ただし喉頭浮腫による窒息死がありうる．

9. 診療上注意すべき点

①精神的ストレス，外傷や抜歯，過労などの肉体的ストレス，妊娠，生理，薬物などで誘発されることがある．

②アンジオテンシン変換酵素（ACE）は血管性浮腫の原因となるブラジキニンを分解する作用も有している．したがってACE阻害薬は健常人においても血管性浮腫を誘発することがある[11]．血管性浮腫の既往のある場合には投与禁忌とされる．HAEの患者にも禁忌である．

③1歳未満では健常人でもC1-INH活性が低値であり，C1-INH活性測定によるHAE診断はできない．

④顔面や四肢の浮腫と腹痛はHAEにおいては頻度が高い主要な症状であるが，患者，医師ともに同じ疾患がベースにあると気づかないことが多い．一見全く関連がない別疾患と思えるからである．診断におけるピット・フォールともいえる．皮膚症状が顕著でない場合にはなおさらである．HAEの腹痛はしばしばイレウス，急性腸炎，過敏性腸症候群などと誤診され，さらに女性の場合には子宮内膜症や子宮筋腫，月経困難症などと診断されることがまれではない．

⑤診断のコツは，浮腫，腹痛を繰り返す場合にHAEを疑うこと，補体C4低下でスクリーニングできること，発作時ではない検体でも多くの場合，補体C4は低下していること，を知っておくことである．

⑥いずれの薬剤も高額であり処方可能な医療機関が限られる点に注意する．発作時にいつでも投与できる環境を整える必要がある．

⑦HAEは厚生労働省の指定難病であり医療費助成の対象になりうる．

文献

1) 日浦惇貴．我が国のHAE with normal C1-INH（HAE3型）の特徴．補体 2022；59：48-49．
2) 堀内孝彦，大澤 勲，今井優樹，他／厚生労働省難治性疾患等政策研究事業「原発性免疫不全症候群の診断基準・重症度分類および診療ガイドラインの確立に関する研究」研究班．遺伝性血管性浮腫（Hereditary angioedema : HAE）診療ガイドライン改訂 2019年版．補体 2020；57：3-22．
3) Busse PJ, Christiansen SC. Hereditary Angioedema. *N Engl J Med* 2020；382：1136-1148．
4) 堀内孝彦：突発性浮腫への対応—遺伝性血管性浮腫（HAE）の鑑別診断と治療—．日本医事新報 2011；4545：73-79．
5) Yakushiji H, Hashimura C, Fukuoka K, et al. A missense mutation of the plasminogen gene in hereditary angio-edema with normal C1 inhibitor in Japan. *Allergy* 2018；73：2244-2247．
6) Hashimura C, Kiyohara C, Fukushi J-I, et al. Clinical and genetic features of hereditary angioedema with and without C1-inhibitor（C1-INH）deficiency in Japan. *Allergy* 2021；76：3529-3534．
7) Yakushiji H, Yamagami K, Hashimura C, et al. A Missense Mutation of the Plasminogen Gene in a Japanese Family with Hereditary Angioedema with Normal C1 Inhibitor: Third Family Survey in Asia. *Intern Med* 2023；62：2005-2008．
8) Yamamoto T, Horiuchi T, Miyahara H, et al. Hereditary angioedema in Japan: genetic analysis of 13 unrelated cases. *Am J Med Sci* 2012；343：210-214．
9) Ohsawa I, Honda D, Nagamachi S, et al. Clinical manifestations, diagnosis, and treatment of hereditary angio-edema: survey data from 94 physicians in Japan. *Ann Allergy Asthma Immunol* 2015；114：492-498．
10) Levy D, Craig T, Keith PK, et al. Co-occurrence between C1 esterase inhibitor deficiency and autoimmune disease: a systematic literature review. *Allergy Asthma Clin Immunol* 2020；16：41．
11) Horiuchi T. The ABC of angioedema: ace inhibitor, bradykinin, and C1-inhibitor are critical players. *Intern Med* 2015；54：2535-2536．

Ⅲ 補遺

補遺　移行期ガイドライン

補遺 移行期ガイドライン

高IgE症候群

東京大学医学部附属病院 アレルギー・リウマチ内科　河野正憲　藤尾圭志

1. 疾患概要

高IgE症候群（hyper IgE syndrome：HIES）は，高IgE血症，乳児期早期から始まる難治性湿疹，肺，皮膚，関節，軟部組織を中心とした黄色ブドウ球菌感染の反復，カンジダ症などの真菌感染症を繰り返すことを特徴とする原発性免疫不全症である．International Union of Immunological Societies（IUIS）2022[1)]では11疾患に細分化されているが，STAT3欠損症がそのほとんどを占めている．STAT3欠損症は常染色体顕性（優性）遺伝形式をとるが，*STAT3*のde novo変異による孤発例も報告されている．

2. 疫学

出生10万から100万人に1人程度と推定されている．常染色体顕性（優性）遺伝形式をとるSTAT3欠損症のほとんどは成人に移行する[2)]．

3. 診断基準，診断の手引き

HIESは，臨床症状と血液検査に基づいて診断される．小児期に診断される例がほとんどであると考えられるため，詳細は第2章F「高IgE症候群」を参照していただきたい（p.57）．

4. 合併症

以下，最も頻度が高いSTAT3欠損症によるHIESについて述べる．

a 細菌感染症

1）皮膚感染症

黄色ブドウ球菌による皮膚，肺の感染症が主体である．熱感や痛みの乏しい寒冷膿瘍が認められることもあり注意が必要である．STAT3の機能異常により，炎症性サイトカインであるIL-6のシグナル伝達が障害されていることが原因として考えられる[3)]．皮膚膿瘍は外科処置，ドレナージを行っても反復することが多い．

2）肺感染症

黄色ブドウ球菌による肺炎が最も多い．反復することも多く，時に致死的となる．起炎菌としては黄色ブドウ球菌のほか，肺炎球菌，インフルエンザ菌があげられる．肺炎を繰り返す過程で気管支拡張，囊胞形成を伴うことが多く，緑膿菌やアスペルギルスの重感染による囊胞内感染の反復も問題となる．

b 真菌感染症

ヘルパーT細胞17の機能障害のため，カンジダ感染症の頻度が高い．口腔，性器を中心とした慢性皮膚粘膜カンジダ症，爪真菌症の頻度が高い．細菌性肺炎による合併症として気管支拡張，気瘤形成を伴う例では，肺アスペルギルス症（アスペルギローマ，アレルギー性気管支肺アスペルギルス症）を生じることもある．

c 骨軟部組織病変

関節過伸展，乳歯脱落遅延，骨粗鬆症，脊椎側彎症，軽微な外力による長管骨の病的骨折があげられる．骨粗鬆症は8割程度の患者で認められるが，病的骨折と相関するのは大腿骨頸部と脊椎の骨密度ではなく，橈骨の骨密度であると報告されている[4)]．ビスホスホネートによる治療で骨密度

上昇は認められるが，病的骨折を減らせるかどうかは不明である点に注意が必要である[4]．

本疾患では創傷治癒にも異常があり，胸部手術後の気管支瘻，膿胸のリスクが高いことが知られている．手術を受けた半数に合併症が発生しており，大半が気管支瘻であった[5]．気管支瘻は遷延して膿胸を高頻度に発症し，追加治療が必要になることが多かったと報告されている[5]．

d 神経，心血管病変[6]

成人の HIES 患者 21 人を対象とした報告（中央値 26 歳，範囲 17〜44 歳）では，95％で前頭葉の巣状白質高信号域を認めた．全症例の 20％で脳動脈瘤を認めた．50％で心臓，冠動脈異常を認めた．具体的には冠動脈拡張症，冠動脈瘤，小さな心筋梗塞を示唆するガドリニウム遅延造影が認められた．さらに，末梢血管障害も 85％で認められており，血管拡張，動脈瘤，動脈硬化が指摘されている．

e 悪性腫瘍

悪性腫瘍は 7％程度で認められ，悪性腫瘍のなかではリンパ腫の頻度が高い[3]．

5. 重症度分類

小児期と同様であるため，詳細は第 2 章 F「高 IgE 症候群」を参照していただきたい（p.59）．

6. 管理方法（フォローアップ方針），治療

a 湿疹様皮膚炎

アトピー性皮膚炎と同様，皮膚の保湿，ステロイド外用のほか，生物学的製剤の有効性も報告されている．デュピルマブ（IL-4 受容体に対するモノクローナル抗体），オマリズマブ（抗 IgE モノクローナル抗体）が奏効した症例報告があり，皮膚科専門医と相談しながら病勢に応じて使用を検討する．T 細胞機能が低下しているためシクロスポリンや全身性ステロイド投与は避ける．

b 細菌感染症予防

ST 合剤の長期予防内服を行う．肺感染症が HIES の死因として多いため，ST 合剤による黄色ブドウ球菌性肺炎の予防は重要である．予防接種による効果が低い患者では，定期的な免疫グロブリン補充療法も検討される[2]．

c 真菌感染症予防

抗真菌薬（イトラコナゾール，フルコナゾールなど）の長期投与を行う．

d 骨軟部病変[3]

人工関節置換や脊椎手術が成人期に必要になる可能性が一般集団と比べて高く，整形外科との連携が必要である．骨密度の定期的なフォローアップと，上記のごとく骨折予防効果は証明されていないもののビタミン D とビスホスホネートによる骨粗鬆症対策を行う．

e 神経，心血管病変

動脈瘤の画像的フォローアップが必要である．エビデンスには乏しいが一般的なリスク因子の是正（高血圧，脂質，血糖管理に加えて禁煙）を行う．

7. 予後，成人期の課題

複数の科による診療連携が必要である．感染症の合併が多いため感染症内科や呼吸器内科，皮膚科が主体となって診療にあたることが多いと思われる．本疾患は常染色体顕性（優性）遺伝の遺伝形式を示すため，患者の子ども（次世代）に遺伝する可能性が高い．そのため，10 代後半までに遺伝カウンセリングを開始することが推奨される[2]．HIES では流産率の上昇も報告されている．妊娠による HIES の病勢悪化や感染症悪化の可能性も懸念される．病勢悪化時の対応方法，妊娠期における抗菌薬，抗真菌薬予防内服のリスクベネフィットの考慮など課題が多い．妊娠計画の段階から主治医，産婦人科医，遺伝専門医の間で綿密な連携をとることが重要である．

月経によってアトピー性皮膚炎の病勢が悪化することがあるが，経口避妊薬はアゾール系抗真菌

薬との相互作用や血栓症リスクがあるため慎重な検討が必要である[3].

8. 診療上注意すべき点

本疾患は難病法（難病の患者に対する医療等に関する法律）の定める指定難病である．認定基準に該当する場合には，年齢にかかわらず医療費の自己負担分の一部が助成される．移行期診療において患者に情報提供するとともに申請のサポートを行うことが重要である．

文献

1) Tangye SG, Al-Herz W, Bousfiha A, et al. Human Inborn Errors of Immunity：2022 Update on the Classification from the International Union of Immunological Societies Expert Committee. *J Clin Immunol* 2022；42：1473-1507.
2) 厚生労働科学研究費補助金 難治性疾患等政策研究事業 原発性免疫不全症候群の診療ガイドライン改訂，診療提供体制・移行医療体制構築，データベースの確立に関する研究（研究代表者 森尾友宏）分担研究報告書（高田英俊）．高 IgE 症候群の移行支援ガイドの作成．令和 2（2020）年度．
3) Tsilifis C, Freeman AF, Gennery AR. STAT3 Hyper-IgE Syndrome—an Update and Unanswered Questions. *J Clin Immunol* 2021；41：864-880.
4) Sowerwine KJ, Shaw PA, Gu W, et al. Bone density and fractures in autosomal dominant hyper IgE syndrome. *J Clin Immunol* 2014；34：260-264.
5) Freeman AF, Renner ED, Henderson C, et al. Lung parenchyma surgery in autosomal dominant hyper-IgE syndrome. *J Clin Immunol* 2013；33：896-902.
6) Chandesris MO, Azarine A, Ong KT, et al. Frequent and widespread vascular abnormalities in human signal transducer and activator of transcription 3 deficiency [published correction appears in *Circ Cardiovasc Genet* 2012；5：e37]. *Circ Cardiovasc Genet* 2012；5：25-34.

補遺 移行期ガイドライン

X連鎖無ガンマグロブリン血症（XLA）

東京医科歯科大学 膠原病・リウマチ内科　佐々木広和　保田晋助

1. 疾患概要

X連鎖無ガンマグロブリン血症（X-linked agammaglobulinemia：XLA）の責任遺伝子は，X染色体長腕上に存在するブルトンチロシンキナーゼ（Bruton's tyrosine kinase：BTK）である．BTK遺伝子がコードするBTKはB細胞の分化や増殖に重要な働きをもつ分子である．BTK遺伝子変異により，B細胞の前駆細胞であるpre-B細胞レベルでの分化障害が生じ，末梢血B細胞比率が2％未満，多くは1％未満となる．成熟B細胞が欠損するために，大部分の例では低または無ガンマグロブリン血症となり，血清免疫グロブリンIgG, IgA, IgMすべてのクラスの値が著しく低下する．

2. 小児期における一般的な診療（概略）

診断基準，診断フロー，治療の詳細に関しては第3章A「X連鎖無ガンマグロブリン血症（XLA）」の項を参照されたい（p.64）．

3. 成人期以降も継続すべき診療（長期フォローアップ計画等を含む）

本疾患は，リンパ球の一つであるB細胞が欠損するために感染症を繰り返し，特に呼吸器感染症が多い．大部分の例では小児期に診断され，治療を開始されるが，成人期には血液内科，呼吸器内科，感染症科，膠原病科等への移行が考慮される（表1）．また，難治性の副鼻腔炎を合併することが多いため，成人期以降も耳鼻咽喉科での診療を継続することが重要である[1,2]．気管支拡張症などの慢性肺疾患（chronic lung disease：CLD）をしばしば合併し，生命予後と関連する[1]．CLDの合併率は加齢とともに増加し，40歳以上では約半数で合併しているという報告もある[1]．そのため，思春期以降では胸部画像検査や呼吸機能検査を定期的に行うことが推奨される．最近では，非肝硬変性の門脈圧亢進症の要因となる結節性再生性過形成（nodular regenerative hyperplasia：NRH）もしばしば合併することが報告されている[3]．NRHの合併は長期予後とも関連し，肝脾腫や持続的な血小板減少や肝障害がみられる際は，留意すべき合併症といえる．また，炎症性腸疾患や非感染性関節炎などの自己免疫疾患の合併頻度も比較的高く，胃がんや大腸がんの合併率も上昇する傾向がある[4]．ほかにも，肝細胞がん，肺がん，甲状腺がんなどが報告されている[1]．特殊な感染症としては，*Helicobacter bilis*による壊疽性膿皮症様の潰瘍や化膿性胆管炎をきたした例や，*Helicobacter cinaedi*による蜂窩織炎や菌血症をきたした例も報告されている[5〜8]．Non-*Helicobacter pylori Helicobacter*による感染症は診断・治療が困難なことが多いため，留意が必要である．

感染症を予防するため，免疫グロブリン定期補充療法を行い，血清IgG値（トラフ）を700〜900 mg/dL以上に維持する．現在，免疫グロブリン製剤は，静注製剤と皮下注製剤が承認されており，皮下注製剤はおもに在宅で投与が行われている．

4. 成人期の課題

XLAは希少疾患であり，診療経験のある成人診療科は少ないため，多くの成人診療科において本疾患を十分に理解できていない場合が多い．ま

表1 おもな診療科と診療内容※

	小児期	成人期	おもな診療内容
主要な診療科	小児科（血液科,感染症科,総合診療科）	感染症科	感染予防（抗菌薬,免疫グロブリン補充療法）,感染症の対症療法
		免疫内科,膠原病内科	自己免疫疾患・自己炎症性疾患の治療
		血液内科	根治療法（XLAに対する移植は一般的ではないがまれにある）,移植後の晩期合併症のフォローアップ
		呼吸器内科	呼吸器感染症,呼吸機能障害の治療
		総合診療科	全般的な管理
診療連携		神経内科	中枢神経病変（髄膜炎など）
		消化器内科	炎症性腸疾患,結節性再生性過形成,慢性下痢症
		内分泌代謝内科	糖尿病,自己免疫性甲状腺炎
		耳鼻咽喉科	中耳炎,副鼻腔炎
		皮膚科	蜂窩織炎,皮膚炎
		遺伝診療科	遺伝カウンセリング
		歯科	う歯

※成人期におけるおもな診療科については,地域・病院によって事情が異なるため,個々に検討を要する.

た,XLAは多彩な臓器合併症を伴う一方で,医療機関によっては表1にあげたような各診療科がそろっていないことも多い.現状,成人診療科への移行のために,解決すべき課題は多い.

筆者らの施設では,感染症を契機に成人診療科に診療移行したXLAの症例を経験している.成人診療科に所属する筆者らが経験したXLAを含む原発性免疫不全症の診療上のむずかしさとして,まず感染制御のむずかしさがあげられる.比較的まれな菌種（*Helicobacter* speciesなど）による感染や,抗菌薬のスペクトラムが当たっていても宿主側の免疫状態に起因して治療に難渋するケースが多々ある.また,自己免疫症状が顕在化する場合,免疫不全状態であるにもかかわらず免疫抑制療法が必要になることがある.時に自然経過でみられる合併症としてNRHや慢性下痢症などの病態を認知しておくことも重要である.多彩な合併症のケアや治療の長期化に伴う人的リソースの確保も,成人科診療の問題と思われる.スムーズな移行期医療の実現には,小児科および成人診療科で連携し,原発性免疫不全症の診療における注意点を共有し,成人診療科が原発性免疫不全症を理解していくことが重要である.

そのほか,難病は障害者総合支援法の対象に追加されたが,現行の制度では,原発性免疫不全症の診断だけでは障害者手帳を取得できないため,患者の就労支援の観点からは課題となる.

5. 社会支援（小児期,成人期）

本疾患は,小児慢性特定疾患として認定されているため,18歳未満（引き続き治療が必要であると認められる場合は,20歳未満）の児童には,医療費の自己負担分の一部が助成される.

また,本疾患は難病法（難病の患者に対する医療等に関する法律）の定める指定難病であるため,認定基準に該当する場合には,年齢にかかわらず医療費の自己負担分の一部が助成される.

謝辞 本稿の作成にあたり,ご協力およびご助言をいただきました北海道大学小児科 山田雅文先生に深謝いたします.

文献

1) Lougaris V, Soresina A, Baronio M, et al. Long-term follow-up of 168 patients with X-linked agammaglobulinemia reveals increased morbidity and mortality. *J Allergy Clin Immunol* 2020；146：429-437.
2) Chen XF, Wang WF, Zhang YD, et al. Clinical character-

istics and genetic profiles of 174 patients with X-linked agammaglobulinemia: Report from Shanghai, China (2000-2015). *Medicine (Baltimore)* 2016; 95: e4544.

3) Nunes-Santos CJ, Koh C, Rai A, et al. Nodular regenerative hyperplasia in X-linked agammaglobulinemia: An underestimated and severe complication. *J Allergy Clin Immunol* 2022; 149: 400-409. e3.

4) Barmettler S, Otani IM, Minhas J, et al. Gastrointestinal Manifestations in X-linked Agammaglobulinemia. *J Clin Immunol* 2017; 37: 287-294.

5) Degand N, Dautremer J, Pilmis B, et al. Helicobacter bilis-Associated Suppurative Cholangitis in a Patient with X-Linked Agammaglobulinemia. *J Clin Immunol* 2017; 37: 727-731.

6) Murray PR, Jain A, Uzel G, et al. Pyoderma gangrenosum-like ulcer in a patient with X-linked agammaglobulinemia: identification of helicobacter bilis by mass spectrometry analysis. *Arch Dermatol* 2010; 146: 523-526.

7) Hill A, Byrne A, Bouffard D, et al. *Helicobacter cinaedi* bacteremia mimicking eosinophilic fasciitis in a patient with X-linked agammaglobulinemia. *JAAD Case Rep* 2018; 4: 327-329.

8) Inoue K, Sasaki S, Yasumi T, et al. Helicobacter cinaedi-Associated Refractory Cellulitis in Patients with X-Linked Agammaglobulinemia. *J Clin Immunol* 2020; 40: 1132-1137.

補遺 移行期ガイドライン

分類不能型免疫不全症（CVID）

東京医科歯科大学 膠原病・リウマチ内科　佐々木広和　保田晋助

1. 疾患概要

分類不能型免疫不全症（common variable immunodeficiency：CVID）は成熟B細胞，特に記憶B細胞，および抗体産生細胞である形質細胞への分化障害による低ガンマグロブリン血症のため，易感染性を呈する[1]．記憶B細胞および形質細胞の分化・維持には，多くの細胞表面分子，サイトカイン，シグナル伝達分子，転写因子がかかわっているため，CVIDの原因遺伝子は多岐にわたる．原因遺伝子として，①CD19複合体分子異常：*CD19*, *CD21*, *CD81*，②副刺激分子異常：*ICOS*, *TNFRSF13B*（TACI），*TNFRSF13C*（BAFF-R），*TNFSF12*（TWEAK），③サイトカイン異常：*IL-21*，④NF-κB異常：*NFKB1*, *NFKB2*，⑤PI3K異常：*PIK3CD*, *PIK3R1*, *PTEN*，⑥転写因子異常：*IKZF1*（IKAROS），*TCF3*（E2A, E47），⑦その他：*MSN*, *MOGS*, *TRNT1*, *SKIC3*（TTC37）などが知られている．

2. 小児期における一般的な診療（概略）

診断基準，診断フロー，治療の詳細に関しては第3章B「分類不能型免疫不全症（CVID）」の項を参照されたい（p.68）．

3. 成人期以降も継続すべき診療

CVIDは成人期発症，あるいは成人期診断例も少なくない．実臨床では，感染症だけでなく，自己免疫疾患・自己炎症性疾患を契機に診断されることもあり，様々な診療科において遭遇する可能性がある．成人期にも原発性免疫不全症（primary immunodeficiency：PID）を疑う10の徴候が提唱されているため，活用して適切な診断の糸口とする（表1）．成人特有の徴候として，「4. 非結核性抗酸菌感染症へ罹患する」「6. 体重減少を伴う慢性下痢症」があげられる．

CVIDは感染症，自己免疫疾患・自己炎症性疾患，悪性リンパ腫を合併することが多いため[2]，合併する疾患によって，様々な診療科との連携が必要となる（前項「X連鎖無ガンマグロブリン血症（XLA）」表1参照, p.182）．感染症については，感染症科が診療の中心となり，自己免疫疾患・自己炎症性疾患については，膠原病内科や罹患した臓器の専門領域の診療科（呼吸器科，消化器科，皮膚科など）と連携が必要となる．悪性リンパ腫合併例や根治療法として造血細胞移植が検討される症例では，血液内科もおもな診療科の一つとな

表1　成人で原発性免疫不全症（PID）を疑う10の徴候

1. 1年に2回以上，中耳炎に罹患する．
2. 1年に2回以上，重症副鼻腔炎に罹患する．
3. 2年以上1年に1回以上，肺炎に罹患する．
4. 非結核性抗酸菌感染症へ罹患する．
5. 経静脈投与を要する感染症に反復して罹患する．
6. 体重減少を伴う慢性下痢症．
7. 持続性の鵞口瘡，皮膚真菌症がみられる．
8. 2回以上，髄膜炎，骨髄炎，蜂窩織炎，敗血症や，皮膚膿瘍，臓器内膿瘍などの深部感染症にかかる．
9. 反復性または重症ウイルス感染症（単純ヘルペスウイルス，EBウイルス，サイトメガロウイルス，広範囲のいぼ，コンジローマ）を繰り返す．
10. 原発性免疫不全症を疑う家族歴がある．

(Jeffery Modell Foundation / Primary Immunodeficiency Database in Japan(PIDJ). 10 warning signs of primary immunodeficiency for adults. https://www.nanbyou.or.jp/wp-content/uploads/pdf/10warning-AdultPID2015.pdf より改変)

る．また，挙児希望のある女性患者および妊娠症例については，産婦人科との連携が必要である．

成人期においても，小児期と同様のフォローを要する．症例に応じて，免疫グロブリン補充療法，感染症に対する抗菌薬予防内服，合併する自己免疫疾患・自己炎症性疾患に対する免疫抑制療法が必要である．根治療法としての造血細胞移植の適応については定期的に検討する必要がある（第3章B「分類不能型免疫不全症（CVID）」参照，p.71）．また，造血細胞移植を施行し，長期生存を得ている症例については，晩期合併症のフォローアップが必須である．

4. 成人期の課題

近年の診断精度および医学的管理の向上から，今後，小児発症の成人移行例や成人発症/診断例は増加すると考えられる．CVIDは成人の原発性免疫不全症のなかでは比較的頻度が高いと考えられるが，診療経験のある成人診療科は依然として少ない．スムーズな移行期医療の実現には，小児科および成人診療科で連携し，原発性免疫不全症の診療における注意点を共有し，成人診療科が免疫不全症を理解していくことが重要である．

実際の移行においては，患者の心理的なサポート，小児科と成人診療科といった医療関係者のみならず，社会福祉や教育関係者なども含めた患者情報の共有が必要である．免疫学に精通した成人診療科での診療継続が望ましいと考えられる[3]．また，CVIDに伴う多彩な合併症に対しては前項「X連鎖無ガンマグロブリン血症（XLA）」の表1（p.182）であげたような診療科との連携も必要である．しかし，医療機関によっては，このような診療体制を整備できないケースもあり，受け入れ体制の整備も重要な課題である．

そのほかの治療上の課題として，CVIDの一部の予後不良となる，合併症を有する群あるいはT細胞機能不全を呈する群では，小児CVID患者と同様に根治療法として造血細胞移植が検討される[4,5]．しかし，成人例では移植後合併症が問題になるケースが多く，臓器障害のため移植を断念せざるをえないこともある．成人で発見された患者の場合，その移植適応については血液内科を中心に検討が必要である．

挙児希望のある女性患者および妊娠症例の感染予防において，妊娠計画中および妊娠中のST合剤，抗真菌薬，抗ウイルス薬の使用は胎児への影響も考慮する必要がある．これらの薬剤使用について，主診療科と産婦人科が連携して，インフォームド・コンセントを行うことが重要である．

社会的な問題として，重症感染症などによって入院が長期化することがあるため，進学や進級，就労に支障をきたすことがある．難病は障害者総合支援法の対象に追加されたが，現行の制度では，原発性免疫不全症の診断だけでは障害者手帳を取得できない．

成人診療科への適切な移行時期を検討した報告はないが，European Reference Networksの調査では欧州の免疫不全症あるいは自己炎症性疾患患者において，16〜18歳頃から成人診療科への移行が開始され，数年の移行期間を経て，移行を完了するケースが多い[6]．筆者らの施設においても，CVID患者の移行期診療を数例経験しているので，移行までの流れを紹介する．

【例】筆者らの施設における移行期診療
①外来で移行期コンサルテーション枠を設置し，外来で移行開始を試みる．
　↓
②小児科と成人科で一定期間併診し，患者情報を共有し，徐々に移行を進める．入院管理が必要な場合は成人診療科が対応．
　↓
③患者・医療側が問題ないと判断すれば完全移行．

5. 社会支援（小児期，成人期）

本疾患は，小児慢性特定疾病に認定されており，18歳未満（引き続き治療が必要であると認められる場合は，20歳未満）の児童には，医療費の自己負担分の一部が助成される．

また，本疾患は難病法（難病の患者に対する医療等に関する法律）の定める指定難病であるため，認定基準に該当する場合には，年齢にかかわらず医療費の自己負担分の一部が助成される．

謝辞　本稿の作成にあたり，ご協力およびご助言

をいただきました防衛医科大学校小児科 今井耕輔先生に深謝いたします．

文献

1) Seidel MG, Kindle G, Gathmann B, et al. The European Society for Immunodeficiencies (ESID) Registry Working Definitions for the Clinical Diagnosis of Inborn Errors of Immunity. *J Allergy Clin Immunol Pract* 2019；3：1763-1770.
2) Janssen LMA, van der Flier M, de Vries E. Lessons Learned From the Clinical Presentation of Common Variable Immunodeficiency Disorders：A Systematic Review and Meta-Analysis. *Front Immunol* 2021；12：620709.
3) Cirillo E, Giardino G, Ricci S, et al. Consensus of the Italian Primary Immunodeficiency Network on transition management from pediatric to adult care in patients affected with childhood-onset inborn errors of immunity. *J Allergy Clin Immunol* 2020；146：967-983.
4) Kamae C, Nakagawa N, Sato H, et al. Common variable immunodeficiency classification by quantifying T-cell receptor and immunoglobulin κ-deleting recombination excision circles. *J Allergy Clin Immunol* 2013；131：1437-1440.e5.
5) Wehr C, Gennery AR, Lindemans C, et al. Multicenter experience in hematopoietic stem cell transplantation for serious complications of common variable immunodeficiency. *J Allergy Clin Immunol* 2015；135：988-997.e6.
6) Israni M, Nicholson B, Mahlaoui N, et al. Current Transition Practice for Primary Immunodeficiencies and Autoinflammatory Diseases in Europe：a RITA-ERN Survey. *J Clin Immunol* 2023；43：206-216.

補遺　移行期ガイドライン

慢性肉芽腫症（CGD）

東京大学医学部附属病院アレルギー・リウマチ内科　**河野正憲　藤尾圭志**

1. 疾患概要

　慢性肉芽腫症（chronic granulomatous disease：CGD）は，食細胞（好中球，単球，マクロファージ）の活性酸素産生障害を主病態とする原発性免疫不全症である．病原体の侵入によって通常であれば細胞質蛋白（p47^{phox}，p67^{phox}，p40^{phox}）と膜蛋白（gp91^{phox}，p22^{phox}）が nicotinamide adenine dinucleotide phosphate（NADPH）oxidase 複合体を形成，活性酸素を産生する．また，これら5つの蛋白は essential for reactive oxygen species（EROS）によって安定化されている．本疾患では上記の細胞質蛋白と膜蛋白が障害され殺菌機構が機能しない結果，乳幼児期から重篤な細菌，真菌感染症を繰り返す．感染症としては肺炎，リンパ節炎，皮下膿瘍，骨髄炎や肝膿瘍，肛門周囲膿瘍，菌血症の頻度が高い．感染症とは別に過剰炎症状態に起因する肉芽腫形成も特徴的であり，消化管や肺などをはじめとして多種多様な臓器に肉芽腫が形成される．代表的な例として Crohn 病に類似した肉芽腫性腸炎が知られている．

2. 疫学

　平均余命は25〜30歳で，本疾患の約4割が成人期に達するとみられる[1]．

3. 診断基準，診断の手引き

　顆粒球機能低下と遺伝子検査でNADPHを構成する蛋白をコードする責任遺伝子 CYBB，CYBA，CYBC1，NCF1，NCF2，NCF4 に疾患関連変異を認めることで診断確定を行う．本疾患では小児期（5歳以前）に診断される例がほとんどであると考えられるが[2]，まれに，成人期に診断されることもある．診断の詳細は第5章 B「慢性肉芽腫症（CGD）」を参照していただきたい（p.138）．

4. 合併症

a 細菌感染症

　黄色ブドウ球菌，セパシア菌群，Serratia marcescens，ノカルジアによる肺，リンパ節，皮膚，肝臓，骨の感染症が多い[2]．30%程度の症例で，黄色ブドウ球菌を起炎菌とした肝膿瘍を発症する[3]．肝膿瘍の症状は非特異的で診断に難渋することも多い．持続する発熱，腹痛の症状が出現した場合は肝膿瘍の可能性を念頭においてエコーでの精査を行うことが重要である．CGDに伴う黄色ブドウ球菌による肝膿瘍は外科手術を必要とすることが多い[4]．抗菌薬に加えてステロイド投与の併用が有効であったとする報告も複数存在する．

b 真菌感染症

　侵襲性真菌感染症がCGDの死因として最も多い．アスペルギルスによる感染がCGDによる感染死の3割程度を占めている．アスペルギルスは肺炎を起こすことが多いが，肺炎に加えて肝臓，脳への播種をきたすこともある[2]．

c 肉芽腫症・腸炎

　感染を伴わない過剰な炎症応答も本疾患で認められており，しばしば消化管に肉芽腫を形成する．消化管に形成される肉芽腫の多くでは起炎菌が同定されないこと，ステロイドに反応することから背景に炎症の異常調節が関与していることが想定される[3]．全消化管に生じうるが，大腸，特に肛門周囲に好発する[3]．

5. 重症度分類

小児期と同様であるため，詳細は第5章B「慢性肉芽腫症（CGD）」を参照していただきたい（p.138）．

6. 管理方法（フォローアップ方針），治療

a 感染症の予防

細菌感染症および真菌感染症の生涯にわたる予防，感染症の早期診断と迅速な治療開始が重要である．

小児期も同様であるが，生涯にわたる抗菌薬（ST合剤），抗真菌薬（イトラコナゾール）の予防内服を，成人期においても推奨する．インターフェロンγ製剤の皮下注療法が感染症予防に有効であるとする報告もみられるが，上記のST合剤とイトラコナゾール併用療法に対する上乗せ効果がどの程度あるかに関して議論が分かれている．ST合剤とイトラコナゾールを併用している症例を対象に，インターフェロンγ製剤の皮下注射投与の上乗せありなしで予防効果を比較した前向き，非ランダム化比較試験において，重篤な感染症の発生率に有意差は認められなかった[5]．

b 感染症の早期診断

感染症の早期診断は，症状の非特異性から困難な場合も多い．CRP上昇，赤血球沈降速度の促進がないかモニターし，無症状であってもCT検査など画像検査をためらわずに実施することが早期診断のために重要であると考えられる．

c 感染症の治療

一般的な感染症と異なりCGD患者における感染は治療期間が長くなることも多い．治療開始前に可能な限り培養検体を提出することが重要である．経験的治療はGram陽性，Gram陰性菌，真菌を幅広くカバーする必要がある．Gram陽性菌のノカルジアもカバーする必要があり，ST合剤やカルバペネムでの治療開始を検討する．カルバペネムとシプロフロキサシンの併用を推奨する報告もある[3]．抗真菌薬としてはボリコナゾールが選択される．肝膿瘍については抗菌薬投与に加えてステロイド併用も検討する．

d 根治療法

根治療法は造血細胞移植であり，骨髄移植や臍帯血移植が行われる．国内では骨髄移植のほうが臍帯血移植よりも治療成績が優れると報告されている[1]．

7. 予後，成人期の課題

現段階で予後を予測するための基準はない．妊娠中に重症感染症を発症する症例が報告されているため，あらかじめ妊娠前に感染症の治療を行うとともに，妊娠中もST合剤による感染予防継続を検討する必要がある[1]．疾患の認知と治療の進歩により，小児期に診断された患者が成人期に移行する例が増加しつつあり，小児医療から成人医療への移行をスムーズに行うことは重要である．また，感染臓器が多岐にわたることはもちろん，肉芽腫形成も複数臓器で生じうるので複数の診療科間での連携が重要である．CGDに限らず原発性免疫不全症候群患者の移行プロセスにおいては，下記の事項を検討することが望ましいと考えられる[6,7]．

①患者ごとの個別のニーズを満たすために，質の高い移行ケアを実践する．

②成人診療への以降プロセスを可能な限り早い時期から開始する．

③患者本人，親などの家族，および小児および成人の専門医チームのメンバーを含む関係者全員で，対面などでの密接なコミュニケーションをとる．

④日常の生活指導にとどまらず，進学・就職・結婚・妊娠の際の情報提供とサポートを行う．遺伝についての十分な説明を遺伝専門医とともに行う．

⑤免疫不全症の多くは報告数が少ないため，移行期，移行後においても専門知識をもつ小児科医との連携を継続する．

米国からの報告[8]であるが，19～27歳のCGD患者に対して実施したアンケート調査では，実に76％の患者が疾患に対する正確な理解を持ち合

わせていなかった．さらに 50％ の患者は予防抗菌薬レジメンの理解が不十分であった．20％ 程度の患者では移行プロセスに積極的にかかわっているという意識に乏しかった．以上の調査結果を踏まえて，CGD の移行医療においては疾患概念について改めて説明することで理解を促すとともに抗菌薬予防投与の重要性を伝えることが重要である．さらに，患者の移行プロセスへの積極的な関与を促すことも理解の向上につながると考えられる．

8. 診療上注意すべき点

本疾患は難病法（難病の患者に対する医療等に関する法律）の定める指定難病である．認定基準に該当する場合には，年齢にかかわらず医療費の自己負担分の一部が助成されるので，移行期診療において患者に情報提供するとともに申請のサポートを行うことが重要である．

文献

1) 厚生労働科学研究費補助金 難治性疾患等政策研究事業 原発性免疫不全症候群の診療ガイドライン改訂，診療提供体制・移行医療体制構築，データベースの確立に関する研究（研究代表者 森尾友宏）分担研究報告書（小野寺雅史）．慢性肉芽腫症の移行期ガイドラインの作成．令和 4（2022）年度．
2) Yu HH, Yang YH, Chiang BL. Chronic Granulomatous Disease：a Comprehensive Review. *Clin Rev Allergy Immunol* 2021；61：101-113.
3) Chiriaco M, Salfa I, Di Matteo G, et al. Chronic granulomatous disease：Clinical, molecular, and therapeutic aspects. *Pediatr Allergy Immunol* 2016；27：242-253.
4) Lublin M, Bartlett DL, Danforth DN, et al. Hepatic abscess in patients with chronic granulomatous disease. *Ann Surg* 2002；235：383-391.
5) Martire B, Rondelli R, Soresina A, et al. Clinical features, long-term follow-up and outcome of a large cohort of patients with Chronic Granulomatous Disease: an Italian multicenter study. *Clin Immunol* 2008；126：155-164.
6) Mahlaoui N, Warnatz K, Jones A, et al. Advances in the Care of Primary Immunodeficiencies（PIDs）：from Birth to Adulthood. *J Clin Immunol* 2017；37：452-460.
7) Foster HE, Minden K, Clemente D, et al. EULAR/PReS standards and recommendations for the transitional care of young people with juvenile-onset rheumatic diseases. *Ann Rheum Dis* 2017；76：639-646.
8) Margolis R, Wiener L, Pao M, et al. Transition From Pediatric to Adult Care by Young Adults With Chronic Granulomatous Disease：The Patient's Viewpoint. *J Adolesc Health* 2017；61：716-721.

索　引

和文索引

あ

悪性腫瘍　39, 60, 109, 123
悪性リンパ腫　33, 70
アスペルギルス　59
アデノシン・デアミナーゼ欠損症　17
アバタセプト　124

い・う

イカチバント　174
遺伝性血管性浮腫　170
インターフェロンγ療法　139
ウィスコット・オルドリッチ症候群　30

お

欧州免疫不全症学会　68
黄色ブドウ球菌　58

か

外胚葉形成不全　53
家族性血球貪食性リンパ組織球症　112
家族性骨髄異形成症候群/急性骨髄性白血病　142
カタラーゼ陽性菌　137
活性化PI3Kδ症候群　78
活性酸素　137, 187
可溶性IL-2受容体　114
感音難聴　142
カンジダ　58
眼皮膚白皮症　96

き

気管支拡張症　70
機能獲得　158

胸腺低形成　49
共通γ鎖　12
莢膜形成細菌　167

く・け

クラススイッチ　73
血球貪食性リンパ組織球症　98, 112
原発性免疫不全症候群　2

こ

高IgE症候群　57, 178
高IgM症候群　73
抗酸菌易感染症　144
酵素補充療法　19
好中球減少　132
抗補体薬　168
古典経路　165

し

自己免疫疾患　88
自己免疫性血球減少症　107
自己免疫性リンパ増殖症候群　106
重症先天性好中球減少症　132
重症複合免疫不全症　12, 17
症候性CMC　158
シロリムス　124
侵襲性細菌感染症　148
新生児TRECスクリーニング　13
深部感染症　138

す

髄膜炎菌感染症　167
髄膜炎菌ワクチン　168

せ

制御性T細胞　117
全身性エリテマトーデス　165
先天性補体欠損症　164
先天性免疫異常症を模倣する疾患　8

そ

造血幹細胞遺伝子治療　140
造血細胞移植　8, 19, 27, 71, 76, 85, 93, 99, 104, 115

た

帯状疱疹　59
大理石病　56
脱毛症　90

ち

チェディアック・東症候群　96
超早期発症炎症性腸疾患　31, 125

て・と

低ガンマグロブリン血症　83, 87
同種造血細胞移植　33, 128
トリソミー8　143

に・の

肉芽腫　137
肉芽腫性腸疾患　138
日本免疫不全・自己炎症学会　2
膿瘍形成　138

は

肺囊胞　59
肺胞蛋白症　142

ひ

非典型溶血性尿毒症症候群　165
びまん性大細胞型 B 細胞性リンパ腫　128

ふ

フェリチン　114
複合免疫不全症　5, 22
分類不能型免疫不全症　6, 68, 86, 90, 122, 184

へ

ベリナート®　174
ベロトラルスタット　174

ほ

放射線高感受性　36
補体　164
補体欠損症　164
補体制御因子　165

ま

膜侵襲複合体　164
慢性肉芽腫症　137, 187
慢性皮膚粘膜カンジダ感染　157
慢性皮膚粘膜カンジダ症　157

め

免疫グロブリンクラススイッチ異常症　73
免疫グロブリン定期補充療法　66
免疫グロブリン補充療法　8, 71, 76

免疫性血小板減少性紫斑病　30, 90
免疫調節障害　85, 122
免疫不全を伴う無汗性外胚葉形成異常症　53
免疫抑制療法　71
メンデル遺伝型マイコバクテリア易感染症　152

も

毛細血管拡張性運動失調症　36
モノソミー7　143

ゆ

疣贅　142
疣贅状表皮発育異常症　144

ら・り

ラナデルマブ　175
淋菌感染症　167
リンパ浮腫　142

欧文索引

A

A-T（ataxia telangiectasia）　36
ACT1 異常症　157, 160
ADA（adenosine deaminase）　17
ADA 欠損症　17
AFP（α-fetoprotein）　36
aHUS（atypical hemolytic uremic syndrome）　165
ALPS（autoimmune lymphoproliferative syndrome）　106
APDS（activated PI3 kinase-delta syndrome）　78
ARPC1B 異常症　30

B

BCG　152
Bloom 症候群　41, 46
BTK（Bruton tyrosine kinase）　64

C

C1-INH　170
C1 インヒビター　170
CD107a　114
CD107a 解析　115
CGD（chronic granulomatous disease）　137, 187
CHS（Chédiak-Higashi syndrome）　96
CID（combined immunodeficiency）　22
CMC（chronic mucocutaneous candidiasis）　157
CMCD（chronic mucocutaneous candidiasis disease）　157
cold activation　168
CRP　60
CTLA4（cytotoxic T lymphocyte antigen 4）　121
CTLA4 ハプロ不全症　121

CVID（common variable immunodeficiency）　68, 86, 90, 122, 184

D

DCML 欠損症　142
de novo　58
DGS（DiGeorge syndrome）　49
DiGeorge 症候群　49
DNA 修復障害　41
DNT 細胞　106
double negative T 細胞　106

E

ELANE 異常症　133, 135
Emberger 症候群　142
ESID（European Society for Immunodeficiencies）　68
Evans 症候群　109

F

FAS　106

FHL（familial hemophagocytic lymphohistiocytosis） 112
FOXP3 117

G

G-CSF（granulocyte colony stimulating factor） 132
G6PC3 欠損症 133
GATA2 欠損症 142
GFI1 欠損症 133
GS2（Griscelli syndrome type 2） 97

H

HAE（hereditary angioedema） 170
HAX1 欠損症 133
HIES（hyper IgE syndrome） 178
HIGM（hyper IgM syndrome） 73
HLH-2004 114
HLH（hemophagocytic lymphohistiocytosis） 98, 112
HPS2 97
HPS10 97

I

ICF 症候群 41, 46
IEI（inborn errors of immunity） 2
IEI の疫学 2
IEI の鑑別診断 3
IEI の疾患分類 4
IEI の症状 3
IEI の治療 8
IFN-γR1 異常症 154
IKAROS 異常症 82
IKBKB 遺伝子 54
IKBKG 遺伝子 54
IKZF1 82
IL-10 シグナル異常症 125
IL-12p40 異常症 154
IL-12β1 異常症 154
IL-17F 異常症 157, 158, 160
IL-17RA 異常症 157, 158, 159, 160
IL-17RC 異常症 157, 158, 159, 160
IL2RG 12
iNKT（invariant NKT）細胞 103
IPEX（immune dysregulation, polyendocrinopathy, enteropathy, X-linked）症候群 117
IRAK4（interleukin-1 receptor-associated kinase 4） 148
IRAK4 欠損症 148
isolated CMC 158, 159
ITP（immune thrombocytopenic purpura） 30

J K

JSIAD（Japanese Society for Immunodeficiency and Autoinflammatory Diseases） 2
Kostmann 病 133

L

Lamp-1 114
LRBA（lipopolysaccharide-responsive beige-like anchor protein） 121
LRBA 欠損症 121
LYST 96

M

MAC（membrane attack complex） 164
McLeod 症候群 138
monogenic IBD（inflammatory bowel disease） 125
monoMAC 症候群 142
MSMD（Mendelian susceptibility to mycobacterial disease） 152
Munc13-4 112
Munc18-2 112
MyD88（myeloid differentiation primary response gene 88） 148
MyD88 欠損症 148

N

NADPH（nicotinamide adenine dinucleotide phosphate） 137, 187
NEMO（nuclear factor-κB essential modulator） 54
NFKB1 遺伝子 86
NFKB1 欠損症 86
NFKB2 欠損症 90
NFKBIA 遺伝子 54
NF-κB 53, 86, 149
Nijmegen 染色体不安定症候群 41, 46
NK 細胞活性 114

O P

Omenn 症候群 22
Perforin 112
PIK3CD 78
PIK3R1 78
PMS2 異常症 41, 47

R

RhoG 112
RIDDLE 症候群 41, 47

S

SAP 欠損症 101
SCID（severe combined immunodeficiency） 12, 17
SCN（severe congenital neutropenia） 132
SERPING1 170
sIL-2R 114
SLE（systemic lupus erythematosus） 165
STAT1-GOF（gain-of-function） 158, 159, 160
STAT1 異常症 155
STAT3 57
STAT3 欠損症 178
Syntaxin11 112

T

T 細胞欠損 49

Th17 細胞　60
TLR（toll-like receptor）　53, 54, 148
toll 様受容体　53, 54, 148
TREC（T-cell receptor excision circles）　22
Treg　117
Tregopathy　6

V

VEO-IBD（very early-onset inflammatory bowel disease）　31, 125
VEXAS 症候群　8

VPS45 欠損症　133

W

WAS（Wiskott-Aldrich syndrome）　30
WIP 異常症　30

X

X-SCID（X-linked SCID）　12
X 連鎖血小板減少症　30
X 連鎖重症複合免疫不全症　12
X 連鎖無ガンマグロブリン血症　64, 181

X 連鎖リンパ増殖症候群　101
XIAP 欠損症　101
XLA（X-linked agammaglobulinemia）　64, 181
XLP（X-linked lymphoproliferative syndrome）　101
XLT（X-linked thrombocytopenia）　30

ギリシャ文字

α フェトプロテイン　36

- JCOPY 〈(社)出版者著作権管理機構 委託出版物〉
  本書の無断複写は著作権法上での例外を除き禁じられています．複写される場合は，そのつど事前に，(社)出版者著作権管理機構（電話 03-5244-5088, FAX03-5244-5089, e-mail：info@jcopy.or.jp）の許諾を得てください．
- 本書を無断で複製（複写・スキャン・デジタルデータ化を含みます）する行為は，著作権法上での限られた例外（「私的使用のための複製」など）を除き禁じられています．大学・病院・企業などにおいて内部的に業務上使用する目的で上記行為を行うことも，私的使用には該当せず違法です．また，私的使用のためであっても，代行業者等の第三者に依頼して上記行為を行うことは違法です．

原発性免疫不全症候群 診療の手引き
改訂第2版   ISBN978-4-7878-2630-5

2023年10月6日　改訂第2版第1刷発行

2017年4月17日　初版第1刷発行

編　　集	日本免疫不全・自己炎症学会
発 行 者	藤実正太
発 行 所	株式会社　診断と治療社
	〒100-0014　東京都千代田区永田町2-14-2　山王グランドビル4階
	TEL：03-3580-2750（編集）　03-3580-2770（営業）
	FAX：03-3580-2776
	E-mail：hen@shindan.co.jp（編集）
	eigyobu@shindan.co.jp（営業）
	URL：http://www.shindan.co.jp/
表紙デザイン	ジェイアイプラス
印刷・製本	日本ハイコム株式会社

© 株式会社 診断と治療社，2023．Printed in Japan.　　　　　　　　　　　　　　　［検印省略］
乱丁・落丁の場合はお取り替えいたします．